Trente ans de politique extérieure du Québec

1960-1990

Louis BALTHAZAR, Louis BÉLANGER
Gordon MACE et collaborateurs

Trente ans de politique extérieure du Québec
1960-1990

Centre québécois de relations internationales
Les éditions du Septention

Les éditions du Septentrion reçoivent chaque année une aide financière du Conseil des Arts du Canada et du ministère des Affaires culturelles du Québec pour l'ensemble de leur programme d'édition.

Éditrice: Claude Basset

Révision: Andrée Laprise

Mise en pages: Zéro Faute, Outremont

Si vous désirez être tenu au courant des publications
des ÉDITIONS DU SEPTENTRION,
vous pouvez nous écrire au
1300, av. Maguire, Sillery (Québec) G1T 1Z3
ou par télécopieur (418) 527-4978

Données de catalogage avant publication (Canada)

Balthazar, Louis
  Trente ans de politique extérieure du Québec, 1960-1990
  Comprend des réf. bibliogr. et un index.
  ISBN 2-920027-16-6 (CQRI) – ISBN 2-921114-93-3 (Septentrion)

1. Québec (Province) – Relations extérieures. 2. France – Relations extérieures – Québec (Province). 3. États-Unis – Relations extérieures – Québec (Province). 4. Francophonie – Relations extérieures – Québec (Province). I. Bélanger, Louis, 1963-   . II. Mace, Gordon. III. Centre québécois de relations internationales. IV. Titre.

FC2925.9.D56B34 1993   327.714   C93-096848-4
F1053.2.B34 1993

Dépôt légal: 3ᵉ trimestre 1993
Bibliothèque nationale du Québec
Bibliothèque nationale du Canada

Les auteurs

Louis BALTHAZAR est professeur au Département de science politique de l'Université Laval, Québec. Il se spécialise dans les questions concernant les États-Unis.

Louis BÉLANGER est chargé de recherche au Centre québécois de relations internationales à l'Université Laval, Québec. Il poursuit des études de doctorat au Département de science politique de cette même université.

Ivan BERNIER est professeur à la Faculté de droit de l'Université Laval, Québec. Il est également le directeur du programme de recherche sur les relations économiques internationales du Centre québécois de relations internationales. Il se spécialise dans les questions de droit international économique.

Guy GOSSELIN est professeur au Département de science politique de l'Université Laval, Québec et spécialiste des relations internationales du Québec et du Canada.

Gérard HERVOUET est professeur au Département de science politique de l'Université Laval, Québec. Il est également directeur de la revue *Études internationales*. Il est spécialiste des relations internationales en Asie et des politiques canadiennes et québécoises avec ce continent.

Gordon MACE est professeur au Département de science politique de l'Université Laval, Québec. Il est également directeur du programme sur la politique étrangère du Centre québécois de relations internationales. Il est spécialiste des relations avec l'Amérique latine.

Jean PLOURDE possède un diplôme de maîtrise en science politique de l'Université Laval, Québec.

Lyne Sauvageau a complété une maîtrise en science politique à l'Université Laval. Son mémoire intitulé «De l'école au marché: les relations du Québec avec l'Afrique (1960-1990)» a été publié dans la collection Les Cahiers du CQRI. Elle poursuit des études de doctorat en santé communautaire à l'Université de Montréal.

Thomas Tessier a complété sa maîtrise en science politique à l'Université Laval, Québec. Son mémoire intitulé «L'asymétrie comme facteur d'explication des relations internationales d'États fédérés: le cas de l'immigration au Québec 1968-1988» a été publié dans la collection Les Cahiers du CQRI. Il est actuellement adjoint au directeur du Groupe d'études et de recherches sur les politiques environnementales de l'Université Laval.

Avant-propos

Il était assez naturel que le Programme en analyse de politique étrangère du CQRI consacre ses premiers efforts de recherche à une étude exhaustive du comportement international du gouvernement québécois. Compte tenu de l'ampleur croissante du phénomène, il était en effet surprenant de constater que l'on avait consacré fort peu de travaux d'analyse systématique à ce sujet, alors même que les transformations actuelles et à venir du système international vont faire de l'ouverture au monde une nécessité vitale pour l'avenir du Québec. Par ailleurs, nous avions l'avantage, étant situés à Québec, d'accéder plus facilement aux ministères impliqués dans le domaine, ainsi qu'aux archives gouvernementales.

Nous pensions donc pouvoir travailler sur un sujet d'importance avec un accès aux données relativement facile. Ce qui n'a pas été le cas, à tout le moins en ce qui concerne les données, car il n'existe pas au gouvernement du Québec une mémoire institutionnelle aussi développée sur les relations extérieures que ce que l'on trouve, par exemple, à Ottawa. Ce qui fait que les données ne sont pas toutes concentrées au ministère des Affaires internationales et que, même au sein de ce ministère, existent des trous béants quant à l'information disponible. Sans compter cette pratique extraordinaire voulant que certains ministres, pourtant employés de l'État, s'approprient, à la fin de leur mandat, discours et autres documents qu'ils considèrent alors comme leur propriété personnelle.

Dans ces conditions, ce qui a été réalisé ici est, ni plus ni moins, un tour de force. Bien sûr, ceux qui attendent de ce livre une explication complète du pourquoi et du comment de l'action internationale du Québec seront déçus, puisque cet ouvrage s'attache surtout à bien décrire le comportement international du Québec de 1960 à la fin des années quatre-vingt. Cela n'avait jamais été réalisé systématiquement et il fallait bien commencer par le commencement. C'est pourquoi nous nous sommes attardés à la description méticuleuse du comportement de l'acteur québécois. Parce qu'il est difficile de bien expliquer ce que l'on comprend mal ou ce qui est mal circonscrit au départ, il fallait donc construire la carte la plus précise possible du cheminement international du gouvernement québécois depuis 30 ans.

Naturellement, tout ce travail n'aurait pas été possible sans la collaboration fort appréciée de plusieurs personnes et organismes. Les auteurs désirent ainsi remercier le Fonds FCAR sans l'appui financier duquel ce projet n'aurait tout simplement pas vu le jour. Ils désirent également remercier vivement les autorités du ministère des Affaires internationales pour leur avoir facilité l'accès aux diverses sources ainsi que le personnel des différentes directions de ce ministère, celui des Archives nationales du Québec et celui du Dépôt de documents semi-actifs du gouvernement du Québec pour leur précieuse collaboration. Nos remerciements vont aussi à M. Robert Bourassa qui, en nous donnant accès à son fonds d'archive aux Archives nationales du Québec, nous a permis de compléter notre banque de discours. Dans la même veine, mais sur un autre registre, les auteurs tiennent également à exprimer leur vive appréciation pour le travail tout à fait professionnel de leurs assistants et assistantes de recherche, Marie-Claude Delisle, Josée Denis, Anne Gadbois, Steeve Harbour, Henri Jarque, Stephan LaForce, Michel Marcotte, Daniel Marier, Jean Plourde, Lyne Sauvageau, Yves St-Germain, Thomas Tessier et Jean Touchette. Enfin, ils désirent exprimer leur reconnaissance à Élise Lapalme qui a aimablement accepté de dactylographier différentes versions de ce texte et à Claude Basset pour son travail toujours méticuleux de préparation finale du manuscrit. Que toutes ces personnes soient vivement remerciées, ainsi que les membres des familles des auteurs qui ont dû subir les absences occasionnées par la préparation de ce livre.

Cette étape étant maintenant complétée, les chercheurs associés à notre programme de recherche sont déjà à l'œuvre, afin de réaliser les étapes subséquentes du programme initial. Le travail à faire s'articulera dorénavant autour de deux axes centraux: approfondir l'étude des relations internationales du Québec, à travers l'analyse comparée du comportement international des provinces canadiennes et du gouvernement fédéral, et développer l'analyse de l'action du Canada et du Québec dans le cadre particulier du régionalisme américain.

Gordon Mace, Directeur
Programme en analyse de politique étrangère

Introduction générale

———■———

Louis BALTHAZAR *et* Gordon MACE

C ertains spécialistes nous disent que le climat horrible de l'été 1992 au Québec s'explique en bonne partie par les éruptions du volcan Pinatubo situé aux Philippines, à plusieurs milliers de kilomètres de chez nous. D'autres affirment que la décision mexicaine de signer un accord de libre-échange avec Washington a obligé le Canada à devenir partie prenante à un accord qui aura des effets importants sur l'économie du Québec. On sait par ailleurs que la décision du gouverneur de l'État de New York de ne pas ratifier le contrat de livraison d'électricité québécoise a retardé de plusieurs années le projet de développement hydro-électrique de Grande Baleine et on se rappelle comment le premier choc pétrolier de 1973 a affecté l'ensemble de l'économie québécoise. Enfin, plusieurs savent que les négociations actuelles dans le cadre du GATT pourraient avoir des effets importants sur les offices québécois de commercialisation de produits agricoles.

Tous ces phénomènes ont un dénominateur commun. Ils montrent comment, de plus en plus, des événements qui se produisent un peu partout dans le monde, influencent ce qui se passe au Québec. Ils témoignent du fait que même un État non souverain comme le Québec est affecté par les événements internationaux et doit y réagir. Ils démontrent qu'une société désireuse de progresser ne peut plus se contenter d'assister comme témoin, mais doit de plus en plus se tenir informée de ce qui se passe à l'extérieur et être constamment présente sur la scène internationale. Ce qui signifie qu'à l'avenir, les relations internationales du Québec deviendront aussi, sinon plus importantes que plusieurs préoccupations à caractère local.

Ce développement est finalement assez peu surprenant lorsqu'on examine l'évolution récente du système international. Les relations internationales contemporaines n'ont plus rien à voir en effet avec la diplomatie feutrée de l'entre-deux-guerres ni même avec le système rigide de la guerre froide. Ce qui émerge actuellement sous nos yeux est un système multipolaire dont les contours sont totalement différents de l'environnement dans lequel nous avons vécu depuis quarante ans.

Ce nouveau système international, en gestation depuis une vingtaine d'années, est caractérisé par un certain nombre de traits marquants. Au premier chef, on remarque la variété accrue des intervenants qui ne sont plus seulement les États souverains d'autrefois. À côté de ceux-ci on retrouve maintenant les organisations internationales, gouvernementales et non gouvernementales, les entreprises, les États fédérés et même de plus en plus des instances locales comme les villes.

Un autre trait marquant réside dans la multiplication des domaines d'action. Aux domaines traditionnels de paix et de guerre se sont ajoutés et même superposés des domaines comme l'énergie, l'environnement, la formation, la migration des populations, le développement scientifique, et technique de même que les nouvelles formes d'échanges économiques. Enfin, la nature même des échanges internationaux a été profondément transformée à travers ce qu'il est maintenant convenu d'appeler l'internationalisation de la production et la transnationalisation des sociétés.

Tout cela a fait en sorte que la conduite des relations internationales soit devenue beaucoup plus complexe que cela n'était le cas par le passé. Cette complexité, à son tour, a entraîné des difficultés accrues sur le plan de la gestion de la politique étrangère des gouvernements des États souverains. En effet, ceux-ci parviennent plus difficilement à gérer de façon cohérente leurs interventions externes, en particulier dans le cas des fédérations où existe un partage substantiel des compétences.

Cette situation crée alors des espaces d'intervention ou des créneaux d'action pour les autres acteurs des fédérations, en particulier les États fédérés. C'est le cas également pour les pouvoirs locaux de régions frontalières un peu partout dans le monde. À cause des phénomènes de mondialisation de l'économie et de parcellisation du pouvoir politique, cet interventionnisme des pouvoirs locaux en matière de relations internationales est devenu une nécessité vitale.

Ce phénomène s'applique exactement à la situation du Québec au sein de la fédération canadienne. Les nouveaux contours du système international obligent déjà le Québec à une présence accrue hors de ses frontières et le forceront à intervenir en ce sens encore plus dans l'avenir comme ce sera le cas pour les autres provinces canadiennes. Mais déjà Québec a été beaucoup plus actif sur la scène internationale que ses voisins provinciaux. Pourtant, on connaît encore mal les différentes facettes de l'action internationale du Québec et nous n'avons pas une idée claire des déterminants qui ont influencé le comportement québécois dans les différentes régions du monde. Si l'action à venir du Québec sur le plan international doit avoir une certaine efficacité, il importe de visualiser adéquatement ce que nous avons fait à cet égard dans le passé et de tenter de saisir pourquoi nous l'avons fait. C'est là l'objet de ce livre.

Les grands jalons de l'action internationale du Québec

La genèse

Les activités internationales du Québec datent, pour l'essentiel, du début des années soixante. Ce qui ne veut pas dire qu'il n'y eut rien d'autre auparavant. Une agence du Bas-Canada à Londres avait existé de 1816 à 1833. Plus tard, le Québec aura un agent général à Paris, de 1881 à 1910, et il ouvrira un bureau économique à New York en 1941. En dehors de l'action gouvernementale, il y a lieu de rappeler l'important contingent de missionnaires québécois, hommes et femmes, qui ont longtemps séjourné dans les pays du Tiers monde. Alors plus catholiques que Québécois, ils n'en ont pas moins tissé des liens et contribué jusqu'à un certain point à faire connaître le Québec dans ces régions lointaines[1].

Cependant, ces manifestations n'ont rien de comparable, du point de vue de l'ampleur et de la durée, avec le mouvement de présence internationale du Québec qui s'amorce au début des années soixante. Les relations extérieures du Québec de l'ère moderne prendront dès lors une ampleur sans précédent sous la poussée conjuguée de la modernisation et du nationalisme de la société québécoise, combinée aux exigences d'une interdépendance de plus en plus incontournable.

L'arrivée au pouvoir du gouvernement Lesage en 1960 a marqué profondément l'évolution de l'histoire politique du Québec. L'ouverture au monde et les germes de modernisation qui existaient déjà dans la société québécoise ont favorisé une transformation des structures sociétales du Québec. À l'échelle de la planète, aucune autre société n'a subi de changements aussi profonds en un laps de temps aussi court[2]. Il devait s'ensuivre qu'une société devenue moderne, ou en voie de le devenir, cherche à s'ouvrir davantage vers l'extérieur.

Même si le programme électoral du Parti libéral du Québec n'avait à peu près pas abordé le thème des relations internationales, les impératifs de l'ouverture au monde allaient vite s'imposer au gouvernement élu en 1960. La visite du premier ministre Lesage en France en 1961, précédée et préparée par la visite, un an auparavant, du ministre Georges-Émile Lapalme, allait servir de déclencheur; car on procédait alors à l'ouverture officielle de la délégation générale du Québec à Paris. L'année suivante, était inaugurée la délégation générale du Québec à Londres et on transformait le bureau de New York en délégation générale. Sans que cela ait été dit explicitement ou même réalisé à dessein, on ne peut s'empêcher de discerner dans le choix de ces trois villes les trois axes majeurs des relations internationales du Québec en devenir: la culture et le statut, les finances internationales, ainsi que l'économie et le commerce.

En 1965, le gouvernement du Québec ouvrait un bureau commercial à Milan qui sera ultérieurement transformé en délégation. Mais cette année 1965 a également été marquée par la signature des premières ententes internationales du Québec. Deux accords, dans les domaines de l'éducation et de la culture, étaient alors conclus avec le gouvernement français. Ces accords, même chapeautés par des accords-cadres Canada-France, ont constitué un jalon important dans l'histoire des relations internationales du Québec, car, en les signant, le Québec devenait véritablement un acteur international en fait, sinon en droit.

La signature de ces accords et les gestes subséquents posés par le gouvernement du Québec ont également soulevé le problème du statut du Québec sur la scène internationale. Ce problème a généré à l'époque toute une littérature portant sur le statut et les compétences internationales des États fédérés canadiens[3]. La doctrine québécoise, telle que formulée alors par le ministre Gérin-Lajoie, affirmait essentiellement la compétence internationale du Québec dans les matières relevant de la juridiction provinciale. Naturellement, le gouvernement fédéral s'opposait à cette vision des choses, en s'appuyant sur les Lettres patentes de 1947 que l'on interprétait comme conférant au gouvernement central la capacité exclusive de conclure des accords internationaux[4].

Le débat ne fut jamais véritablement tranché par la suite, mais les deux gouvernements parviendront plus tard à une sorte de *modus vivendi* en fonction duquel le gouvernement fédéral acceptera que les provinces puissent s'engager dans certaines activités internationales dans leurs domaines de juridiction, à la condition que soit respecté le pouvoir ultime du gouvernement central de conclure des traités, de participer aux organisations internationales et de gérer nos relations avec les autres pays. Avant que ne se terminent les années soixante, toutefois, le mouvement d'expansion de l'État québécois et l'incertitude quant à son statut sur le plan international donneront lieu à ce que l'on appellera «la guerre des drapeaux», au cours de laquelle le Québec saisira toutes les occasions pour tester la fermeté des positions fédérales et pour se tailler une place sur la scène internationale, tandis qu'Ottawa cherchera à éviter tout précédent susceptible d'affaiblir son contrôle des relations extérieures du pays. Les manifestations les plus spectaculaires de cette période conflictuelle ont été, bien sûr, la visite du général de Gaulle au Québec, mais surtout la tenue des conférences des ministres de l'Éducation des pays francophones au Gabon, au Zaïre et au Niger de 1968 à 1970. Soutenu par la France, le Québec a manifesté alors sa volonté d'affirmer sa personnalité internationale pour obtenir un succès appréciable dans la reconnaissance de son statut de gouvernement participant, lors de la création de l'Agence de coopération culturelle et technique à Niamey en avril 1970.

Par ailleurs, sur le plan organisationnel le gouvernement du Québec s'était donné une première structure de gestion de ses activités internationales, avec la création du ministère des Relations fédérales-provinciales. En 1967, les activités internationales du Québec ayant pris une certaine ampleur, le gouvernement remplaçait ce premier ministère par celui des Affaires intergouvernementales qui devait dorénavant coordonner l'ensemble de nos relations extérieures. Toutefois, cette coordination sera longtemps déficiente, dans la mesure où les ministères déjà actifs sur le plan international, tels l'Industrie et Commerce, l'Éducation et les Affaires culturelles, accepteront mal de céder leurs prérogatives au nouveau ministère. Il faudra attendre l'importante loi de 1974 qui accordera au ministère des Affaires intergouvernementales de véritables instruments de contrôle et de coordination sur l'ensemble des activités internationales du Québec.

Ainsi, à la fin des années soixante, le gouvernement du Québec avait déjà établi les bases d'une action qui ne pouvait que se développer par la suite. Il avait esquissé une doctrine fondant son statut d'acteur international et s'était donné une structure de gestion de ses activités extérieures. Il avait créé un embryon de réseau de représentations internationales et était devenu membre de plein droit d'une organisation internationale regroupant les pays francophones. Il avait enfin développé des relations privilégiées avec la France et avait commencé à élargir ses relations avec les pays d'Afrique francophone. Malgré les soubresauts de cette période, c'était là un début prometteur.

La consolidation et l'élargissement

Les années soixante-dix auraient pu marquer un recul dans le développement des activités internationales du Québec. L'allié extérieur le plus sûr de l'État québécois, le général de Gaulle, avait en effet abandonné le pouvoir en France, tandis qu'au Canada l'élection du gouvernement libéral de Pierre Trudeau annonçait la mise en place d'un gouvernement central fort et soucieux d'exercer un plus grand contrôle sur une politique étrangère davantage articulée autour de la promotion de l'intérêt national canadien. Au Québec, pendant ce temps, le premier ministre autonomiste Daniel Johnson décédait en 1968 et le gouvernement de l'Union nationale était remplacé en 1970 par celui du libéral Robert Bourassa, dont les convictions fédéralistes étaient alors sans équivoque.

Les années soixante-dix n'en ont pas moins été des années de consolidation et d'élargissement significatif de la présence internationale du Québec. Sur le plan administratif tout d'abord, le gouvernement a fait voter la loi de 1974, mentionnée précédemment, qui confiait au ministère des Affaires intergouvernementales un mandat beaucoup plus large, en matière d'élaboration et de gestion des relations extérieures du Québec. Fait encore plus significatif, la loi accordait dorénavant à ce ministère des pouvoirs véritables sur le plan de la coordination des activités internationales des ministères québécois et elle lui confiait la responsabilité des délégations du Québec à l'étranger. Au sein même du ministère des Affaires intergouvernementales étaient créées des directions géographiques et sectorielles qui devaient faciliter la gestion des relations extérieures du Québec.

On assiste également au cours de ces années à un élargissement important des représentations internationales du Québec. Au début des années soixante-dix, le gouvernement procède ainsi à l'ouverture des délégations générales à Bruxelles et à Tokyo. Parallèlement, on ouvre des bureaux commerciaux à Düsseldorf et des délégations dans plusieurs grandes villes des États-Unis (Boston, Chicago, Los Angeles, LaFayette), tandis qu'on installe des bureaux d'immigration dans les ambassades canadiennes à Athènes, Port-au-Prince, Beyrouth et Rome. Plus tard, le gouvernement Lévesque poursuivra dans le même sens avec l'ouverture d'une délégation à Atlanta, d'une délégation générale à Mexico, de missions à Hong Kong et à Caracas, ainsi que des bureaux d'immigration à Buenos Aires et à Lisbonne.

Ces années sont également marquées par la signature de nombreuses ententes avec des partenaires diversifiés aux États-Unis, en Europe, au Moyen-Orient et en Afrique du Nord. Le gouvernement du Québec continue d'être actif dans la Francophonie et il cherche à approfondir des liens déjà étroits avec la France. Ainsi, lors de son second mandat, le gouvernement Bourassa conclut des accords importants avec son homologue français, en particulier dans le domaine de la promotion du français comme langue de travail.

Mais l'action internationale du Québec au cours de cette période va bien au-delà des questions de langue et de culture. Elle est devenue beaucoup plus importante dans le domaine de l'économie où, à l'instar des activités de l'Ontario et de l'Alberta, les relations commerciales et financières sont devenues un thème majeur, lors des déplacements à l'étranger du premier ministre Bourassa. L'appel aux investissements étrangers, en particulier pour le financement des travaux de la Baie-James, deviendra une constante dans les discours du chef de l'État.

Le premier gouvernement Lévesque, pour sa part, en dépit ou peut-être en raison de son option souverainiste, a jugé préférable de continuer la politique amorcée par son prédécesseur. Sur le plan international, en effet, l'action du gouvernement Lévesque s'est inscrite dans une remarquable continuité par rapport à celle du gouvernement Bourassa, alors qu'étaient privilégiés les relations économiques et les dossiers à caractère technique. Seules les deux années précédant le référendum de 1980 ont tranché sur le reste des années soixante-dix, puisque le gouvernement a consacré un effort particulier à «l'opération Amérique» visant à expliquer aux élites américaines les enjeux du référendum et les conséquences éventuelles d'un vote en faveur de la souveraineté-association.

Ainsi, a-t-on assisté au cours de ces années à la consolidation des relations extérieures du Québec par l'accroissement des pouvoirs de coordination du ministère des Affaires intergouvernementales, ainsi que par la création de directions générales géographiques et fonctionnelles. Le gouvernement a ainsi renforcé son appareil de politique étrangère et il a raffermi sa position au sein de la Francophonie, en signant de nouvelles ententes avec la France et en devenant membre de plein droit de l'Agence de coopération culturelle et technique. Les années soixante-dix ont également été des années d'élargissement et de diversification de la présence internationale du Québec par un accroissement des contacts et l'ouverture de représentations en Europe, en Amérique latine et en Asie[5].

La maturité

Au moment de la réélection du gouvernement Lévesque en 1981, l'essentiel du réseau de représentations diplomatiques du Québec est maintenant en place. On y fera alors seulement des ajouts mineurs avec la création de bureaux commerciaux à Bangkok, Singapour et Bogota. Car l'heure n'est manifestement plus aux grandes manœuvres. Le climat est en effet fortement teinté de morosité, à la suite du retour au pouvoir de l'ancienne équipe libérale à Ottawa et surtout après les résultats du référendum de 1980. Sans compter la profonde récession économique mondiale qui obligera le gouvernement Lévesque à de douloureuses coupures budgétaires au cours de l'année 1982.

Par conséquent, l'époque est dominée par une gestion budgétaire prudente où les conséquences de la récession qui frappe le Canada dans son ensemble obligent le gouvernement du Québec à consacrer l'essentiel de ses ressources au soutien de l'économie locale. Les ressources alors affectées aux relations internationales devront servir en priorité aux activités susceptibles de contribuer à la relance de l'économie québécoise. Ainsi, la priorité en ce domaine est accordée essentiellement aux activités économiques et l'attention du gouvernement québécois se portera principalement vers les régions porteuses de retombées économiques pour le Québec. Ce qui satisfera, à n'en pas douter, les nouvelles élites d'affaires du Québec.

Les impératifs économiques des années quatre-vingt ont ainsi amené le gouvernement du Québec à privilégier les relations financières et commerciales par le biais d'une présence accrue aux États-Unis[6], en Europe de l'Est et de l'Ouest, en Amérique latine[7] et en Asie[8].

Ce souci de l'économie, conjugué aux pressions de certains groupes et surtout au jeu de pouvoir de quelques ministres, a également amené la création du ministère du Commerce extérieur en 1983.

Ce faisant, le gouvernement du Québec imitait son homologue fédéral qui avait également créé un ministère semblable auparavant, à la différence près, toutefois, qu'à Ottawa le nouveau ministère était chapeauté par celui des Affaires extérieures. Au Québec, les rivalités ministérielles ont empêché qu'il en soit ainsi, à l'exception d'une brève période en 1984-1985[9], créant de ce fait des problèmes de coordination. Il faudra attendre 1988 pour que le bon sens prévale et que soient fusionnés les ministères du Commerce extérieur et des Relations internationales en un nouveau ministère des Affaires internationales.

Les années quatre-vingt ont également fourni l'occasion, par ailleurs, de produire le premier véritable énoncé de politique étrangère québécoise[10] depuis le début des relations internationales du Québec. Cet énoncé de doctrine avait été précédé par un exercice de consultation élargie où, pour la première fois dans l'histoire des relations internationales du Québec, les principaux intervenants en la matière exprimaient leurs attentes concernant l'avenir de nos relations extérieures[11]. L'ensemble de l'opération a permis la production du premier véritable «Livre blanc» de politique internationale du Québec qui énonce les grands objectifs que veut poursuivre le gouvernement en ce domaine et qui trace les principaux axes de conduite.

Ces axes, nous l'avons dit, ont largement privilégié les relations commerciales et financières sans ignorer, toutefois, la participation du Québec au sein de la Francophonie. Car les choses bougeaient également de ce côté avec le projet de création des Sommets des chefs d'États et de gouvernements ayant en commun l'usage du français. Ce projet constituait un prolongement naturel des travaux initiés au sein de l'Agence de coopération culturelle et technique, mais le dossier était en quelque sorte bloqué à cause de l'exigence du gouvernement libéral fédéral qui tenait à une représentation unique du Canada lors de rencontres devant réunir des pays souverains.

L'arrivée au pouvoir du gouvernement conservateur en 1984 a permis de débloquer le dossier. Une entente fut signée en novembre 1985 qui appliquait aux Sommets la formule préalablement retenue pour la participation du Québec à l'Agence de coopération culturelle et technique. Le Québec recevrait une invitation, à titre de gouvernement participant, mais ferait partie de la délégation canadienne, sans toutefois que cela l'empêche de s'exprimer de façon autonome sur des sujets relevant de sa juridiction[12]. Cette entente servit de cadre pour la participation du Québec aux sommets de Paris en 1986, de Québec en 1987, de Dakar en 1989 et de Chaillot en 1991.

Ainsi, ces années auront permis l'établissement d'une sorte de *modus vivendi* entre Québec et Ottawa dans le domaine des relations internationales. Le gouvernement fédéral reconnaissait la légitimité d'une présence internationale du Québec et des autres provinces canadiennes dans les secteurs relevant de leur juridiction, dans la mesure où l'on conservait une certaine forme d'encadrement pour le gouvernement canadien. L'interdépendance et la mondialisation de l'économie exigeaient une telle présence et rendaient caduques les stériles querelles de drapeaux du passé. Un appareil de gestion d'un réseau d'activités internationales était désormais bien implanté dans la structure gouvernementale québécoise. L'énoncé de politique de 1991 viendra simplement confirmer les orientations définies au milieu des années quatre-vingt en reconnaissant la primauté des cibles Amérique et Europe. Le document accentue par ailleurs la dimension économique et commerciale déjà présente dans l'énoncé de politique de 1985. Enfin, il renforce la présence institutionnelle du Québec à l'étranger en transformant les délégations de Tokyo et de Düsseldorf en délégations générales, tout en accordant le statut de délégations aux bureaux du Québec à Atlanta, Caracas, Bogota, Singapour et Stockholm[13].

Sur une période de trente ans, le gouvernement du Québec a ainsi réalisé une somme considérable d'activités internationales. Il s'est donné une doctrine, un appareil de gestion et un réseau de représentations internationales qui ne se comparent pas, bien sûr, à ceux des grands États souverains, mais qui le placent certainement au premier rang des provinces canadiennes et des autres États fédérés dans le monde.

À propos de la littérature

Compte tenu de l'ampleur et de la diversité des activités internationales du Québec depuis une trentaine d'années, on demeure surpris de l'absence relative de travaux analytiques sur le phénomène des relations internationales du Québec. Nous ne voulons pas dire par là qu'il n'y a pas une littérature abondante sur le sujet mais, comme nous allons le voir maintenant, cette littérature est fort disparate, les ouvrages véritablement analytiques y occupant une place plutôt limitée.

Les études à caractère juridique

Nous y avons fait allusion antérieurement, les premiers travaux sur les relations extérieures du Québec étaient des textes à caractère juridique. Cela surprend peu, si on se replace dans le contexte des années soixante où le Québec, pour la première fois, tentait aussi nettement d'affirmer sa personnalité internationale et de se définir un statut comme acteur de plein droit en relations internationales.

Tout le débat consistait alors à déterminer quels pouvoirs, si tant est qu'il en fut, la Constitution canadienne accordait aux États fédérés dans le domaine des relations internationales. Plus spécifiquement, on cherchait à déterminer la nature et le degré de la compétence accordée aux provinces canadiennes, en ce qui touche surtout le droit de conclure des traités et la participation aux conférences internationales. Aucun article de l'Acte de l'Amérique du Nord britannique ne traitant de ces questions précisément, il y avait là amplement matière à interprétation.

Il n'est donc pas étonnant que la première vague de travaux sur les relations internationales du Québec ait été principalement consacrée à la discussion des compétences réservées à l'un et l'autre paliers de gouvernement, à la lumière des interprétations que l'on pouvait faire de la Loi constitutive du pays, des constitutions des autres États fédéraux et des jugements rendus par la Cour suprême du Canada.

Les gouvernements du Canada et du Québec avaient naturellement précisé leurs points de vue à cet égard dans des documents sur lesquels s'appuierait la position de chacun lors des conférences constitutionnelles des années 1960[14]. Cependant, ces documents ne parvenaient pas, eux non plus, à trancher la question d'une manière qui satisfasse les juristes canadiens. D'où la nécessité, pour les tenants de l'une et l'autre interprétations, de publier leurs propres études[15].

Du côté québécois, le débat juridique a donné lieu à un ensemble de publications où les auteurs ont cherché à établir les fondements d'une compétence des États fédérés à conclure des traités à partir de l'examen du droit public international, du droit canadien et du droit comparé[16]. Tous ont conclu que les textes juridiques de base n'autorisaient pas de conclusions fermes en la matière. La plupart croyaient qu'à tout le moins il n'y avait rien dans le droit canadien qui empêchait les provinces d'exercer certains pouvoirs relevant exclusivement de leur juridiction. Le débat ne sera toutefois jamais véritablement tranché sur le plan du droit. Là comme ailleurs, l'issue sera déterminée par la pratique en la matière.

Essais et narrations

Les travaux les plus importants qu'il convient de classer dans la catégorie essais sont certainement les écrits de l'ancien ministre et sous-ministre du ministère des Affaires intergouvernementales, Claude Morin. Utilisant ses archives personnelles, l'auteur produit des ouvrages contenant essentiellement une défense de l'action passée et une condamnation du rôle du gouvernement fédéral comme agent de contrainte de l'affirmation de la personnalité internationale du Québec[17]. Ces travaux portent surtout sur la relation Canada-Québec dans le cadre de la Francophonie et des relations avec la France. D'autres essais portent sur la Francophonie[18] et l'immigration[19] tandis qu'on retrouve également des écrits à caractère plus prospectif[20].

Les travaux les plus nombreux sur les relations internationales du Québec sont des textes de type narratif. Il s'agit d'ouvrages descriptifs qui proposent un bilan ou tracent simplement l'état de la situation des activités internationales du Québec à l'égard d'une région géographique ou d'un domaine fonctionnel.

Dans cette catégorie d'ouvrages, il y a très peu d'écrits qui abordent l'ensemble des relations internationales du Québec. Deux livres seulement se sont attachés à tracer le portrait des activités internationales du Québec pour l'ensemble de la période 1960-1980[21]. Un autre a privilégié la période de 1978-1983[22], tandis que l'article de Louise Beaudoin, en dépit d'un titre à portée générale, traite principalement de nos relations avec la France et la Francophonie[23].

Le choix de ce thème était d'ailleurs des plus heureux, vu la rareté relative des travaux portant sur un pays et un secteur d'activités pourtant reconnus comme stratégiques pour l'avenir du Québec français. On compte en effet sur les doigts de la main les travaux qui ont porté d'abord sur nos relations avec la France ou sur les activités de coopération dans le cadre de la Francophonie[24].

Par contre, le traitement accordé aux relations Québec-États-Unis est beaucoup plus important. Le caractère substantiel de la littérature sur le sujet atteste avec évidence l'ampleur des interactions entre les deux entités et l'attention qu'il convient d'accorder à un acteur dont les attitudes pourront être déterminantes pour le devenir du Québec. En plus d'être plus abondante, la littérature sur les relations du Québec avec les États-Unis porte sur des domaines variés. On y retrouve tout autant des narrations historiques[25] que des études sur les relations économiques[26], des travaux sur la perception américaine du Québec[27] ou encore des textes sur les relations culturelles entre les deux communautés[28]. On notera également deux contributions récentes dont le mérite consiste surtout à tenter d'offrir une perspective d'ensemble des relations Québec/États-Unis et de l'aspect plus spécifiquement politique de ces relations[29].

Les autres régions géographiques et domaines sectoriels sont quasi ignorés même dans les études de type narratif. Ainsi, on ne retrouve qu'une description sommaire des activités internationales du Québec en Afrique[30] et en Amérique latine[31]. Pour ce qui est des domaines sectoriels, seule l'économie a retenu l'attention avec une description des relations commerciales[32] et un tableau des relations économiques du Québec avec les États américains[33].

Les travaux de type analytique

Il existe d'autres travaux où l'aspect analytique est davantage présent et qui visent à mieux faire comprendre la nature et la portée du comportement extérieur de l'État québécois. Sur le plan général, quelques analyses comparatives ont tenté de poser des jalons pour une éventuelle problématique à propos des activités internationales des provinces canadiennes[34]. Des travaux portent plus spécifiquement sur le rôle international du Québec[35].

C'est surtout dans les études de P. Painchaud et de D. Latouche que l'on retrouve un début de réflexion théorique, afin d'en arriver à un éventuel modèle d'analyse des relations internationales du Québec. Fidèle à l'analyse traditionnelle de politique étrangère, Painchaud utilise la perspective du *state-building* pour étudier l'appareil étatique de politique internationale du Québec à travers les grandes catégories de comportement de l'État que sont la définition de la doctrine, l'élaboration de la pensée stratégique, la mise en place des politiques et l'occupation de l'espace international. Il note alors que malgré l'absence d'une véritable pensée stratégique sur le plan externe, le Québec s'est néanmoins démarqué des autres entités non souveraines en adoptant progressivement un comportement de politique internationale qui est passé de la *low politics* à la *high politics*. Selon Painchaud, cette évolution s'explique essentiellement par les exigences de la situation particulière du Québec en Amérique du Nord, ainsi que par le processus rapide de modernisation de la société québécoise[36].

Latouche, pour sa part, adopte une vision analytique différente en cherchant à expliquer la politique internationale du Québec à travers le concept de régimes internationaux emprunté aux travaux de S. Krasner. Il formule alors l'hypothèse que l'existence de régimes rigides sur le plan de l'intégrité territoriale, depuis les années cinquante, a rendu difficile la percée du Québec sur la scène internationale. À l'inverse, la création de nouveaux régimes dans les domaines de la *low politics* a au contraire favorisé cette percée[37].

Mais l'ouvrage le plus remarquable des dernières années, sur le plan analytique, est la thèse de doctorat de Shiro Noda qui s'impose par l'ampleur de la recherche et le traitement minutieux des données utilisées[38]. Sans vouloir appliquer un modèle analytique particulier, l'auteur parvient néanmoins à réaliser un portrait quantitatif des priorités de politique internationale du Québec à travers l'étude de trois indicateurs de comportement que sont les effectifs, le budget et la conclusion d'ententes. L'étude de Noda est la plus exhaustive qui ait été réalisée sur les relations extérieures du Québec, mais elle ne couvre que la période 1970-1980.

On trouve également des travaux analytiques sur des aspects particuliers des relations extérieures du Québec. Sur le plan géographique, c'est la relation Québec-États-Unis qui est privilégiée avec l'ouvrage majeur de A. Hero et L. Balthazar où les auteurs cherchent à analyser l'ensemble des rapports entre le Québec et son voisin du Sud pour la période 1960-1985[39]. Lise Bissonnette a, pour sa part, étudié plus spécifiquement la problématique de la période préréférendaire[40].

Dans le domaine des études sectorielles, ce sont surtout les relations du Québec qui sont privilégiées, en particulier nos relations économiques avec les États-Unis. Ainsi, B. Bonin s'intéresse à l'analyse des facteurs économiques sous-tendant les relations extérieures du Québec[41], tandis que I. Bernier et A. Binette ont produit une étude de la situation générale des provinces canadiennes dans le domaine du commerce international[42]. Pour leur part, P. P. Proulx, L. Dulude et Y. Rabeau ont mené une analyse des relations commerciales du

Québec avec les États-Unis[43] alors que J. T. Bernard[44] et R. Landry[45] ont cherché à analyser le phénomène des exportations québécoises d'électricité vers la Nouvelle-Angleterre.

Pour le reste, les chercheurs se sont surtout intéressés aux relations culturelles du Québec avec l'extérieur et aux politiques de coopération en matière d'éducation. Dans le premier cas, G. Cartier et L. Rouillard construisent un instrument de mesure des interventions étatiques qu'ils appliquent aux organismes publics québécois, de façon à identifier et à systématiser les types de comportements, les cibles géographiques, le soutien financier etc.[46]. Dans le second cas, A. P. Donneur *et al.* réalisent une étude évaluative de la politique québécoise en matière de coopération franco-québécoise dans le domaine de l'éducation[47]. L'une et l'autre analyse concluent à la difficulté d'identifier les véritables objectifs du gouvernement québécois dans les domaines étudiés et soulèvent le problème de la cohérence de l'action internationale du Québec.

Le développement qui précède montre bien qu'il existe une littérature diversifiée à propos des relations internationales du Québec[48]. On remarque cependant que les travaux à caractère analytique sont sous-représentés parmi l'ensemble des titres. Voilà donc une première carence générale dans l'analyse systématique des relations extérieures du Québec.

On constate encore, parmi les travaux analytiques, l'absence de véritables modèles d'analyse de politique internationale du Québec, même si des pistes de recherche intéressantes ont été proposées à cet égard. Les intuitions de recherche que l'on retrouve dans la littérature n'ont toutefois pas encore été détaillées suffisamment pour servir d'assise à une analyse systématique de l'ensemble des activités internationales du Québec.

Par ailleurs, les analyses réalisées jusqu'à maintenant ont produit une littérature inégale selon les régions géographiques couvertes. Ainsi, les chercheurs ont publié une somme appréciable de titres sur les rapports Québec-États-Unis, mais la production scientifique est relativement faible en ce qui concerne les relations du Québec avec la France et la Francophonie et elle est quasi inexistante en ce qui a trait aux autres régions géographiques.

Quant aux domaines fonctionnels, on remarque un certain intérêt pour les relations économiques et commerciales mais, encore là, le traitement a été partiel, puisque le sujet a été abordé principalement dans le cadre des relations du Québec avec les États-Unis. Les autres domaines fonctionnels, pour leur part, n'ont pas fait l'objet d'analyse systématique, sauf dans le cas des relations culturelles où l'on retrouve deux textes d'une certaine importance.

Du point de vue des périodes historiques, enfin, on remarquera qu'aucune étude n'a couvert l'ensemble de la période 1960-1990. Le travail de Noda porte exclusivement sur la période 1970-1980, tandis que celui de Hero et Balthazar couvre les années 1960-1985, mais pour les relations avec les États-Unis seulement. Quant aux autres études, elles se limitent également à la période antérieure à 1980.

Il n'existe donc pas d'analyse systématique et exhaustive de cette réalité dont nous avons montré antérieurement l'ampleur croissante depuis le début des années soixante. Le phénomène des relations extérieures du Québec est devenu suffisamment important pour qu'il vaille la peine d'entreprendre cette analyse.

Les axes de recherche

Compte tenu de la diversité des activités internationales du Québec depuis une trentaine d'années et étant donné les carences des analyses antérieures sur le sujet, il est particulièrement important, dans une recherche de ce genre, d'établir la stratégie appropriée et d'identifier les paramètres les plus adéquats pour l'analyse. Cette opération doit être réalisée en deux temps.

Dans un premier temps, il convient de décrire le plus adéquatement possible les différents aspects du comportement externe du gouvernement québécois pour l'ensemble de la période étudiée. Pour ce faire, nous avons construit un instrument de recherche qui permet de mesurer certains éléments de l'action externe de l'État québécois, principalement en fonction des cibles et des domaines. Les résultats de ce premier effort font l'objet de ce volume. La procédure classique en politique étrangère suppose que l'on distingue entre la formulation de la politique et sa mise en œuvre. Dans le premier cas, l'étude est généralement orientée vers les objectifs de politique étrangère[49] que l'on met en parallèle avec le comportement non verbal constitué des gestes posés (accords, visites, etc.) et des ressources utilisées (budget, effectifs, etc.)[50]. Cet exercice[51] permettra de tracer le portrait de l'ensemble des activités internationales du Québec selon les régions géographiques. Il constitue un préalable à l'explication du comportement externe du gouvernement québécois au cours de la période retenue pour l'analyse.

L'entreprise d'explication est la deuxième étape ou le deuxième moment important de la stratégie de recherche. Il s'agit alors d'essayer d'identifier les facteurs susceptibles d'expliquer la nature et l'évolution du comportement externe du Québec de 1960 à 1989.

Pour ce faire, nous ne pouvons guère nous appuyer sur les travaux antérieurs traitant des relations internationales du Québec. Comme nous venons de le voir, cette littérature identifie certaines pistes de recherche, mais elle ne propose pas de modèle explicatif structuré. Il faut donc puiser dans une littérature plus large. À cet égard, deux perspectives analytiques peuvent offrir un certain appui.

La littérature traditionnelle en analyse de politique étrangère accorde une place prépondérante à l'étude des déterminants[52]. Toutefois, l'application intégrale de l'un ou l'autre des modèles proposés pose un problème pour l'analyse des relations internationales du Québec, dans la mesure où les variables intégrées dans ces modèles ont été construites pour s'appliquer à la politique étrangère des États souverains. Or le Québec, n'étant pas un État souverain, intervient peu dans les domaines dits de haute politique (*high politics*) comme, par exemple, les questions de sécurité et de défense. Nous devrions amputer ces modèles de certaines de leurs variables stratégiques, rendant ainsi aléatoire leur portée explicative.

L'utilisation de ces modèles analytiques pose aussi des problèmes quant à la collecte de l'information et à l'analyse des données. Dans le premier cas, les travaux de l'équipe dirigée par Wilkenfield montrent que l'application des modèles contemporains d'analyse de politique étrangère exige la cueillette d'une somme impressionnante d'informations qu'il devient alors difficile de gérer. Au stade de l'analyse se pose le problème de l'interrelation entre les variables dont, au surplus, certaines s'appliquent mal au cas du Québec.

Enfin, Stevenson souligne le problème particulier de l'identification de variables pertinentes pour les analyses de comportement de longue durée[53]. Ce problème entraîne deux difficultés dont l'une consiste dans le choix de ces variables pertinentes pour un cas précis et l'autre porte sur les variations d'influence d'un facteur donné au cours de la période retenue.

Compte tenu de ces obstacles et étant donné la nature bien particulière du cas québécois, il paraît difficile d'appliquer intégralement un modèle de politique étrangère pour l'analyse des relations internationales du Québec. Cependant, la littérature en analyse de politique étrangère offre tout de même une piste de recherche intéressante par l'introduction du concept d'adaptation[54]. Bien que le concept exige un effort additionnel de définition opérationnelle, il pourrait constituer une réponse adéquate aux critiques formulées à l'égard de la majorité des variables explicatives proposées et aurait l'avantage non négligeable de tenir compte des préoccupations quant aux problèmes analytiques pour les cas de longue durée. Associé également à la littérature sur l'interdépendance[55], le concept d'adaptation pourrait contribuer à circonscrire les facteurs explicatifs relatifs à l'environnement externe, en particulier à ce qu'il est convenu d'appeler aujourd'hui l'internationalisation de l'économie et la transnationalisation des sociétés.

L'adaptation comme résultat de l'internationalisation et de la transnationalisation ne constitue qu'un aspect des déterminants de l'action internationale du Québec. Le comportement externe du gouvernement québécois s'explique également, à long terme, par des facteurs propres à la société québécoise qu'il faut aussi prendre en considération en s'inspirant de la littérature spécialisée.

En effet, il y a encore une réalité particulière qui semble déterminante dans le cas de certaines entités non souveraines et en particulier dans le cas du Québec. La littérature sur les États non souverains révèle que l'action internationale des États fédérés, qu'ils soient peu ou très actifs sur le plan externe, est en général influencée par le type de relation qui existe entre ces entités et les gouvernements centraux du pays auquel ils appartiennent[56]. Or, une telle action exige en règle générale un aménagement des rapports entre les États fédérés et le gouvernement central dont la forme influencera nécessairement la nature et l'orientation de l'action internationale des États fédérés qui chercheront à cet égard à protéger l'intégrité de leurs champs de compétence.

Dans le cas d'une entité fédérée comme le Québec, la protection ou le maintien de l'intégrité des compétences devient une question encore plus importante, dans la mesure où il s'agit du seul État fédéré canadien dont la langue et la culture sont majoritairement d'expression française. Ce qui pose le problème de l'asymétrie du Québec à l'intérieur de la fédération canadienne. Ce problème relève de beaucoup d'autres facteurs n'ayant pas de rapport direct avec les relations internationales. Mais on peut croire que l'exercice d'une compétence internationale constitue, pour le Québec, une des facettes de ce qu'on appelle maintenant la «société distincte». On est même allé jusqu'à définir l'activité internationale du Québec essentiellement comme un exercice de «*state-building*», un effort de légitimation de sa position constitutionnelle[57].

Renaud Dehousse a montré que l'asymétrie dans les rapports entre l'État fédéral et l'État fédéré pouvait constituer un élément explicatif important de l'action internationale du Québec[58]. Cet auteur affirme en effet que le comportement externe du Québec, de la même façon que celui des régions frontalières en général, peut s'expliquer par un sentiment d'aliénation à la base d'un rapport asymétrique dans la relation entre un tel type d'acteur et le gouvernement central du pays dont il est partie[59].

Voilà deux axes de recherche ou deux concepts centraux en fonction desquels il serait possible de structurer une explication du comportement québécois, en matière de relations internationales pour la période 1960-1988. Les concepts d'adaptation à l'internationalisation, et à la transnationalisation ainsi que le concept de symétrie/asymétrie sont naturellement des concepts généraux qu'il faudra définir pour qu'ils puissent être utilisés avantageusement comme base d'un modèle explicatif des activités internationales du Québec. Car ces concepts nous permettent de cerner trois tendances lourdes qui paraissent avoir marqué l'activité internationale du Québec depuis 1960. Au cours des trente dernières années, l'action du Québec à l'étranger nous semble en effet avoir été largement influencée par le phénomène de la mondialisation des échanges et de la production économique, par le phénomène de la transnationalisation de la société québécoise et par son rapport asymétrique avec le reste de la fédération canadienne.

Tout au long de cet ouvrage, les auteurs proposeront des pistes possibles pour une analyse à venir du phénomène des relations internationales du Québec. Compte tenu toutefois des efforts qu'il a fallu faire sur le plan de la description systématique de l'objet d'étude, l'analyse complète et l'explication détaillée du comportement externe québécois devront être réservées pour une publication ultérieure.

Conclusion

L'on ne peut pas expliquer adéquatement ce que l'on connaît mal ou approximativement. Ce qu'il s'agit d'expliquer c'est le comportement international du gouvernement du Québec au cours des trente dernières années. La revue de la littérature révèle toutefois qu'il existe un problème de base à cet égard et qui est dû essentiellement à l'absence d'une description structurée et exhaustive de l'action internationale du Québec.

L'application du modèle d'analyse, dont nous avons esquissé les grands axes dans les pages précédentes, doit ainsi être réservée pour l'avenir. Pour en arriver là, il convient au préalable de tracer le portrait le plus complet possible de la variable dépendante du modèle, c'est-à-dire du comportement international du gouvernement québécois.

L'apport central de ce premier volume issu du projet d'analyse des relations internationales du Québec (PARIQ) consiste donc à offrir pour la première fois un portrait détaillé de l'activité internationale du Québec. Nous avons voulu circonscrire le comportement gouvernemental en fonction des trois axes majeurs que sont les objectifs du discours étatique, les moyens utilisés en budget et personnel pour soutenir l'action et, enfin, la gestuelle proprement dite composée des ententes, visites, représentations diplomatiques et participations à des rencontres multilatérales. Le chapitre suivant constitue un chapitre central du livre puisqu'il précise les orientations méthodologiques sous-jacentes à la cueillette et à l'organisation de l'information.

Les données recueillies sont regroupées par domaines fonctionnels et par régions géographiques. Il a été jugé opportun de structurer la présentation du volume en fonction des aires géographiques, de manière à en faciliter la compréhension et de façon à générer des conclusions qui puissent servir d'assise à une analyse comparative. L'exercice permettra ainsi de comparer le comportement du Québec d'une région à l'autre et facilitera par la suite l'examen des différents facteurs explicatifs du comportement du Québec selon les régions géographiques de façon à aboutir à une explication plus globale.

Par conséquent, on retrouvera dans ce livre, après le chapitre sur la méthodologie, deux chapitres traitant des relations du Québec avec la France et avec les États-Unis. L'importance de nos relations avec ces deux pays était telle qu'elle nécessitait de leur consacrer un chapitre chacun. Par la suite, nous consacrons des chapitres à la présentation des relations extérieures du Québec avec l'Europe moins la France, avec l'Amérique latine, avec l'Afrique et avec l'Asie. La structure de chacun de ces chapitres est uniforme pour ce qui est de la présentation des données, chaque auteur ajoutant les commentaires appropriés à la situation particulière de chaque région. Nous avons par ailleurs ajouté un chapitre sur l'action du Québec à l'égard des cibles plus générales dont les organisations internationales, puisque la compilation des données a révélé l'importance de cet aspect du comportement international du Québec. L'ouvrage se termine par une appréciation générale qui permet de dégager certaines similarités et dissimilarités dans le comportement externe du Québec à l'égard des régions et, partant de là, extrait certains éléments en vue de l'explication.

Notes

1. Pour un aperçu plus détaillé des activités internationales du Québec avant 1960, on lira avec profit Louise BEAUDOIN, «Origines et développement du rôle international du Gouvernement du Québec», dans Paul PAINCHAUD, dir., *Le Canada et le Québec sur la scène internationale*, Québec, CQRI/PUQ, 1977, pp. 441-470.
2. Jean HAMELIN *et al.*, *Histoire du Québec*, Toulouse/St-Hyacinthe, Privat/Edisem, 1977, pp. 487-488.
3. Parmi les publications à caractère officiel représentant la position du Québec, on pourra consulter Paul GÉRIN-LAJOIE, «La personnalité internationale du Québec?: le Québec est vraiment un État même s'il n'a pas la souveraineté entière», *Le Devoir*, 15 avril 1965, p. 5 et COMITÉ PERMANENT DES FONCTIONNAIRES, *Document de travail sur les relations avec l'étranger*, Québec, miméo, 5 février 1969. La position du gouvernement fédéral, quant à elle, est contenue dans deux documents centraux. Voir Paul MARTIN, *Fédéralisme et relations internationales*, Ottawa, Imprimeur de la Reine, 1968 et Mitchell SHARP, *Fédéralisme et conférences internationales sur l'éducation*, Ottawa, Imprimeur de la Reine, 1968. Les positions de l'un et l'autre gouvernement étaient appuyées par des juristes spécialisés en la matière. Voir, entre autres, E. McWHINNEY, «Federalism, Biculturalism and International Law», *Canadian Yearbook of International Law*, III, 1965; Jacques-Yvan MORIN, «La conclusion d'accords internationaux par les provinces canadiennes à la lumière du droit comparé», *Annuaire canadien de droit international*, III, 2, 1965, pp. 127-186; L. GIROUX, «La capacité internationale des provinces en droit constitutionnel canadien», *Cahiers de droit*, 9, 2, 1967-1968, pp. 241-272; et Maurice TORELLI, «Les relations extérieures du Québec», *Annuaire français de droit international*, XVI, 1970, pp. 278-303.
4. P. MARTIN, *ibid.*, pp. 12 et ss.
5. Pour un compte rendu des manifestations diverses de cette période, voir l'ouvrage magistral de Shiro NODA, *Les relations internationales du Québec de 1970 à 1980: comparaison des gouvernements Bourassa et Lévesque*, Montréal, thèse de doctorat non publiée, Département d'histoire, Université de Montréal, 1988. Voir également Richard GAGNON, *Le Québec dans le monde*, Ottawa, mémoire de maîtrise non publié, Université d'Ottawa, 1980; André PATRY, *Le Québec dans le monde*, Montréal, Leméac, 1980; Gérard HERVOUET et Hélène GALARNEAU, dirs, *Présence internationale du Québec, chronique des années 1978-1983*, Québec, CQRI, 1984, pp. 225

et ss.; Daniel GAY, «La présence du Québec en Amérique latine», *Politique*, vol. 7, 1985, pp. 33-53; Michel GERVAIS, «La politique africaine du Québec de 1960 à 1985», *Politique*, vol. 7, 1985, pp. 53-67; ainsi que Alfred O. HERO Jr et Louis BALTHAZAR, *Contemporary Quebec and the United States 1980-1985*, Lanham, University Press of America, 1988.

6. A. HERO et L. BALTHAZAR, *ibid.* Voir également Ivo D. DUCHACEK, Daniel LATOUCHE et Garth STEVENSON, dirs, *Perforated Sovereignties and International Relations*, New York, Greenwood Press, 1988.

7. D. GAY, *op. cit.* Stephan LAFORCE, *Le traitement accordé par le ministère des Affaires internationales du Québec aux régions Amérique latine et Caraïbes et Asie-Océanie de 1976 à 1982*, Québec, Centre québécois de relations internationales, coll. *Les Cahiers du CQRI*, n° 4, novembre 1990.

8. G. HERVOUET et H. GALARNEAU, *op. cit.* Voir aussi Jean-François BRISSON, *Concurrence et coopération: une étude comparative de l'intervention internationale de l'Ontario et du Québec au Japon*, Québec, mémoire de maîtrise non publié, département de science politique, Université Laval, 1990.

9. On se rappelle qu'à ce moment la coordination des relations internationales du Québec était assurée par une seule personne responsable des deux ministères.

10. Gouvernement du QUÉBEC, *Le Québec dans le monde ou le défi de l'interdépendance, énoncé de politique de relations internationales*, Québec, ministère des Relations internationales, 1985.

11. GOUVERNEMENT DU QUÉBEC, *Le Québec dans le monde. État de la situation*, Québec, Secrétariat permanent des conférences socio-économiques du Québec, 1984.

12. L'élément clé de l'entente impliquait une division des sommets en deux parties. La première était réservée aux chefs d'État, tandis que la seconde impliquait des gouvernements participants.

13. GOUVERNEMENT DU QUÉBEC, *Le Québec et l'interdépendance, le monde pour horizon; éléments d'une politique d'affaires internationales*, Québec, ministère des Affaires internationales, 1991.

14. Ces documents sont identifiés à la note 3 de ce texte.

15. Un éventail très complet des différents points de vue est présenté dans Ivan Bernier, *International Legal Aspects of Federalism*, London, Longman, 1973.

16. Pour des textes représentatifs, voir J. Y. MORIN, *op. cit.*; Jacques-Yvan MORIN, «Le Québec et le pouvoir de conclure des accords internationaux», *Les études juridiques au Canada*, 1, 1966, p. 136; L. GIROUX, *op. cit.*, M. TORELLI, *op. cit.*; Annemarie JACOMY-MILLETTE, «Aspects juridiques des activités internationales du Québec», dans Paul PAINCHAUD, dir., *Le Canada et le Québec sur la scène internationale*, Québec, CQRI/PUL, 1977, pp. 515-544; André DUFOUR, «Fédéralisme canadien et droit international», dans R. S. J. MACDONALD, G. I. MORRIS et D. M.JOHNSTON, dirs, *Canadian Perspectives on International Law and Organization*, Toronto, University of Toronto Press, 1974; et J. BROSSARD, André PATRY et E. WEISER, *Les pouvoirs extérieurs du Québec*, Montréal, Presses de l'Université de Montréal, 1967.

17. Claude MORIN, *Le pouvoir québécois en négociation*, Québec, Boréal Express, 1972 et Claude MORIN, *L'art de l'impossible: la diplomatie québécoise depuis 1960*, Montréal, Boréal Express, 1987.

18. Jean-Marc LÉGER, *La Francophonie: grand dessein, grande ambiguïté*, Lasalle, Éditions Hurtubise HMH, 1987.

19. Jean-Louis BOURQUE, «Pour une véritable politique québécoise en matière d'immigration », *L'action nationale*, vol. 76, n° 7, 1987, pp. 583-594.

20. Jean CHAPDELAINE, «Esquisse d'une politique extérieure d'un Québec souverain — Genèse et prospective», *Études internationales*, vol. VIII, n° 3, 1977, pp. 342-356 et Kimon VALASKAKIS, *Le Québec et son destin international: les enjeux géopolitiques*, Montréal, Édition Quinze, 1980.

21. Richard GAGNON, *op. cit.*, et André PATRY, *op. cit.* Voir également Jean HAMELIN, «Le Québec le monde extérieur, 1867-1967», *Annuaire du Québec*, Québec, Éditeur officiel du Québec, 1968-1969.

22. G. HERVOUET et H. GALARNEAU, *op. cit.*

23. L. BEAUDOIN, *op. cit.*

24. L. BEAUDOIN, *ibid.*, P. GUILLAUME et S. GUILLAUME, *Paris-Québec-Ottawa: un ménage à trois*, Paris, Éditions Entente, 1987; C. OLD, *Quebec's Relations with Francophonies: A Political Geographic Perspective*, Ottawa, Université Carleton, Département de géographie, note de recherche n° 1, 1984; Michel TÊTU, *La Francophonie. Histoire, problématique, perspectives*, Montréal, Guérin Littérature, 1987; Denis VAUGEOIS, «La coopération du Québec avec l'extérieur», *Études internationales*, vol. V, n° 2, 1974, pp. 376-387; et Pierre SAVARD, «Les Canadiens-français et la France», dans Paul PAINCHAUD, dir., *Le Canada et le Québec sur la scène internationale*, Québec, CQRI/PUQ, 1977, pp. 471-496. Voir également Gabrielle MATHIEU, *Les relations franco-québécoises de 1976 à 1985*, Québec, Centre québécois de relations internationales, collection *Les Cahiers du CQRI*, n° 8, 1992.

25. Jean-Louis ROY, «Les relations du Québec et des États-Unis (1945-1970)», dans P. PAINCHAUD, *ibid.*, pp. 497-514 et Martin LUBIN, «Quebec-U.S. Relations: An Overview», *American Review of Canadian Studies*, vol. 16, n° 1, 1986, pp. 25-39.

26. Bernard BONIN, *USA-Québec Relations: A Background Paper*, Montréal, HEC, CETAI, 1982.

27. S. BANKER, «How America sees Quebec», dans Alfred O. HERO Jr et Marcel DANEAU, dirs, *Problems and Opportunities in U.S.-Quebec Relations*, Boulder, Westview Press, 1984; C. DORAN et B. JOB, «American Perceptions of Quebec», dans A. O. HERO Jr. et M. DANEAU, *ibid.*; B. PERRON, «Les contraintes dans les relations entre le Québec et les États-Unis », *Politique*, vol. 7, 1985, pp. 9-31 et A. STONE, «The New Quebec Challenge to North American Diplomacy», *SAIS Review*, n° 3, été-automne 1983, pp. 119-132.

28. Martin LUBIN, «Quebec Nonfrancophones and the United States», dans A. O. HERO Jr. et M. DANEAU, *ibid.*, et C. SAVARY, dir., *Les rapports culturels entre le Québec et les États-Unis*, Québec, Institut québécois de recherche sur la culture, 1984.

29. Dans le premier cas, voir Robert CHODOS et Éric HAMOVITCH, *Quebec and the American Dream*, Toronto, Between-the-Lines, 1991. Dans le second, consulter Jean-François LISÉE, *Dans l'œil de l'aigle: Washington face au Québec*, Montréal, Boréal, 1990.

30. M. GERVAIS, *op. cit.*

31. D. GAY, *op. cit.*

32. J. DINSMORE, «Les échanges internationaux du Québec», *Études internationales*, vol. XII, n° 1, 1976, pp. 110-115.

33. W. D. Shipman, dir., *Trade and Investment Across the Northeast Boundary*, Montréal, Institut de recherche sur les politiques, 1986 et Roger F. Swanson, «L'éventail des relations directes entre les États américains et provinces canadiennes», *Perspectives internationales*, avril-mai 1976, pp. 19-24.

34. C. Liebich, *Provinces Abroad-Alberta and Quebec Confront Ottawa. Two Models of Provincial Behavior in External Affairs*, Ottawa, essai de recherche non publié, Département de science politique, Université Carleton, 1982. Voir aussi Thomas Keating et D. Munton, dirs, *The Provinces and Canadian Foreign Policy*, Toronto, Canadian Institute of International Affairs, 1985 ainsi que Annemarie Jacomy-Millette, «Les activités internationales des provinces canadiennes», dans Paul Painchaud, dir., *De Mackenzie King à Pierre Trudeau. Quarante ans de diplomatie canadienne, 1945-1985*, Québec, Presses de l'Université Laval, 1989, pp. 81-104. Voir également l'ouvrage récent de H. J. Michelmann et Panayotis Soldatos, *Federalism and International Relations. The Role of Subnational Units*, Oxford, Clarendon Press, 1990.

35. E. J. Feldman et L. G. Feldman, «Quebec's Internationalization of North American Federalism», dans I. D. Duchacek, D. Latouche et G. Stevenson, dirs, *op. cit.*, pp. 69-80 et D. Lengley, *Quebec as a Non-State Nation Actor in International Relations*, Ottawa, Carleton University, mémoire de maîtrise non publié, 1978.

36. Paul Painchaud, «L'État du Québec et le système international», dans R. Pelletier et G. Bergeron, *op. cit.*, et Paul Painchaud, «The Epicenter of Quebec International Relations», dans I. D. Duchacek, D. Latouche et G. Stevenson, *op. cit.*, pp. 91-97. Voir également Paul Painchaud, «Le rôle international du Québec: possibilités et contraintes», *Études internationales*, vol. viii, n° 2, 1977, pp. 377-392.

37. Daniel Latouche, «State Building and Foreign Policy at the Subnational Level», dans I. D. Duchacek, D. Latouche et G. Stevenson, *op. cit.*, pp. 29-42.

38. S. Noda, *op. cit.*

39. A. O. Hero Jr. et L. Balthazar, *op. cit.*

40. Lise Bissonnette, «Quebec-Ottawa-Washington, The Pre-Referendum Triangle», *American Review of Canadian Studies*, vol. 11, 1981, pp. 64-76.

41. Bernard Bonin, *Economic Factors in Quebec's Foreign Policy*, Montréal, hec, ciiai, 1982.

42. Ivan Bernier et André Binette, *Les provinces canadiennes et le commerce international*, Québec, cqri, 1988.

43. Pierre-Paul Proulx, L. Dulude et Y. Rabeau, *Étude des relations commerciales Québec-usa, Québec-Canada: options et impacts, contraintes et potentiels*, Québec, maiq, 1978. Voir également sur le sujet deux textes de Bernard Bonin, *usa-Quebec Economic Relations: A Background Paper*, Montréal, hec, 1982, ainsi que «u.s.-Quebec Relations: Some Interactions Between Trade and Investment», dans Alfred O. Hero Jr. et Marcel Daneau, dirs, *Problems and Opportunities in usa-Quebec Relations*, Boulder, Westview Press, 1984, pp. 80-115.

44. Jean-Thomas Bernard, «L'exportation d'électricité par le Québec», *Canadian Public Policy/Analyse de politiques*, n° 8, été 1982, pp. 321-333.

45. Réjean Landry, «L'hydro-électricité du Québec: pour consommer ou produire pour exporter», *Études internationales*, vol. xv, n° 1, 1984, pp. 95-120.

46. Georges CARTIER et Lucie ROUILLARD, *Les relations culturelles internationales du Québec*, Québec, CEPAQ/ENAP, 1984. À noter toutefois que ce travail ne couvre qu'une année.

47. André DONNEUR *et al.*, «L'évaluation des politiques en relations internationales, le cas de la coopération franco-québécoise en éducation», *Études internationales*, vol. XIV, n° 2, 1983, pp. 237-254.

48. Pour une excellente compilation bibliographique sur le sujet, on pourra consulter Manon TESSIER, *Les relations internationales du Québec 1961-1992, une compilation bibliographique*, Québec, Centre québécois de relations internationales, collection *Les Cahiers du CQRI*, 1992.

49. Sur ce sujet, voir entre autres Harald VON RIEKHOFF, «Une analyse des objectifs de la politique étrangère canadienne », dans PAINCHAUD, dir., *Le Canada et le Québec sur la scène internationale, op. cit.*, pp. 547-574 ainsi que Guy GOSSELIN et Gérard HERVOUET, «Les objectifs dans le discours de la politique étrangère canadienne», dans Gérard HERVOUET, dir., *Les politiques étrangères régionales du Canada: éléments et matériaux*, Québec, CQRI/PUL, 1983, pp. 21-76.

50. À titre d'exemple, voir G. HERVOUET, *ibid.*, ainsi que Gordon MACE et Gérard HERVOUET, «Canada's Third Option: A complete Failure?», *Canadian Public Policy/ Analyse de politiques*, vol. XV, n° 4, 1989, pp. 387-404.

51. Les éléments de méthode sous-jacents à la description des activités internationales du Québec sont présentés avec beaucoup plus de détails au chapitre suivant.

52. J. STEIN, «À la recherche de variables dépendantes et indépendantes», *Études internationales*, vol. IV, n° 3, septembre 1971, pp. 371-394; James ROSENAU, *Domestic Sources of Foreign Policy*, New York, Free Press, 1967; J. WILKENFIELD *et al.*, *Foreign Policy Behavior*, Beverly Hills, Sage, 1980; M. CLARKE et B. WHITE, *An Introduction to Foreign Policy Analysis. The Foreign Policy System*, Ormskirk and Northbridge, G. W., and A. Hesketh, 1981; ainsi que Garth STEVENSON, «The Determinants of Canadian Foreign Policy», dans P. PAINCHAUD, dir., *De Mackenzie King à Pierre Trudeau..., op. cit.*, pp. 35-54.

53. G. STEVENSON, *ibid.*, p. 36.

54. James ROSENAU, *The Study of Political Adaptation*, London, Pinter, 1980 et S. M. SMITH, *Foreign Policy Adaptation*, New York, Nichols, 1981.

55. P. J. KATZENSTEIN, «International Interdependence: Some Longterm Trends and Recent Changes», *International Organization*, vol. 29, n° 3, automne 1975, pp. 1021-1034; ainsi que R. O. KEOHANE et J. S. NYE, *Power and Interdependence: World Politics in Transition*, Boston, Little Brown, 1977.

56. Ivo D. DUCHACEK, *The Territorial Dimension of Politics: Within, Among and Across Nations*, Boulder, Westview Press, 1986. Voir également I. D. DUCHACEK, D. LATOUCHE et G. STEVENSON, *op. cit.*, ainsi que Ivo D. DUCHACEK, «The International Dimension of Subnational Self-Government», *Publius: The Journal of Federalism*, vol. 14, n° 4, 1984, pp. 5-31.

57. Daniel LATOUCHE, «International Activism Rapidly Became an Essential Component of the Québec Strategy to Legitimize its Claim to a Different Constitutional Treatment », *op. cit.*, p. 37.

58. Renaud DEHOUSSE, «Fédéralisme, asymétrie et interdépendance: aux origines de l'action internationale des composantes de l'État fédéral», *Études internationales*, vol. XX, n° 2, juin 1989, pp. 283-309.
59. *Ibid.*, pp. 288 et ss.

Chapitre 1

———■———

Méthodologie:
mesurer la politique extérieure du Québec

———■———

Louis BÉLANGER[*]

Certains trouveront peut-être excessif de consacrer un chapitre complet de ce livre à la méthode. Espérons qu'ils se donneront tout de même la peine d'y jeter un coup d'œil. Ils constateront qu'on s'y garde bien de noyer le lecteur sous un flot d'informations techniques. Le seul but visé est d'offrir une compréhension des instruments de recherche et des sources utilisés qui permettent de saisir la signification, et les limites, des chiffres qui lui seront présentés. Trop souvent, croyons-nous, même dans la littérature spécialisée, le lecteur se retrouve démuni devant des indicateurs, des indices et toutes sortes de données dont il ignore l'origine et la fiabilité.

Les objectifs et les fondements de la mesure: une approche de politique extérieure

Le portrait de l'évolution des relations internationales du Québec proposé dans cet ouvrage, soit celui d'un État non souverain au regard du droit international, a ceci de particulier qu'il adopte une définition du comportement international du gouvernement québécois inspirée de l'analyse de la politique étrangère des États souverains. On veut, en se situant dans un cadre analytique général, se débarrasser d'une certaine image partielle et partiale de la diplomatie québécoise qui la présente comme un phénomène anecdotique[1]. Alors qu'il s'agit en fait d'une réalité de plus en plus commune aux entités étatiques non souveraines, qu'elles soient des provinces canadiennes, des États américains, des *Länder* allemands, des communautés autonomes espagnoles ou des régions italiennes.

Ce choix d'appréhender les relations internationales du Québec grâce aux instruments de mesure de la politique étrangère signifie aussi que l'on veut isoler un aspect particulier de ces relations, celui de l'action gouvernementale ou étatique[2]. Les spécialistes de la politique étrangère s'accordent à considérer que cette action, si elle peut s'apprécier globalement, prend néanmoins des formes diverses, par exemple des prises de position publiques, des visites, des rencontres multilatérales, la signature d'accords et de traités, l'assistance humanitaire, les échanges de notes diplomatiques, l'aide économique, militaire ou technique ou la guerre. Aussi, une bonne évaluation d'une politique étrangère particulière doit faire appel à un maximum de formes de comportement pouvant être mis en rapport entre eux.

Une telle définition de l'objet demande certaines précisions. L'État, dans cette perspective, est considéré comme un acteur autonome, quoique subissant les contraintes de la société civile et du système international, possédant des objectifs et des ressources qui lui sont propres[3]. Dès lors, toujours du strict point de vue de la mesure du comportement, l'analyse de la politique étrangère pose le double problème de l'identification des objectifs des décideurs gouvernementaux et de la façon dont ces objectifs se traduisent en termes d'organisation des ressources de l'État ou de rapports réels avec des partenaires étrangers.

Cette distinction entre formulation des objectifs et exécution de la politique permet d'organiser le traitement des relations entre les divers indicateurs de la politique étrangère dont il vient d'être question en dégageant différents moments du comportement international de l'État. Pour la présente analyse, les indicateurs couvrent trois moments de la gestuelle étatique, soit la formulation des objectifs; l'exécution de la politique; et, à cheval sur les deux premiers, la mise en place des ressources humaines et matérielles de l'État dans le but d'atteindre les objectifs fixés (voir schéma 1).

Schéma 1

Articulation des termes de la politique étrangère

Objectifs

FORMULATION ----------------------> MOYENS -------------> ACTES

Exécution

Pour chacun de ces moments, des indicateurs devront permettre de qualifier le comportement international de l'État québécois d'abord selon la cible visée et, ensuite, selon le domaine (ou secteur) d'activité concerné soit politique, économique, culturel, etc. Cette manière de définir la politique étrangère est devenue classique[4]. Elle a inspiré les plus sérieuses analyses scientifiques des relations internationales du Québec[5] et une réflexion théorique sur les relations internationales des États fédérés[6]. Son intérêt tient à ce qu'elle permet, en recoupant les données recueillies sur la politique étrangère d'un État selon des aires géographiques et des domaines d'activité, une vérification du type de celles employées par l'analyse comparative. Les prochaines pages présentent les différents indicateurs qui serviront à mesurer, selon ce principe, chacun des moments de la politique étrangère québécoise.

La revue de la littérature présentée au chapitre précédent montre bien qu'une des principales difficultés de l'étude des relations internationales du Québec consiste justement à se donner de tels indicateurs. Ce problème est attribuable d'abord à la relative nouveauté du phénomène étudié. Il vient aussi du fait que l'État, jusqu'à tout récemment, n'a pas procédé à une mesure systématique de son activité internationale. Aussi, lorsque ces dernières années des chercheurs, comme Shiro Noda ou Georges Cartier et Lucie Rouillard, ont construit des instruments d'analyse de la politique étrangère québécoise à partir des sources gouvernementales, ils ont dû investir un temps considérable dans la collecte de données relativement fiables[7].

L'énonciation des objectifs

Fondements de l'analyse de contenu

Comme le souligne Stephen Krasner, le principal problème analytique que pose généralement l'identification des objectifs de politique étrangère consiste à les ranger par ordre de priorité pour l'État[8]. Dans le cas du Québec, ce dernier n'a qu'à de très rares occasions fait clairement part de ses objectifs en matière de relations internationales. Lorsqu'il le fait, sous diverses formes, jamais il n'indique de véritable hiérarchie[9]. Il est toutefois possible de contourner cette difficulté en faisant appel à la technique de l'analyse de contenu. La seule source d'information continue depuis le début des années soixante sur les priorités gouvernementales demeure en effet le discours tenu par les décideurs gouvernementaux. Elle se présente, entre autres, sous les formes de textes, d'allocutions publiques et de transcription de débats parlementaires. Or, l'analyse de contenu permet de dégager de cette masse une mise en ordre hiérarchique des objectifs de politique étrangère.

Le traitement du discours et du comportement du gouvernement en matière de politique étrangère par la mise en ordre des «objectifs» a déjà été utilisé avec succès, pour identifier et analyser systématiquement les priorités du gouvernement canadien[10].

L'objectif poursuivi par notre analyse est d'abord de dégager du discours des énoncés de priorités et de propositions d'actions, bref des objectifs, afin de mettre au jour des récurrences, des différences ou des absences de préoccupations[11]. Puis, en identifiant les éléments particuliers qui composent ces énoncés, de voir quelles sont les relations privilégiées qui, dans le discours, associent ces différents éléments entre eux. L'analyse de contenu ne vise donc pas ici à découvrir, par exemple, les structures lexicales à l'œuvre dans le discours. Plus modestement, on se contente d'extraire une série de propositions significatives et de les classer selon un certain nombre de critères.

Le corpus et les sources

Afin de bénéficier d'une information continue, il a été nécessaire d'adopter une définition très large des limites du corpus sur lequel portera l'analyse. Celui-ci devait en effet inclure l'ensemble des allocutions publiques dont le texte est disponible et des propos tenus en Chambre par les premiers ministres et les ministres responsables de la politique internationale du Québec. Et ce, pour la période allant de l'élection du gouvernement Lesage, en 1960, à la fin du deuxième mandat du gouvernement du Parti québécois, en 1985. Le mandat du gouvernement Bourassa de 1985-1989 n'a pas été soumis à l'analyse, malgré qu'il soit inclus dans la période couverte par cet ouvrage. Cela s'explique par le fait qu'il s'agissait, au moment d'entreprendre la recherche, d'une période encore très récente et que les ministres concernés étaient alors encore en fonction. Or, notre expérience nous a appris qu'un certain laps de temps est nécessaire, après la fin d'un mandat ou après qu'un ministre ait abandonné ses fonctions, pour qu'il soit possible de récupérer avec un minimum d'exhaustivité les textes de ses discours. Étant donné l'énorme travail que représente une analyse de contenu de discours, il nous a semblé préférable de reporter à plus tard la couverture de cette période. Quatorze décideurs politiques ont ainsi été retenus sur la base de cette définition.

À cette délimitation très large du corpus, certaines restrictions ont été apportées. Dans le cas des propos en Chambre, d'abord, la transcription des débats ne débutant qu'en 1963, on a dû se contenter, pour combler le vide ainsi créé, de quelques textes d'allocutions en Chambre de Jean Lesage. Ensuite, il est apparu impossible d'inclure directement dans le corpus, sans effectuer une certaine sélection, l'ensemble des débats parlementaires. De ceux-ci, seules la période des questions et les études des crédits du MAI[12] ont été soumis à l'analyse[13]. Pour la période des questions, un premier tri fut fait à l'aide des index du *Journal des Débats*. Une telle opération ne va pas sans une part d'arbitraire. On doit d'abord se fier au service de l'indexation des débats de l'Assemblée nationale, qui ne partage pas avec nous l'intérêt pour les questions internationales. Sachant cela, la sélection a été effectuée de la manière suivante. À partir des index, un premier relevé d'extraits est fait de tout ce qui touche de près ou de loin un des éléments contenus dans le manuel de codage (voir annexe 1). Ensuite, après une première lecture de ces extraits, ne sont conservés que ceux dans lesquels on nomme une réalité extérieure au Canada. En tout, 4578 pages du *Journal des Débats* de l'Assemblée nationale ont ainsi été retenues.

Quant à la partie du corpus formée des discours prononcés à l'extérieur de la Chambre, la compilation est moins facile. Les ressources de la bibliothèque de l'Assemblée nationale et de la bibliothèque administrative de l'édifice H furent d'abord épuisées. D'autres discours furent trouvés dans les dépôts gouvernementaux des Archives nationales du Québec. Finalement, Robert Bourassa nous a donné accès à son propre fonds d'archives conservé aux Archives nationales. Malgré de nombreux efforts, la recherche a été décevante en ce qui concerne les discours de Gérard D. Lévesque et de Marcel Masse. Considérant le nombre d'années au cours desquelles le premier a occupé la fonction de ministre des Affaires intergouvernementales, il s'agit d'un manque majeur dans la constitution de notre corpus et on doit en tenir compte au moment de l'analyse. Aucune recherche particulière n'a été entreprise afin d'obtenir les discours du ministre d'État aux Affaires intergouvernementales Oswald Parent, étant donné l'absence de résultats obtenus à la suite du traitement de ses allocutions en Chambre. Au total, 629 discours hors Chambre ont été amassés, pour un total de 5815 pages (voir tableau 1.1).

L'indicateur: l'objectif de politique étrangère

L'opération suivante consiste à extraire de ce corpus un ensemble de données significatives. Étant donné que l'analyse du discours doit fournir un indicateur des priorités que se donne le gouvernement, on a choisi comme unité de mesure l'énonciation dans le discours d'un objectif de politique étrangère: l'expression d'une volonté d'action de l'État dirigée vers une cible située à l'extérieur du Canada[14]. Dans le discours, le décideur peut exprimer une telle volonté de deux manières. L'objectif peut prendre la forme d'une proposition d'action concrète. Dans ce cas, il sera amené grâce à un verbe d'action, souvent au futur. Par exemple: «Le gouvernement s'activera à développer la coopération avec le Maroc.» L'objectif peut aussi prendre la forme de l'établissement d'une priorité. Dans ce cas, il sera souligné grâce à une formulation particulière. Par exemple: «Nous accordons une grande importance à notre coopération avec le Maroc.» Dans tous les cas, le sujet de l'action doit être le locuteur ou un autre porte-parole du gouvernement, le gouvernement québécois lui-même, l'État québécois ou tout simplement «le Québec».

La présence de ces éléments constitutifs d'un objectif — sujet, verbe ou formulation particulière, cible — au sein d'une même phrase est une condition minimale d'enregistrement d'un objectif[15]. La phrase est l'unité de contexte de l'enregistrement, ce n'est pas elle qui est

Tableau 1.1

Analyse de contenu du discours Composition du corpus

Nom	Fonction	Années	Nombre de pages		
			Chambre	Discours	Total
LESAGE, Jean	Premier ministre	1960-1966	399	718	1117
JOHNSON, Daniel	Premier ministre et ministre des Affaires intergouvernementales	1966-1968	275	520	795
BERTRAND, J.-J.	Premier ministre	1968-1970	116	514	630
MASSE, Marcel	Ministre des Affaires intergouvernementales	1969-1970	18	0	18
BOURASSA, Robert	Premier ministre et Ministre des Affaires intergouvernementales	1970-1976	744	1029	1773
LÉVESQUE, Gérard D.	Ministre des Affaires intergouvernementales	1970, 1972-1975	575	74	649
PARENT, Oswald	Ministre d'État aux Affaires intergouvernementales	1972-1976	70	0	70
CLOUTIER, François	Ministre des Affaires intergouvernementales	1975-1976	134	16	150
LÉVESQUE, René	Premier ministre	1976-1985	924	1623	2547
MORIN, Claude	Ministre des Affaires intergouvernementales	1976-1981	790	280	1070
MORIN, Jacques-Yvan	Ministre des Affaires intergouvernementales	1982-1984	197	373	570
LANDRY, Bernard	Ministre des Relations internationales	1984-1985	323	189	512
JOHNSON, Pierre-Marc	Premier ministre	1985	0	26	26
BEAUDOIN, Louise	Ministre des Relations internationales	1985	0	13	13
TOTAL	14 décideurs	1960-1985	4578	5815	10 393

l'unité d'enregistrement, mais bien l'objectif qui s'y trouve énoncé. Aussi peut-on, dans une même phrase, retrouver plusieurs objectifs et, donc, plusieurs enregistrements. Par exemple, lorsqu'une volonté d'action est dirigée vers plusieurs cibles extérieures, un enregistrement a été fait pour chacune des cibles concernées. De même, comme plusieurs verbes ou formulations particulières peuvent se rapporter au même sujet et à la même cible, l'enregistrement a été répété pour chacun d'eux.

L'exercice a permis d'extirper du corpus une banque de 1509 objectifs de politique étrangère québécoise[16]. Presque la moitié d'entre eux (732) proviennent du codage des propos tenus en Chambre et un peu plus de la moité (777), de celui du discours hors Chambre. Si on examine l'apport de chacun des décideurs dont le discours forme le corpus au contenu de la banque, on se rend compte que celui-ci varie passablement de l'un à l'autre (voir tableau 1.2). Cette variation s'explique certes par l'apport relatif de chacun au corpus, mais aussi par la fréquence à laquelle apparaissent des objectifs dans leur part du corpus.

D'autre part, le nombre d'enregistrements varie passablement selon les années (voir graphique 1.1). Les variations dans le corpus mises à part, deux facteurs semblent jouer ici: les élections et la longévité gouvernementale. D'abord, la lecture des deux graphiques A et B indique que le nombre d'objectifs enregistrés chute généralement les années d'élection générale (1963, 1966, 1970, 1973, 1976, 1981 et 1985) et que cette baisse n'est pas toujours attribuable à une raréfaction du corpus, comme le montre le graphique B. Ensuite, on remarque que lors d'un second mandat, particulièrement ceux du Parti libéral (1973-1976) et du Parti québécois (1981-1985), le nombre d'objectifs enregistrés s'accroît relativement plus que le corpus.

Si ces remarques sur le rapport entre la quantité d'objectifs et la masse du corpus peuvent être d'une quelconque utilité pour l'interprétation des données qui sera faite dans les prochains chapitres, on doit cependant garder à l'esprit que, malgré nos efforts en ce sens, notre corpus n'est pas exhaustif. C'est pourquoi il faut se garder d'interpréter les quantités absolues d'objectifs comme un indicateur direct de la volonté d'agir des décideurs. Ce sont plutôt les fréquences relatives avec lesquelles apparaissent, dans les enregistrements de la banque, les différentes formes que prennent les objectifs qui sont significatives. C'est ce dont il sera question maintenant.

Tableau 1.2

Analyse de contenu du discours

Apport des différentes composantes du corpus dans la formation de la banque de données

Nom du locuteur	A – Propos tenus en Chambre		B – Discours hors Chambre		Total (A+B)	Total (A+B)
	Nombre d'objectifs	Moyenne par page	Nombre d'objectif	Moyenne par page	Nombre d'objectif	En %
BEAUDOIN, Louise	—	—	13	1,000	13	0,86%
BERTRAND, J.-J.	37	0,319	22	0,043	59	3,91%
BOURASSA, Robert	33	0,044	157	0,153	190	12,59%
CLOUTIER, François	0	0,000	6	0,375	6	0,40%
JOHNSON, Daniel	37	0,135	23	0,044	60	3,97,%
JOHNSON, Pierre-Marc	—	—	7	0,269	7	0,46%
LANDRY, Bernard	190	0,588	79	0,418	269	17,82%
LESAGE, Jean	31	0,078	71	0,099	102	6,80%
LÉVESQUE, Gérard D.	136	0,237	25	0,338	161	10,66%
LÉVESQUE, René	75	0,081	66	0,041	141	9,34%
MASSE, Marcel	0	0,000	—	—	0	0,00%
MORIN, Claude	58	0,073	102	0,364	160	10,60%
MORIN, Jacques-Yvan	135	0,685	206	0,552	341	22,59%
PARENT, Oswald	0	0,000	—	—	0	0,00%
TOTAL	732	0,160	777	0,134	1509	100%

Dans la situation idéale où les deux codeurs ne font que des enregistrements identiques, le c.c.i. sera égal à 1. Dans la situation inverse où aucun des enregistrements de l'un n'est identique à ceux de l'autre, le résultat sera zéro. Il n'y a pas de règles qui permettent de fixer, pour un test de fiabilité donné, un seuil acceptable. Si ce n'est que l'on doit respecter un certain équilibre entre l'enjeu du codage, situé dans le cadre plus large du programme de recherche, et les coûts associés à l'obtention d'un résultat élevé. On peut tout de même citer Klaus Krippendorff : «In a study [...] we adopted the policy of reporting on variables only if .67 and .8 only for drawing highly tentative and cautions conclusions. These standards have been continued in work on cultural indicators [...] and might serve as a guideline elsewhere.»

Si, en cours de travail, lors du codage comme tel, un codeur avait un sérieux doute sur la validité d'un enregistrement, il devait consulter son coéquipier. En cas de doute persistant ou de désaccord entre les deux codeurs, la validité de l'enregistrement était débattue et tranchée à l'occasion des rencontres régulières entre les codeurs et leur superviseur.

Graphique 1.1

**Analyse de contenu du discours.
Comparaison entre les variations annuelles de la masse
du corpus et de la quantité de données de la banque.**

A) Le discours hors Chambre

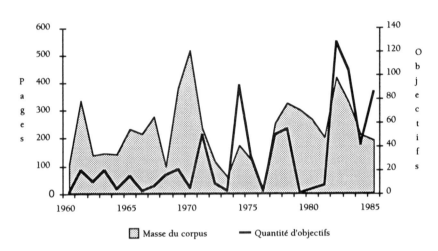

B) Le discours en Chambre

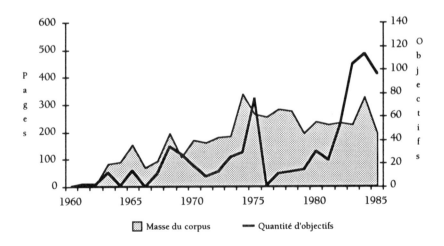

Les critères de codage

Chacun des enregistrements a été classé selon 11 critères, pour lesquels un nombre variable de catégories (de 2 à 277) était disponible (voir annexe 1, à la fin du volume). Les plus significatifs pour la présentation qui est faite ici sont: le *domaine* d'activité concerné, la *nature* spécifique de l'action et la *cible* visée. La *nature* et la *cible* appartiennent nécessairement à l'unité de contexte de l'enregistrement, alors que le *domaine* peut appartenir à son environnement plus ou moins immédiat.

Pour l'analyse de contenu, les catégories utilisées pour le critère *domaine* sont: «politique-diplomatique»; «institutionnel-organisationnel», qui concerne l'institutionnalisation de la politique étrangère de même que des relations bilatérales et multilatérales; «culture et communication»; «économie», qui inclut le commerce, la finance et le transport; «éducation et science»; «immigration», y compris les objectifs d'immigration économique du type immigrants investisseurs; «écologie et environnement», qui inclut l'urbanisme et l'aménagement du territoire; «aide au développement et humanitaire», «affaires sociales et travail»; «mobilité des personnes», y compris les mesures de réciprocité en matières fiscales, sociales, juridiques, etc., pour les ressortissants des pays étrangers résidant au Québec et vice-versa; et finalement «général», utilisée lorsque l'objectif ne concerne pas un domaine spécifique. Les catégories ont été déterminées préalablement à partir des divisions sectorielles apparaissant dans l'organisation administrative de la politique extérieure de l'État, ainsi que des secteurs des cadres d'interventions énumérés dans l'énoncé de politique de 1985. Elles ont été ajustées à l'occasion des tests préliminaires.

Une liste de vingt-six formes d'actions spécifiques, inspirée de diverses sources a été dressée afin d'identifier la *nature* de l'énoncé[17]. Étant donné la longueur de la période couverte, cela aurait en effet été une erreur d'utiliser une seule source afin de dresser l'éventail des formes d'actions spécifiques poursuivies par l'État. Pour que la sélection ne soit cependant pas le résultat d'un choix arbitraire, elle a d'abord été composée à partir des objectifs gouvernementaux présentés dans l'*Énoncé de politique* de 1985[18], en les reformulant de manière à leur donner une forme générique. Ensuite, quelques objectifs contenus dans le manuel de codage utilisé par Guy Gosselin et Gérard Hervouet pour le Canada[19], et qui pouvaient s'appliquer au Québec, ont été ajoutés. Finalement, cette liste a été raffinée et épurée à l'occasion des tests préliminaires, pour lesquels on a choisi des échantillons représentatifs de l'ensemble de la période couverte. On retrouve dans cette liste des actions aussi diverses que «participer aux activités d'une ou de plusieurs organisations internationales» et «favoriser les transferts technologiques». L'une de ces catégories pouvait être utilisée lorsqu'aucune forme d'action spécifique n'était mentionnée, par exemple lorsqu'on se proposait de dresser des liens sans plus de précision, ou dans les quelques cas où une forme d'action spécifique ne pouvait absolument pas être classée ailleurs. Cette dernière utilisation n'était pas prévue à l'origine, mais elle est devenue une habitude de codage qui fut identifiée trop tard pour permettre une rectification. Des vérifications seront donc nécessaires dans les cas où l'on désire donner une signification particulière à la présence de ce critère dans le discours.

L'identification de la *cible* s'est faite à partir d'une liste de 277 possibilités comprenant aussi bien des catégories générales ou universelles du type «économie mondiale» que des organisations internationales, des noms de continents, de sous-continents, de pays et même, dans le cas des États-Unis, d'États non souverains[20]. Le problème de la multiplication des enregistrements pour les États-Unis, qu'aurait pu entraîner le fait d'insérer dans la liste des cibles les 51 États et district américains, a été résolu en effectuant une compilation spéciale pour laquelle un objectif pouvait être multiplié par le nombre des États américains ciblés, ce qui n'était pas autorisé pour la compilation ordinaire des enregistrements. Dans les cas où la cible énoncée ne correspondait à aucune des 277 possibilités disponibles, la catégorie offrant le niveau de généralité le plus rapproché était alors choisie. Par exemple, si la cible de l'énoncé est «Genève» ou «le Jura», la catégorie choisie sera la «Suisse»; si, par ailleurs, la cible de l'énoncé est «les pays du Maghreb», la catégorie choisie sera l'«Afrique[21]».

Les moyens de la politique: allocation des ressources humaines et budgétaires

Le choix des indicateurs

L'allocation par l'État des ressources qu'il contrôle est aussi un exercice par lequel il manifeste ses priorités. On sort ici cependant de la simple volonté du décideur gouvernemental: l'exécution de la politique telle qu'il l'énonce dépend de sa capacité à mobiliser les ressources limitées de l'État et à les organiser conformément à ses objectifs. Pour ce faire, il devra composer avec les objectifs des autres acteurs étatiques, qu'ils soient bureaucratiques ou gouvernementaux. En mobilisant et allouant des ressources, l'État se donne les moyens concrets de sa politique. Cela est particulièrement évident dans le cas de la représentation étrangère que se donne cet État. L'étude de la politique étrangère des États permet même de postuler que le degré de contrôle, qu'exerce un État sur son environnement international, est directement proportionnel à l'étendue de son réseau diplomatique[22].

L'importance de la mesure de ces moyens pour l'élaboration d'un portrait d'ensemble de la politique étrangère québécoise a été considérée par Shiro Noda à l'occasion de son étude couvrant la période 1970-1980. Cet auteur utilise comme indicateur privilégié la répartition des ressources humaines et budgétaires. Comme nous, il a choisi d'analyser l'évolution de la répartition des ressources pour des cas qui soient significatifs du point de vue d'un double classement de la politique en termes de cibles et de domaines. Dans le cadre de la présente étude, on a voulu étendre le type d'analyse proposé par Noda à la période 1960-1989 et la raffiner, en procédant à un traitement plus approfondi des données disponibles, surtout en ce qui a trait à l'effectif du ministère responsable de la coordination des relations internationales du Québec.

Étant donné les nombreux réaménagements dont l'administration des relations internationales à Québec a été l'objet, à l'occasion desquels les divisions administratives, sectorielles ou géographiques ont été scindées et fusionnées, créées et éliminées, il est pratiquement impossible de dégager dans la structure budgétaire du gouvernement une continuité permettant d'identifier des indicateurs couvrant l'ensemble de la période étudiée. Seules les dépenses des délégations et bureaux à l'étranger offrent une continuité dans la répartition géographique des ressources. Même s'il est difficile de recouper cette information en fonction des domaines d'activité couverts par les opérations de ces représentations, il nous est apparu utile, considérant la précision de l'information qu'offre cet indicateur sur la cible visée dans l'allocation des ressources, de l'utiliser dans notre analyse.

«*Diplomatic staff is a measure of political attention*[23]», selon Bruce M. Russet. L'analyse de l'effectif, en particulier de l'effectif professionnel, permet de mesurer cette attention sous un double aspect, étant donné que celui-ci peut être classé par domaine, à partir des appellations de postes, des titres de fonctions ou, dans certains cas, des ministères employeurs. Contrairement à Noda, qui s'est contenté d'une répartition de l'effectif des délégations selon le ministère employeur, notre ventilation par domaine s'applique en effet aussi aux employés du MAI, qui composent plus de 70% de l'effectif des représentations à l'étranger.

En somme, les deux indicateurs privilégiés par notre analyse des moyens de la politique étrangère du Québec sont les dépenses et l'effectif des représentations à l'étranger. Cela peut sembler restrictif. Il faut cependant réaliser qu'aucun autre indicateur, à notre connaissance, ne permet de mesurer systématiquement, pour toute la période étudiée, l'importance relative que l'État québécois accorde à ses partenaires étrangers en termes de moyens. Pour ce qui est de l'effectif, il permet en plus une répartition de l'effort selon le domaine d'activité. Pour des périodicités plus petites cependant, on pourra utiliser d'autres types de répartition des dépenses et de l'effectif. Ces derniers ne posent pas de problème particulier en ce qui a trait à leur compilation et il n'en sera pas question dans ce chapitre.

Les sources

À première vue, les indicateurs choisis semblent facile à compiler. Après tout, ne s'agit-il pas simplement de compiler les données pertinentes à partir des bilans financiers et des listes d'effectifs des ministères concernés? Cependant, contrairement à nos attentes, le MAI ne dispose pas de bilans précis et exhaustifs de ses dépenses et de son effectif allant au-delà du court terme.

Il est rapidement devenu évident que nous devrions procéder nous-mêmes à la cueillette directe des données à même les archives du ministère des Affaires internationales. Celui-ci nous en ayant donné la permission, une recherche systématique a été entreprise auprès de l'administration du ministère, aux Archives nationales du Québec, ainsi qu'au Dépôt de documents semi-actifs du gouvernement.

Les dépenses des représentations à l'étranger

Il n'a pas été possible de trouver une source unique couvrant l'ensemble de la période étudiée. Ce qui s'explique d'abord du fait que plusieurs ministères ont contribué au financement des représentations. Afin de simplifier le travail, la recherche a été limitée aux dépenses des ministères directement responsables de l'administration de ces dernières entre 1960 et 1989 — soit le ministère de l'Industrie et du Commerce, le ministère des Affaires intergouvernementales, le ministère des Relations internationales, le ministère du Commerce extérieur et le ministère des Affaires internationales — avec les failles que cela peut entraîner. Si on choisit par exemple le cas de la délégation de New York, on sait que, jusqu'en 1963, le service touristique était de la responsabilité du Secrétariat de la province et non du MIC et que, conséquemment, notre source est incomplète.

Beaucoup d'efforts ont été faits afin de conserver comme indicateur les dépenses réelles imputées aux représentations, au terme de chaque année budgétaire. Cependant, cette information n'étant pas disponible pour chaque année, on a dû recourir exceptionnellement aux sommes inscrites au budget, qui varient des premières, mais à l'intérieur d'un écart relativement faible, pour compléter les tableaux. Ainsi, les sources varient selon les périodes[24]:

De 1960 à 1967: *comptes publics du gouvernement du Québec.*

De 1967 à 1973: ministère des Affaires intergouvernementales, *Maisons du Québec à l'étranger. Évolution des dépenses à l'étranger de 1965-1966 à 1972-1973*, document interne, Archives nationales du Québec.

De 1973 à 1976: les budgets annuels du ministère des Affaires intergouvernementales tels que cités dans la thèse de Shiro Noda.

De 1976 à 1977: ministère des Affaires intergouvernementales, *Étude des crédits 1977-1978*, document interne, Centre de dépôt de documents semi-actifs du gouvernement du Québec.

De 1979 à 1984: ministère des Affaires intergouvernementales, *Bilan comparatif des dépenses 1979-1983 et 1980-1984*, documents internes.

De 1984 à 1989: ministère des Relations internationales/des Affaires internationales, *Dépenses des représentations à l'étranger*, documents internes.

On remarque un vide pour les années 1977-1979. Celui-ci, ainsi que l'absence de dépenses réelles pour l'ensemble de la période 1973-1976, serait attribuable à un incendie au centre de préarchivage du gouvernement du Québec, au cours duquel le ministère des Affaires intergouvernementales aurait perdu environ 800 boîtes d'archives[25].

Les données recueillies, on le remarquera plus tard, font apparaître une importante hausse dans le budget des représentations en 1985. Celle-ci est attribuable en premier lieu à une modification de la pratique budgétaire du MAI qui transfère alors aux représentations des comptes qui étaient jusqu'alors gérés par la Direction des délégations et bureaux du Québec à l'étranger. Ce à quoi s'ajoutent les sommes additionnelles que nous oblige à inclure la création du ministère du Commerce extérieur et du Développement technologique, responsable à cette époque du mandat commercial des représentations. Malgré l'absence d'une standardisation possible des séries statistiques ainsi produites, ces données offrent une bonne appréciation de la part relative accordée à chaque délégation.

L'effectif en poste dans les représentations à l'étranger

La compilation de l'effectif a aussi nécessité un recours aux archives. Les comptes publics du gouvernement n'ont pas permis en effet d'effectuer une ventilation selon le lieu d'affectation allant au-delà de l'année budgétaire 1963-1964. Les rapports annuels, pour leur part, présentent une répartition de l'effectif par délégations et bureaux qui ne semble pas obéir chaque année à la même méthode de compilation. Comme on le constate à l'annexe 3 (en fin de volume), pour la période allant jusqu'au milieu des années soixante-dix, plusieurs sources internes sont utilisées. Elles ont fait l'objet de plusieurs contre-vérifications afin de s'assurer de leur fiabilité. À partir de 1976 cependant, les listes d'effectifs du ministère, telles qu'elles ont été conservées dans les archives du ministère ou telles qu'elles nous ont été fournies par la Direction des ressources humaines du ministère des Affaires internationales, sont disponibles. Afin de conserver un indicateur unique malgré la diversité des sources, l'effectif fut défini comme étant le nombre d'employés, et non de postes, à un moment donné dans une représentation à l'étranger[26].

Pour la période antérieure à 1976, les sources ne permettent pas d'effectuer une ventilation selon le domaine d'activité auquel correspond l'affectation des professionnels pour chacune des années. En ce qui concerne les années récentes, soit de 1982 à 1989, la Direction des ressources humaines nous a refusé l'accès direct à la partie des listes d'effectifs où apparaissent des «remarques particulières» fort utiles pour connaître la fonction réelle de l'employé. Ces informations nous ont été transmises oralement, sur demande et cas par cas, sans qu'il nous soit possible de les vérifier nous-mêmes.

Les critères de codage

Puisqu'elles ne permettent qu'un classement selon la *cible*, les dépenses et l'effectif total des délégations ne posent pas de problème, elles sont présentées par ville ou par pays. Il en va tout autrement pour l'effectif professionnel puisque le critère *domaine* entre en ligne de compte. Quatre indicateurs ont été utilisés pour le classement d'un professionnel selon son domaine d'activité: la fonction, le titre de classification, le ministère employeur, dans le cas des employés d'un ministère autre que le MAI, et la vocation du Bureau. On a tenté le plus possible d'utiliser les mêmes catégories de domaine que celles ayant servi au codage des objectifs, sans qu'il soit malheureusement possible de respecter fidèlement ces dernières.

Un premier regroupement des professionnels, à partir de 12 catégories, a d'abord été effectué: «direction», utilisée dans le cas des délégués et de leurs adjoints pour lesquels il est impossible de définir un domaine particulier d'activité; «administration»; «affaires politiques et publiques»; «éducation et science»; «immigration»; «culture»; «économie», qui comprend le commerce, la technologie et la coopération technique; «agriculture»; «tourisme»; «information», qui regroupe tout ce qui a trait aux communications et relations publiques; «coopération», qui a été utilisée lorsque la nature spécifique de la coopération n'est pas spécifiée; et «autres», qui regroupe les cas où aucune des catégories ne correspondait à la définition de poste et où aucun domaine ne pouvait être identifié. Afin de permettre une certaine compatibilité entre ces catégories et celles utilisées pour les autres indicateurs, certaines fusions sont possibles. Ainsi, «direction» et «administration» peuvent êtres fusionnées, de même que «économie», «agriculture» et «tourisme». «Coopération», finalement, dans la mesure où il s'agit d'une catégorie résiduelle, peut très bien être fusionnée avec «autres» pour les fins de la comparaison.

La gestuelle extérieure: visites et ententes

Le choix des indicateurs

Plusieurs formes de comportement manifeste peuvent être utilisées afin de mesurer la gestuelle extérieure de la politique étrangère. Parmi les nombreux indicateurs que propose la littérature spécialisée, certains ont retenu l'attention de l'équipe de recherche parce qu'ils s'appliquent bien au cas du Québec. Outre l'établissement de missions diplomatiques, qui a été traité par le biais de l'analyse de l'allocation des ressources, il s'agit de la participation aux travaux d'organisations internationales, l'accueil de dignitaires étrangers, les visites de représentants du Québec à l'extérieur, la signature d'ententes internationales, les rapports consulaires du Québec avec les diplomates en poste au Canada, les échanges de stagiaires, d'étudiants et de fonctionnaires, etc. Cependant, les résultats obtenus à l'étape de l'identification des sources ont conduit à l'élimination de plusieurs de ces possibilités en raison soit de l'impossibilité d'identifier des sources fiables pour l'ensemble de la période couverte par la recherche, soit parce qu'il s'est avéré que les sources disponibles n'offraient pas d'informations suffisantes ou fiables sur les principaux aspects du comportement sur lesquels la recherche est axée, tel que le domaine d'activité. Ainsi, pour la présente étude, deux indicateurs seront privilégiés: les visites des premiers ministres et ministres à l'étranger ainsi que la signature d'ententes internationales[27]. Cela n'empêche nullement qu'à certaines occasions d'autres indicateurs soient utilisés s'ils se révèlent utiles pour le propos, mais ils n'ont pas fait l'objet du même traitement systématique.

À notre connaissance, aucune analyse systématique, sur une longue période, des visites des premiers ministres et ministres québécois à l'étranger n'a été utilisée dans une étude de la politique étrangère québécoise. Les visites officielles fournissent pourtant un indicateur de l'état des relations politiques entre deux États qui a déjà fait ses preuves[28].

Quant aux ententes internationales, elles ont été utilisées comme indicateur dans le cadre d'une des premières études scientifiques des relations entre États non souverains, concernant les rapports entre États américains et provinces canadiennes[29]. Shiro Noda propose lui aussi une répartition des ententes selon le pays signataire et selon le domaine concerné, mais son analyse s'arrête en 1980 et les sources qu'il utilise ne sont pas complètes[30].

Les visites ne posent pas de véritables problèmes de définitions. On nomme ainsi chacun des déplacements officiels d'un premier ministre ou d'un ministre québécois dans un pays étranger ou auprès d'une organisation internationale[31]. Dans ce dernier cas, l'organisation internationale, indépendamment du lieu où se trouve son siège social et où se tiennent ses travaux, est considérée comme un État étranger. Un déplacement à l'étranger peut donner lieu à plusieurs visites dans la mesure où chaque entrée dans un pays ou au siège d'une organisation internationale commande un enregistrement. Afin de bien séparer cet indicateur de la participation du Québec aux organisations internationales ou de l'administration des ententes internationales, tous les déplacements ministériels dans un cadre uniquement statutaire (assemblée annuelle d'une organisation, rencontre régulière d'un conseil d'administration d'un organisme bilatéral ou multilatéral) ne sont pas considérés comme des visites.

La définition de ce qu'est une entente internationale est laissée au gouvernement, qui nomme ainsi les accords, procès-verbaux de rencontres, échanges de lettres ou communiqués, signés par un de ses représentants et par lequel il se sent engagé envers un partenaire étranger[32]. Précisons que les renouvellements et les avenants à des ententes déjà signées n'ont pas été considérés.

Les sources et la composition de la banque de données

Les visites

Dans le cas des visites, on doit faire appel, afin de couvrir l'ensemble de la période étudiée, à plusieurs sources, qui n'ont malheureusement pas toutes le même degré de fiabilité. Celles que l'on a réunies permettent un traitement exhaustif des visites des premiers ministres, pour la période allant de l'élection du gouvernement Lesage à celle de 1989, et des ministres de 1968 à 1989. Cette précision étant faite, il est opportun de faire remarquer que, la plupart du temps, l'indicateur «visites» qui sera utilisé au cours des chapitres suivants réfère indistinctement aux visites des premiers ministres et des ministres.

La source 1 et la source 2 offrent des compilations effectuées, avec un certain recul, par le MAI et peuvent, pour cette raison, être considérées comme fort exhaustives et fiables[33]. La première concerne exclusivement les visites des premiers ministres et couvre toute la période jusqu'en 1985, alors que la seconde est consacrée aux déplacements des ministres et se limite aux années 1976-1985.

La source 3, constituée de l'ensemble des «Chroniques des relations extérieures du Québec» qui paraît quatre fois par année dans la revue *Études internationales* depuis 1978, peut elle aussi être considérée comme très fiable.

La source 4 doit être considérée plus comme un outil de repérage dans la mesure où elle ne permet pas de faire la distinction entre un projet de déplacement et une visite accomplie. On s'est en effet servi des bordereaux de transfert des dossiers de la Direction du protocole du ministère, en vue de leur archivage au dépôt de documents semi-actifs du gouvernement, afin de maximiser la couverture de la période 1969-1978. Les informations recueillies grâce à cette source ont été traitées avec circonspection. Comme d'ailleurs celles fournies par la source 5, c'est-à-dire par les rapports annuels du ministère qui étaient disponibles au moment de l'analyse, soit pour les années financières 1968-1969 à 1987-1988.

Afin de vérifier les données recueillies grâce aux sources 4 et 5, une recherche a été entreprise dans le fonds d'archives du ministère aux Archives nationales, ce qui constitue notre source 6. Ce travail a permis d'obtenir des informations assez précises pour les années 1969 et 1972-1975.

Au total, pour l'ensemble de la période couverte par l'étude, 976 visites ont été identifiées, soit 133 visites de premiers ministres et 843 visites de ministres. Il faut bien noter que, compte tenu des sources disponibles, les visites ministérielles ne constituent un indicateur valable qu'à partir de 1969 et véritablement systématique qu'à partir de 1976.

Les ententes

Les ententes ont d'abord été répertoriées grâce au *Recueil des ententes internationales du Québec* publié en 1984 et mis à jour en 1989[34]. Les informations ainsi recueillies furent ensuite complétées et corrigées grâce à la collaboration du Bureau des ententes internationales du ministère.

Pour la période couverte par l'étude, l'analyse portera sur une banque de 230 ententes.

Les critères de codage

Les actes du comportement manifeste et, parmi eux, les visites et les ententes, ont été classés selon 11 critères, dont plusieurs sont semblables à ceux utilisés pour l'analyse de contenu du discours (voir annexe 5 en fin de volume). On retrouve ainsi, pour les plus utilisés, les deux critères de base que sont le *domaine* et la *cible*, auxquels s'ajoutent le niveau de *responsabilité* de l'acteur gouvernemental et le niveau de l'*interlocuteur*[35].

Pour l'analyse du comportement manifeste, les catégories utilisées pour le critère *domaine* sont en général les mêmes que pour l'analyse de contenu, soit: «politique-diplomatique-général», la catégorie générale n'est pas traitée à part ici étant donné la nature des gestes répertoriés, lesquels, s'ils ne concernent pas un domaine particulier, ont en soi une portée diplomatique; «institutionnel-organisationnel»; «culture et communications»; «économie, commerce et finance»; «éducation et science»; «immigration»; «écologie et environnement»; «aide humanitaire et au développement»; «affaires sociales et travail» qui inclut la santé et la justice; «mobilité des personnes»; «aménagement du territoire» qui comprend aussi l'urbanisme et qui, contrairement aux catégories de l'analyse de contenu, est traité séparément d'«écologie et environnement». Afin de déterminer le *domaine*, on considère en premier lieu l'objet de la visite ou de l'entente comme tel. Si cela ne suffit pas, on considère la fonction de l'acteur gouvernemental et celle de son interlocuteur étranger. Lorsque cela s'avère nécessaire, un *second domaine* en importance peut être indiqué.

L'identification du critère *cible* s'est faite à partir des mêmes catégories que celles employées pour l'analyse de contenu. Encore une fois, l'acte (sauf dans le cas des ententes) est multiplié par le nombre de cibles identifiant un État souverain ou une organisation internationale et une compilation spéciale a été effectuée afin de connaître, pour les États-Unis, la dispersion de l'activité selon les États.

Le niveau de *responsabilité* indique le niveau hiérarchique de l'acteur gouvernemental. Dans la présente étude, ce critère sert surtout, dans le cas des visites, à faire la distinction entre le Premier ministre et les ministres.

Le type d'*interlocuteur* réfère au niveau de l'interlocuteur étranger qui participe à l'acte dans la hiérarchie politique. Grâce à ce critère, on identifie le plus important corps politique de l'État étranger impliqué dans l'acte (par exemple l'État souverain, un État non souverain, une instance non gouvernementale, etc.).

Traitement des données

Avant de passer au cœur du sujet, quelques précisions, relatives au traitement des données et à la façon dont elles sont présentées dans ce volume, doivent être amenées.

Périodicités

Parlons d'abord des deux types de périodicités utilisées. Lorsque les données sont ventilées par année, la première (1960) et la dernière (1985 ou 1989) années couvertes sont incomplètes étant donné que la période étudiée commence avec l'élection du gouvernement de Jean Lesage et se termine avec la fin du mandat 1985-1989 du gouvernement de Robert Bourassa ou, dans le cas de l'analyse de contenu du discours, avec la fin du second mandat du Parti québécois. Cela ne s'applique évidemment que dans le cas des indicateurs qui permettent d'être aussi précis. Pour ce qui est des dépenses et de l'effectif, la ventilation se fait par année budgétaire. L'effectif année étant, dans la mesure du possible, mesuré à la fin de l'année budgétaire, soit le 31 mars.

Certains autres indicateurs sont présentés par mandats gouvernementaux. Dans ce cas, étant donné la rareté des données au début de la période couverte, les deux mandats du gouvernement Lesage ont été regroupés. Afin de tenir compte du fait que les mandats ont des durées différentes, certaines données sont présentées sous forme de moyenne par année pour un mandat. La longueur du mandat est alors mesurée en mois, au mois près.

Regroupements régionaux et les États-Unis

Comme le montre la division de l'ouvrage, les données ont été regroupées en région à partir d'une logique imposée par l'organisation de la politique étrangère québécoise. Ainsi, deux pays, la France et les États-Unis, sont considérés comme des régions. Le reste du monde étant divisé comme suit: Afrique, Amérique latine (incluant les Caraïbes), Asie et Océanie, Europe (sans la France), Moyen-Orient[36].

Il est important aussi de rappeler que, dans le cas des États-Unis, deux types de mesures sont utilisés pour les indicateurs de la formulation des priorités et des visites. Lorsque les États-Unis sont pris dans leur ensemble afin de les comparer aux autres régions, on ne tient pas compte des 50 États américains. Cependant, si on présente des données fournies par ces indicateurs ventilés par États, on fait référence à une mesure pour laquelle ces États sont considérés comme des cibles. Alors, les chiffres peuvent être différents à cause de l'effet multiplicateur d'une telle mesure, un seul objectif ou une seule visite dirigés vers les États-Unis pouvant concerner plusieurs États.

Notes

* Nous tenons à remercier Marie-Claude Delisle, Stephan LaForce, Michel Marcotte, Daniel Marier, Jean Plourde, Lyne Sauvageau et Thomas Tessier pour le souci méthodologique, indispensable à l'ajustement des instruments de mesure et à leur fiabilité, dont ils ont fait preuve dans leur travail de collecte et de traitement des données. Gordon Mace, Lyne Sauvageau, Manon Tessier, Thomas Tessier et Jean Touchette ont accepté de lire une version préliminaire de ce chapitre et de nous faire part de leurs commentaires.

1. Jusqu'à présent, les analystes qui se sont penchés sur la question ont eu un certain mal à se détacher de cette image. Daniel Latouche observe en effet que: «Undoubtedly, the mere existence of a Québec foreign policy still creates a state of *émerveillement* among participants and observers alike. One gets the impression that the study of Quebec foreign policy is in and for itself an important element of that foreign policy.» dans «State Building and Foreign Policy at the Subnational Level», Ivo D. Duchacek, Daniel Latouche et Garth Stevenson, *Perforated Sovereignties: Trans-Sovereign Contacts of Subnational Governments*, New York, Greenwood Press, 1988, p. 33.

2. Patrick J. McGowan définit ainsi la politique étrangère: «...the actions of national governments and their representatives toward explicit targets external to the society or societies under study. These actions may be verbal or physical; they may be manifested in single decisions, streams of events, or continuing allocations of men and materials», Sage *International Yearbook of Foreign Policy*, vol. 1, Beverly Hills, Sage Publications, 1973, p. 12.

3. Voir Stephen D. Krasner, *Defending the National Interest*, Princeton, Princeton University Press, 1978, pp. 10-20.

4. «... an event has five components; actor, target, activity, issue-area and time», Edward Azar, «An Analysis of International Events», *Peace Research Review*, vol. IV, n° 1, novembre 1970, p. 12. Voir aussi James N. Rosenau, *The Scientific Study of Foreign Policy*, New York, The Free Press, 1971; M. Brecher, *The Foreign Policy System of Israel*, New Haven, Yale University Press, 1972; J. Wilkenfeld *et*

al., *Foreign Policy Behavior: The Interstate Behavior Analysis Model,* Beverly Hills, Sage, 1980.

5. Voir Georges CARTIER et Lucie ROUILLARD, *Les relations culturelles internationales du Québec,* Québec, CEPAQ/ENAP, 1984; Shiro NODA, *Les relations internationales du Québec de 1970 à 1980: comparaison des gouvernements Bourassa et Lévesque,* thèse de doctorat, non publiée, département d'histoire, Université de Montréal, 1988; E. J. FELDMAN et L. GARDNER FEDLMAN, «Quebec's Internationalization of North American Federalism», dans I. D. DUCHACEK, D. LATOUCHE et G. STEVENSON, dirs, *Perforated Sovereignties and International Relations,* New York, Greenwood Press, 1988, pp. 69-80; E. J. FELDMAN et L. G. FELDMAN, «The Impact of Federalism in the Organization of Canadian Foreign Policy», *Publius,* vol. 14, n° 4, 1984, pp. 33-59. La même stratégie est employée dans R. SWANSON, «L'éventail des relations directes entre États américains et provinces canadiennes», *Perspectives internationales,* avril-mai 1976, pp. 19-24.

6. Renaud DEHOUSSE, «Fédéralisme, asymétrie et interdépendance: aux origines de l'action internationale des composantes de l'État fédéral», *Études internationales,* vol. XX, n° 2, 1989, pp. 283-309.

7. Voir G. CARTIER et L. ROUILLARD, *op. cit.,* pp. 170 à 201 et S. NODA, *op. cit.,* pp. 1 à 7.

8. Voir S. D. KRASNER, *op. cit.,* pp. 13-14.

9. Dans le cas de l'énoncé de politique de 1985, on spécifiait en effet que «l'ordre dans lequel ces objectifs sont présentés ne reflète pas un choix quant à leur importance», dans GOUVERNEMENT DU QUÉBEC, *Énoncé de politique internationale,* Québec, 1985, p. 49.

10. Voir Harald VON RIEKHOFF, «Une analyse des objectifs de politique étrangère canadienne», dans Paul PAINCHAUD, dir., *Le Canada et le Québec sur la scène internationale,* Québec/Montréal, CQRI/PUQ, 1977, pp. 548-574 et Guy GOSSELIN et Gérard HERVOUET, «Les objectifs dans le discours de la politique étrangère canadienne», dans Gérard HERVOUET, dir., *Les politiques étrangères régionales du Canada: éléments et matériaux,* Québec, CQRI, 1983, pp. 21-76.

11. On a recours au principe de Baldwin, qui veut que la fréquence d'un énoncé dans le discours d'un locuteur soit en relation avec l'importance qu'accorde le locuteur à cet énoncé. Voir A. L. BALDWIN, «Personal Structure Analysis: A Statistical Method of Investigating the Single Personality», *The Journal of Abnormal and Social Psychology,* 1942, vol. 37, n° 2, pp. 163-183.

12. L'abréviation MAI est utilisée pour nommer indistinctement les différents ministères responsables de la politique internationale du Québec qui se sont succédés: le ministère des Affaires intergouvernementales, le ministère des Relations internationales et le ministère des Affaires internationales.

13. Il est important de noter qu'en 1976 les travaux de la Commission parlementaire chargée d'étudier les crédits du MAI ont été écourtés, faute de temps. Cela explique en partie l'absence d'objectifs recensés en Chambre pour François Cloutier qui occupait le poste de ministre à l'époque. Voir le tableau 1.2.

14. On s'inspire ici de la méthodologie employée dans G. GOSSELIN et G. HERVOUET, «Les objectifs dans le discours de la politique étrangère canadienne», *op. cit.*

15. Compte tenu du fait que le discours est considéré comme un comportement de politique étrangère, on s'inspire de E. Azar, «The Components Time, Actor or Targets and Activity are the Most Basic Ones in Any Event», *op. cit.*, p. 12.

16. Afin de produire, à partir de notre définition d'un objectif de politique étrangère, un indicateur fiable de la présence de tels objectifs dans le discours des décideurs politiques, des tests sur des échantillons représentatifs ont été menés avant que ne soit entrepris le codage définitif du corpus. D'abord, une série de prétests à plusieurs codeurs ont permis à l'ensemble de l'équipe de recherche de se confronter à l'application de la définition initiale de l'indicateur et de s'entendre sur les critères d'enregistrement. Ensuite, une équipe de deux codeurs a procédé, sous surveillance, à une série de tests de fiabilité. Ces derniers servent à développer des réflexes de codage conformes aux objectifs du projet tout en définissant, à la lumière des premiers résultats, un ensemble de paramètres additionnels permettant de faire de l'indicateur un outil de mesure fiable. Le but visé étant d'obtenir un instrument qui donne dans la plupart des cas le même résultat quel que soit le codeur qui l'utilise. Pour chaque test, la symétrie des résultats des deux codeurs (A et B) confrontés au même échantillon est calculée grâce à au coefficient de concordance de l'indicateur (c.c.i.) suivant:

$$c.c.i.= \frac{2 \times \text{(nombre d'enregistrements concordants)}}{\text{(nombre d'enregistrements de A)} + \text{(nombre d'enregistrements de B)}}$$

17. Voir l'annexe 1, pp. 29-35.

18. Voir Gouvernement du Québec, *op. cit.*, pp. 49-54 ainsi que l'ensemble du document.

19. Voir G. Gosselin et G. Hervouet, *op. cit.*, p. 69.

20. Voir annexe 1, à la fin du volume.

21. La fiabilité de ces critères a été mesurée grâce à une méthode plus sophistiquée que celle utilisée pour évaluer la fiabilité des enregistrements. Étant donné qu'un choix parmi des catégories prédéterminées s'offre à eux, on doit tenir compte de la possibilité qu'un accord entre les codeurs soit dû plus au hasard qu'à la fiabilité de l'instrument de mesure. Afin de tenir compte de ce facteur dans le calcul de la fiabilité, on doit trouver un moyen d'évaluer la part de concordance qui est attribuable à la chance et la part attribuable à la fiabilité de l'instrument. Pour ce faire, on divise le taux de désaccord obtenu pour un test par le taux de désaccord anticipé dû à la chance. Le mode de calcul utilisé pour les taux de désaccord, obtenu et anticipé, est celui proposé dans Klaus KRIPPENDORF, *Content Analysis. An Introduction to its Methodology*, The Sage CommText Series, vol. 5, Beverly Hills, Sage Publications, 1981, pp. 137-139. On soustrait le résultat de la division d'un taux d'accord idéal égal à un pour obtenir le coefficient de concordance du critère (c.c.c.) :

$$c.c.c.= 1 - \frac{\text{taux de désaccord obtenu}}{\text{taux de désaccord anticipé}}$$

Ainsi, dans la situation idéale où aucun désaccord n'intervient, le numérateur de la fraction est égal à zéro et le c.c.c. est égal à un. Si le taux de désaccord obtenu lors du test dépasse celui anticipé, la valeur de la fraction sera supérieure à 1 et le c.c.c. sera négatif, ce qui indique que le résultat est inférieur à ce qu'aurait permis l'intervention du hasard. Si, en revanche, le taux de désaccord obtenu à la même occasion est inférieur à celui anticipé, le c.c.c. aura une valeur se situant entre zéro et un qui indiquera la part de succès attribuable à la fiabilité de l'instrument de recherche.

Le mode de calcul choisi pour le taux de désaccord anticipé ne tient pas compte du nombre total de catégories disponibles, mais bien uniquement du nombre de catégories utilisées lors du test. Cela a pour avantage d'empêcher que le taux de désaccord anticipé ne soit gonflé par une multiplication des catégories, mais pour désavantage de tendre à dévaluer la performance des codeurs lorsqu'un grand nombre de possibilités ne sont pas utilisées. On a donc décidé que, pour les critères, un seuil de fiabilité un peu inférieur à celui utilisé pour l'enregistrement serait satisfaisant. Les codeurs devaient obtenir un c.c.c. minimum de 0,70 (70% au-dessus du hasard) deux fois de suite pour chacun des critères. Pour que le nombre d'enregistrements servant d'échantillons pour le calcul du c.c.c. soit suffisamment élevé, ce dernier n'a été vérifié que lors des tests pour lesquels le c.c.i. était relativement élevé, soit lors des tests 9, 10, 11, 14 et 15. Les conditions minimales ont été atteintes lors des quatorzième et quinzième tests de fiabilité En fait, n'eût été de la présence de critères qui furent abandonnés en cours d'exercice, les tests 10 et 11 auraient permis d'atteindre l'objectif fixé avec des coefficients bien supérieurs à 0,7.

22. Bruce M. Russet postule en effet que «for a given nation (A) the size of the diplomatic staff accredited to and from each other nation is positively related to the impact each other state's actions have on the foreign policy apparatus of A, *Power and Community in World Politics*, San Francisco, Freeman and Co., 1974, p. 71.

23. *Id.*

24. Pour une liste plus détaillée, voir l'annexe 2, en fin de volume.

25. S. Noda, *op. cit.*, p. 4.

26. Certains postes peuvent en effet être vacants. Les employés dont le nom apparaît dans la liste d'effectifs d'une délégation, mais qui sont prêtés à un organisme n'ont pas été compilés.

27. La fiabilité de ces deux indicateurs n'a pas fait l'objet d'une vérification indépendante, mais a plutôt été mesurée en même temps que celle des autres indicateurs, mentionnés plus haut, chacun étant considéré comme une des formes spécifiques pouvant être prises par l'indicateur générique «actes» (voir annexe 2). On a utilisé à cette occasion le même c.c.i. que pour l'analyse de contenu ainsi que des échantillons représentatifs de la diversité des sources qui seront présentées ensuite. L'objectif fixé de deux résultats consécutifs d'au moins 0,80 a été atteint à l'occasion des quatrième et cinquième tests.

28. Pour un exemple d'utilisation extensive de cet indicateur, on se référera à l'étude de Charles B. McLane sur les relations de l'Urss avec les pays du Tiers monde: *Soviet-Third World Relations*, New York, Columbia University Press, 1973, [3 volumes], de même qu'à William R. thompson, «Delineating regional subsystems: visit networks and the Middle Eastern case», *International Journal of Middle East Studies*, 13(2), mai 1981, pp. 213-231. On trouvera à la note 19 de l'article de Thompson une liste d'études utilisant les visites comme indicateur.

29. Voir Roger Franck SWANSON, *Intergovernmental Perspectives on the Canada-u.s. Relationship*, New York, New York University Press, 1978, pp. 221-265.

30. Huit ententes ont été ajoutées pour la période couverte par Noda dans la dernière édition du *Recueil des ententes internationales du Québec* .

31. La visite est donc la «rencontre» d'un membre du cabinet et d'une cible. Une tournée de plusieurs pays par un ministre engendrera donc plusieurs visites. De même que le déplacement simultané de plusieurs ministres dans un seul pays.

32. Officiellement, la définition donnée à l'article 19 de la Loi sur le ministère des Affaires internationales reste assez vague: «L'expression "entente internationale" désigne un accord intervenu entre, d'une part, le gouvernement ou l'un de ses ministères ou organismes et d'autre part, un gouvernement étranger ou l'un de ses ministères, une organisation internationale ou un organisme de ce gouvernement ou de cette organisation.» (L.R.Q., c. M-21.1).

33. MINISTÈRE DES AFFAIRES INTERGOUVERNEMENTALES, *Visites des Premiers ministres du Québec à l'étranger de 1879 à aujourd'hui*, Direction des systèmes d'information, Direction générale de la planification, Québec, décembre 1985 et MINISTÈRE DES AFFAIRES INTERGOUVERNEMENTALES, *Visites des ministres du Québec à l'étranger*, Direction des systèmes d'information, Direction générale de la planification, Québec, décembre 1985.

34. GOUVERNEMENT DU QUÉBEC, *Recueil des ententes internationales du Québec*, Québec, 1984 et MINISTÈRE DES AFFAIRES INTERNATIONALES, *Ententes internationales 1984-1989*, document interne, 1989.

35. Pour mesurer la fiabilité de ces critères, on a appliqué le même c.c.c. que pour l'analyse de contenu à partir d'échantillons de plusieurs sources. Pour les principaux critères, l'objectif de 0,70, deux fois de suite pour chacun des critères, a été atteint lors des sixième et septième tests.

36. Pour connaître la composition exacte de chaque région et, éventuellement, des divisions sous-régionales qui peuvent être utilisées, on consultera les dernières pages de l'annexe 1 en fin de volume.

Chapitre 2

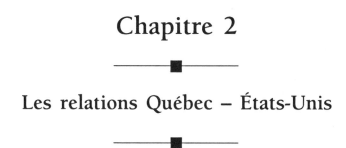

Les relations Québec – États-Unis

Louis BALTHAZAR

I l était inévitable qu'en s'ouvrant sur le monde et en élaborant une politique extérieure, le Québec accorde une très grande importance à ses relations avec les États-Unis. De par sa situation géographique, son économie, son histoire et l'évolution de sa culture, le Québec était voué à établir des relations toutes particulières avec le voisin américain. Ces relations ont pu faire moins de bruit que d'autres et attirer moins l'attention des médias. Elles n'en ont pas moins constitué une part considérable, souvent la plus importante, de la politique québécoise dans le monde. Notre recherche empirique le démontre à souhait.

Après avoir identifié la nature particulière de la relation du Québec avec les États-Unis à la lumière de l'histoire, ce chapitre s'emploiera à établir l'importance de cette relation en faisant état des données empiriques recueillies sur les objectifs, sur les moyens et sur les actions de la politique «américaine» du Québec. Nous tenterons de dégager un bilan provisoire de cette politique.

Nature de la relation

Toute l'histoire du Canada et du Québec est liée aux États-Unis. L'existence même du Canada ne peut se concevoir indépendamment de la république voisine. En effet, s'il existe un Canada aujourd'hui, c'est qu'en 1776, une population, sise au nord des colonies britanniques rebelles, a cru bon de ne pas se joindre à la révolution américaine et n'a pas voulu s'engager dans la nouvelle expérience nationale des États-Unis. D'abord, les Québécois (les Canadiens d'alors), forts de leur spécificité reconnue par la Couronne britannique dans l'Acte de Québec de 1774, n'ont pas répondu aux invitations de Benjamin Franklin. Puis, les Loyalistes (ou Tories), Américains ayant refusé de participer à la révolution, se sont réfugiés en terre canadienne. Voilà bien en quoi consiste le Canada: une volonté de concevoir une existence politique en Amérique du Nord qui ne soit pas républicaine et demeure distincte des États-Unis. Résister aux États-Unis tout en maintenant des liens avec eux et en bénéficiant de leur voisinage, c'est là l'essentiel de l'idéal canadien. La relation du Canada avec les États-Unis est donc une relation existentielle. Elle est non seulement plus importante que toutes les autres, mais elle figure dans une catégorie à part.

Cette double attitude vis-à-vis des États-Unis, tantôt fermée, tantôt ouverte, a pu unir à l'occasion les Canadiens de langue anglaise et les Canadiens français du Québec. Le plus souvent, elle les a opposés. Car les Québécois francophones et les autres Canadiens ont réagi très différemment face au voisin du sud. Quand les uns s'ouvraient, les autres se fermaient et vice-versa.

Les Québécois, ayant conçu leur participation à l'Amérique du Nord britannique et au Canada en termes conditionnels (c'est-à-dire dans la mesure où leur spécificité était reconnue), n'ont jamais envisagé leur résistance aux États-Unis comme un absolu. Dans le triangle de leurs relations avec les Anglo-Canadiens et les Américains, ils ont parfois pris plaisir à opposer les uns aux autres, à «flirter» avec les Américains pour mieux se distinguer par rapport au pouvoir britannique et anglo-canadien. Ainsi, Louis-Joseph Papineau se plaisait parfois à évoquer les États-Unis comme un modèle; les Rouges ont été annexionnistes; les gouvernements du Québec ont ouvert la porte aux investisseurs américains; tout récemment, le Québec a appuyé, plus fermement que toute autre province, le libre-échange avec les États-Unis.

Par contre, les Québécois sont toujours demeurés, en raison de leur langue et de leur culture, vraiment distincts et distants des Américains. En conséquence, au moment où les relations entre le Canada et les États-Unis ont été abondantes et intenses, les Canadiens français ont été le plus souvent absents de ces relations. Il est vrai que Wilfrid Laurier a signé un accord de libre-échange en 1911 et s'est par là aliéné la majorité des membres de l'élite du Canada anglais. Il est encore vrai que c'est Ernest Lapointe qui a signé le premier traité où le Canada n'était pas accompagné des Britanniques, à Washington en 1923 (traité du flétan, premier geste d'une politique étrangère autonome du Canada). Un Canadien français (Marcel Cadieux) a été ambassadeur aux États-Unis à une époque importante, pendant les années soixante, alors que le Canada s'apprêtait à prendre ses distances par rapport à son voisin. Mais ce sont là des exceptions qui confirment la règle. Dans l'ensemble, les Québécois francophones ont été notoirement absents des relations canado-américaines à tous les niveaux, diplomatique, économique, universitaire et autres. Ces relations se sont d'ailleurs déroulées, en très grande part, à l'intérieur d'un réseau de connaissances, d'amis, de personnes participant à une même culture, une sorte de club anglophone où un Québécois ne se sentait pas à l'aise. Même les conflits et les affrontements ont pris place dans une structure relativement homogène[1].

C'est là sans doute une des raisons qui ont amené le Québec à concevoir ses propres relations avec les États-Unis. Les Québécois ont voulu d'eux-mêmes et par eux-mêmes exprimer à la fois ce qui les distinguait des Américains et ce qui les reliait à leurs voisins. Dans la mesure où la distinction et la spécificité québécoises prenaient forme avec la Révolution tranquille, des relations intenses et ouvertes ont pu se développer.

Ces relations ont revêtu une importance toute particulière, d'abord en raison de l'énorme dépendance économique du Québec par rapport à son voisin. La vitalité économique québécoise ne peut se penser en dehors du contexte américain. Mais le facteur culturel a compté aussi pour beaucoup. Au moment où les élites québécoises se tournaient vers la France comme vers une source d'inspiration, les masses du Québec se sentaient bien plutôt sur la même longueur d'onde que les Américains, pour le meilleur ou pour le pire. Des intellectuels même ont redécouvert notre «américanité» et nos affinités naturelles avec la culture américaine.

Il était donc inévitable que le gouvernement du Québec, éprouvant le besoin de gérer la dimension internationale de ses compétences provinciales, se tourne d'emblée vers les États-Unis.

Voyons comment cela se traduit dans les données empiriques relatives aux objectifs, aux moyens et aux actions de la politique extérieure.

Les objectifs

Des 1509 énoncés recueillis dans les discours des responsables des relations internationales du Québec, 297 s'adressent à l'Amérique du Nord, dont 245 aux États-Unis, soit 20% de tous les objectifs, en incluant ceux, assez nombreux (564), qui portent sur des cibles trop générales pour être classées dans l'une ou l'autre des régions. Si l'on s'en tient aux seuls objectifs ayant pour cible un pays donné, soit 724[2], c'est pour 34% que comptent les objectifs dirigés vers les États-Unis. Notons encore que la France elle-même n'est la cible que de 230 objectifs. Voilà donc qui confirme que, pour les dirigeants politiques québécois, les États-Unis constituent une cible privilégiée.

Tableau 2.1

Nombre d'objectifs par mandat et par région

	Lesage	Johnson	Bertrand	PLQ 1	PLQ 2	PQ 1	PQ 2	Total
Afrique	0	0	2	2	1	1	44	50
Amérique du Nord	14	1	3	4	3	1	26	52
Amérique latine	0	0	0	0	8	4	29	41
Asie-Océanie	0	0	0	2	3	5	77	87
États-Unis	18	7	19	16	5	27	153	245
Europe	15	2	10	17	46	21	66	177
France	15	20	8	24	66	25	72	230
Moyen-Orient	0	1	0	0	7	2	7	17
Général/ Institutions	40	25	15	59	88	91	246	564
Inclassables	0	4	2	4	2	4	30	46
Total	**102**	**60**	**59**	**12/8**	**229**	**181**	**750**	**1509**

Il convient de souligner que cet accent porté sur les États-Unis s'est manifesté dès les premiers moments de la résurgence de la politique extérieure du Québec. Rappelons d'abord que l'agence du

Québec à New York, créée par le gouvernement libéral d'Adélard Godbout en 1941, fut maintenue par le gouvernement de l'Union nationale (1944-1960), par ailleurs tout à fait réticent à établir des relations internationales. Le premier ministre Duplessis tenait à conserver un pied-à-terre à New York et à garder quelques communications ouvertes avec les milieux financiers.

Un des premiers gestes du gouvernement Lesage fut de rehausser le statut de cette agence et d'en faire une délégation générale. Il est bien vrai que les relations internationales du Québec ont été relancées assez spectaculairement avec l'ouverture, en grande pompe, d'une maison à Paris, à l'automne de 1961. Mais il faut ajouter qu'au cours de cette même année, la mission de New York devint délégation générale, et que ce nouveau statut fut souligné par une visite de Jean Lesage en février 1962. Le premier ministre libéral retourna aux États-Unis, l'année suivante, de même qu'en 1964 et en 1965.

Il n'est donc pas étonnant de constater que les objectifs ayant pour cible les États-Unis prennent une place si considérable dans les discours du premier ministre libéral. Notons cependant que la cible «Amérique du Nord» est particulièrement privilégiée, en raison d'une conception du rayonnement québécois dans la francophonie nord-américaine. Cette conception, chère à Lesage, sera abandonnée par la suite.

Par la suite, les objectifs américains deviennent moins fréquents sous Johnson, ce qui peut s'expliquer par l'attention toute particulière accordée à la France à l'occasion de la visite du président de Gaulle en 1967 et durant les années qui suivirent. Avec Jean-Jacques Bertrand, toutefois, les États-Unis redeviennent une cible majeure (32 des objectifs). Car c'est au cours de cette période (septembre 1968 à avril 1970) que sont créées ou projetées les missions de Chicago, Boston, Lafayette, Los Angeles et Dallas. Les objectifs américains sont assez nombreux pendant le premier mandat de Robert Bourassa, mais ils le sont étonnamment beaucoup moins au cours de son second mandat (1973-1976), peut-être en raison d'une concentration particulière sur l'Europe aux alentours de 1974. C'est le moment où un accord bilatéral majeur est conclu entre la France et le Québec, comme on le verra au chapitre suivant. Il ne faudrait tout de même pas aller jusqu'à interpréter cette baisse des objectifs comme une sorte de mise en veilleuse de la relation avec les États-Unis. Rappelons les remarques du chapitre sur la méthodologie, quant aux quantités absolues d'objectifs qui ne doivent pas être considérées comme des indicateurs directs d'une volonté d'agir. Comme on le verra plus loin en analysant les moyens et les actions, les relations du Québec avec les États-Unis se poursuivent au cours de cette période.

Notons la croissance des objectifs américains avec l'arrivée du Parti québécois au pouvoir, sous la direction de René Lévesque, presque aussi américanophile que nationaliste québécois. Cette attention portée aux États-Unis n'avait rien d'une tactique pour mieux faire passer la souveraineté-association. Bien au contraire, c'est au cours des années quatre-vingt, après le référendum, durant le second mandat du Parti québécois, que les objectifs s'adressant aux États-Unis s'accroissent spectaculairement. D'ailleurs, les objectifs internationaux dans l'ensemble augmentent aussi considérablement à cette époque, comme si le Québec se sentait libéré de l'hypothèque souverainiste et plus enclin à se manifester sur le plan international. Les objectifs américains, à eux seuls, comptent pour 40 des objectifs ayant un pays étranger pour cible. Ce phénomène paradoxal illustre bien la distinction nécessaire entre les relations internationales du Québec et l'évolution vers la souveraineté. C'est même au cours de l'année 1982, une année où le projet de souveraineté paraissait bien mort et enterré, alors qu'était sanctionnée la nouvelle Constitution canadienne (17 avril 1982) et une année de récession par surcroît, que les énoncés d'objectifs à l'endroit des États-Unis sont le plus nombreux (voir tableau 2.2). S'agissait-il d'une fuite en avant? Peut-être. Il est difficile de ne pas y voir cependant une volonté nouvelle du Québec, inspirée pour une bonne part par ses nouvelles élites économiques, ceux qu'on a appelés «la garde montante», d'élargir le plus possible ses horizons économiques à l'échelle du continent. C'était sans doute aussi, pour le gouvernement du Parti québécois, une façon de compenser son échec sur le plan constitutionnel, de réagir à la canadianisation par une ouverture nouvelle vers les États-Unis. Cette année de grandes offensives se termine d'ailleurs par la création d'un ministère du Commerce international dont Bernard Landry devint le titulaire tout en se faisant l'apôtre acharné de la libéralisation des échanges et de l'ouverture aux États-Unis.

Tableau 2.2

Objectifs par année pour les six principaux pays (1976-1985)

	1976	1977	1978	1979	1980	1981	1982	1983	1984	1985	Total
Algérie							6	10	1		17
Chine							1	5	1	11	18
Japon					3			1	6	10	20
États-Unis		6	14	3	4		72	30	22	29	180
France	1	17	5		3	2	23	15	13	19	98
Royaume-Uni			4		4	1	1	5		2	17
Total	1	23	23	3	14	3	103	66	43	71	350

Le ministre des Affaires intergouvernementales, Jacques-Yvan Morin, devait démissionner en 1983, à la suite de la scission du ministère, mais c'est bien lui qui, en 1982, s'était rendu à plusieurs reprises aux États-Unis et multipliait les déclarations d'ouverture et de bonne volonté québécoise.

Il résumait les objectifs québécois à l'endroit des États-Unis, tout en leur conférant une nouvelle vigueur, quand il déclarait:

> Le bon sens nous invite prioritairement à étendre nos rapports avec les États-Unis. Historiquement, les Québécois ont noué des liens d'amitié solides avec leurs voisins du sud et le renforcement de ces liens ne peut que servir les intérêts mutuels du Québec et des États-Unis, surtout dans le domaine des échanges commerciaux et culturels. Nous étudierons également la possibilité d'instaurer des programmes de recherche et d'enseignement consacrés aux États-Unis[3].

Allant plus loin encore, le ministre québécois a tenté de profiter du contentieux canado-américain de l'époque pour faire valoir une attitude québécoise plus favorable aux investissements américains. Il déclarait à San Francisco:

> *Québec does not share the Ottawa viewpoint on foreign investment. We favor a much more open policy, one that would enable us to cooperate with both U.S. and European investors in resources development... We believe the future lies in development of a strong North-South economic axis[4]...*

Il n'est pas sûr que le Québec ait profité de cette situation, qu'il soit parvenu à accroître les sympathies américaines en exploitant les antagonismes canado-américains. Mais Jacques-Yvan Morin exprimait bien les objectifs québécois d'une ouverture plus grande à la dimension nord-sud, en raison de la position spéciale du Québec à l'intérieur du Canada, et d'une assurance plus grande quant à sa spécificité culturelle.

Cela nous amène à nous interroger sur le contenu des objectifs du Québec à l'endroit des États-Unis. De toute évidence, et comme on vient de le voir, il s'agit, d'abord et avant tout, de questions économiques et commerciales.

Pour l'analyse du cas américain en lui-même, nous utiliserons une série de données plus fixe par laquelle chaque État de l'union est considéré comme une cible dans le discours gouvernemental[5]. Le Québec entend attirer des investissements d'origine américaine, ouvrir des marchés à ses entreprises aux États-Unis, assurer le financement de certaines opérations, de certaines corporations comme Hydro-Québec. Mais, outre les 128 objectifs de nature économique (voir le tableau 2.3), presque la moitié de l'ensemble, on compte un nombre assez élevé d'objectifs relatifs à la culture et aux communications (25, par rapport à 41 pour la France), à l'éducation et à la science (20, par rapport à 36 pour la France). Ce qui montre bien que la relation avec les États-Unis est primordiale à plusieurs niveaux.

Si l'on examine ces objectifs en fonction de la nature des énoncés (tableau 2.4), outre le nombre très élevé d'énoncés généraux, c'est-à-dire ceux qui ont trait à la création, au maintien ou au resserrement des relations et des échanges en général (33,2) et ceux qui visent à renforcer ou à établir des liens politiques et diplomatiques (14), on observe que le commerce extérieur et l'attrait des investissements sont assez souvent mentionnés (11,7 et 8,1). Le nombre des objectifs relatifs aux liens politiques et diplomatiques est élevé pour un pays qui a toujours refusé de considérer le Québec comme un interlocuteur diplomatique. Mais on remarquera que les liens envisagés comme politiques par le Québec appartiennent souvent au domaine économique. De plus, ces objectifs ont été énoncés pour la plupart, soit au moment de l'ouverture de délégations, soit au cours de cette année 1982 où le gouvernement du Parti québécois entreprenait une offensive particulière aux États-Unis.

Tableau 2.3

Répartition des objectifs ayant les États-Unis pour cible
par domaine et par mandat

États-Unis	Lesage	Johnson	Bertrand	PLQ 1	PLQ 2	PQ 1	PQ 2	Total
politique/ diplomatique	2	0	6	2	0	6	9	25
institutionnel/ organisationnel	0	0	0	0	0	0	11	11
culture/ communication	3	1	1	1	0	2	17	25
économie/ commerce/ finance	8	4	8	7	2	17	82	128
éducation/ science	0	1	1	2	1	4	11	20
immigration	0	0	0	0	0	0	0	0
écologie/ environnement	0	0	0	0	0	0	7	7
PVD	0	0	0	0	0	0	0	0
affaires sociales/ travail	2	0	0	0	0	0	3	5
mobilité des Québécois	0	0	0	0	0	0	4	4
général	3	2	2	6	2	2	20	37
Total	18	8	18	18	5	31	164	262

Tableau 2.4

Répartition des objectifs ayant les États-Unis pour cible par domaine et par nature

NATURE DE L'ÉNONCÉ	n°	Politique/ Diploma-tique	Institu-tionnel/ Organi-sation-nel	Culture/ Commu-nication	Économie/ Commerce Finance	Éducation/ Science	Immi-gration	Écologie/ Environ-nement/ Aména-gement	Aide aux PVD	Affaires sociales Travail	Mobilité	Général	Total	%
renforcer, établir des liens politique/diplomatique	1	20	7	1	12			3					43	14
participer au développement du droit international et à sa réglementation	2				1								1	0,3
participer aux actions et au développement des organisations interna-tionales	3		3		2								5	1,6
promouvoir la paix	4												0	0
promouvoir les droits et libertés	5												0	0
améliorer la qualité de l'environnement	6							3					3	1
améliorer la qualité de la vie et les services sociaux	7							1					1	0,3
améliorer les conditions de travail	8									2			2	0,7
favoriser la connaissance du Québec à l'étranger et vice-versa	9	3		15	7	7							32	10,4
favoriser les échanges culturels	10			7									7	2,3
favoriser le développement du français	11			1		1							2	0,7

#	Objectif	C1	C2	C3	C4	C5	C6	C7	C8	C9	C10	C11	C12	Total	%
12	favoriser les échanges scientifiques						2							2	0,7
13	favoriser les échanges éducatifs et de jeunes						10							10	3,3
14	favoriser l'immigration													0	0
15	favoriser la mobilité des ressortissants		3									4		7	2,3
16	apporter une aide aux pays en voie de développement													0	0
17	contribuer à la réduction des écarts de développement													0	0
18	favoriser les transferts technologiques				5									5	1,6
19	favoriser le commerce extérieur				36									36	11,7
20	favoriser les investissements étrangers				25									25	8,1
21	favoriser les investissements québécois à l'étranger													0	0
22	favoriser la libre cirulation des biens et services				14									14	4,6
23	protéger le marché québécois													0	0
24	accroître le tourisme				4									4	1,3
25	participer au développement des communications internationales			1	5									6	2
26	créer, établir, maintenir, resserrer des liens, des relations, des échanges de façon générale			14	36		1		3		5		43	102	33,2
	Total	25	13	39	147	0	21	0	10	0	5	4	43	307	100

Remarquons encore qu'une bonne proportion des objectifs (10,4) vise à «favoriser la connaissance du Québec» aux États-Unis. Il est particulièrement important pour un petit État comme le Québec, assez mal connu chez son puissant voisin, même au sein des populations des régions limitrophes, de veiller à ce que l'image qu'il projette ne soit pas biaisée ou détériorée. Même si les objectifs québécois sont d'abord et avant tout d'ordre économique, le domaine culturel ne saurait être négligé, dans la mesure où il contribue à faire reconnaître le Québec dans toute sa spécificité.

Le *Rapport d'évaluation du réseau de représentations du Québec* de 1988, très marqué par son accent mis sur les intérêts économiques, établit un lien étroit entre ces derniers et le domaine culturel:

> Les intérêts d'ordre culturel seront mieux perçus si l'on se réfère aux images et aux perceptions négatives qui prévalent encore sur le Québec aux États-Unis. Ces perceptions ont souvent été véhiculées par la presse anglophone et ont cheminé sur les États-Unis via Toronto. Il y a tout un travail à faire dans le domaine des *affaires publiques* pour construire une image du Québec plus conforme à la réalité. «Quebec means business» est un message que le réseau doit véhiculer[6].

Les objectifs québécois s'adressent le plus souvent à l'ensemble des États-Unis (196/307). Étonnamment, compte tenu de la régionalisation des intérêts québécois, les États sont mentionnés comme cible plutôt rarement et en nombre restreint. Seulement neuf États (Californie, Géorgie, Illinois, Louisiane, Maine, Massachusetts, New York, Texas, Vermont) correspondant aux territoires immédiats des représentations, font l'objet de l'attention particulière du discours québécois. L'État de New York est le plus souvent la cible d'un objectif (23 fois).

Les objectifs québécois à l'endroit des États-Unis ont donc porté largement sur le domaine économique, mais ils ont été souvent énoncés en termes très généraux. Cela était déjà évident sous Lesage durant les années soixante. Les objectifs devinrent un peu plus spécifiques avec l'ouverture de plusieurs missions vers 1970. Mais il fallut attendre l'arrivée du Parti québécois, plus particulièrement son second mandat, pour que ces objectifs deviennent plus explicites, plus fréquents et plus diversifiés.

Voyons maintenant ce qu'il en est des moyens engagés pour réaliser ces objectifs.

Les moyens

Notre recherche empirique a porté sur les dépenses autorisées au chapitre des missions du Québec à l'étranger et sur les effectifs de ces missions. Nous ajouterons ici une troisième catégorie de moyens que sont les institutions mises en place pour régir et animer la relation.

Dépenses

Le budget des relations internationales du Québec n'a jamais compté que pour une fraction minime de l'ensemble des dépenses gouvernementales au Québec. C'est là un indicateur peu révélateur de l'intensité et de l'étendue des relations internationales du Québec au cours des trente dernières années. Il faudrait faire état des dépenses des autres ministères en matière de relations internationales pour obtenir une image plus juste. Mais l'opération n'a pas été possible jusqu'à maintenant.

Mais compte tenu de la proportion des dépenses consacrées à la mission américaine, les données budgétaires témoignent de l'importance accordée aux États-Unis. Ce pourcentage a oscillé entre 28 et 37 entre 1973 et 1985. Ces oscillations ne s'expliquent pas facilement. Elles dépendent sans doute de multiples facteurs comme le nombre de délégations, assez considérable aux États-Unis proportionnellement à l'ensemble, surtout au début des années soixante-dix.

L'accent particulier mis sur les États-Unis sous l'administration du Parti québécois au cours des années 1980 est assez bien reflété par ces données budgétaires. Le tableau 2.5 fait état de la répartition des dépenses par représentations particulières. On y constate que la délégation générale de New York a toujours reçu la part la plus importante du budget, comme on le verra en termes d'effectifs. Non seulement la ville de New York est-elle la métropole et la capitale financière des États-Unis, mais elle est également au cœur d'une région très peuplée et très industrialisée. De plus, l'État de New York partage une frontière avec le Québec. Enfin, parce que Washington n'a jamais autorisé de véritables contacts diplomatiques entre le gouvernement américain et celui du Québec, c'est la délégation générale de New York qui a joué aux États-Unis un rôle qui pourrait être apparenté à celui d'une ambassade. En d'autres termes, c'est à New York qu'on a traité de dossiers politiques à l'occasion et c'est de New York qu'on a exercé une

Tableau 2.5

Dépenses des représentations du Québec à l'étranger par région et en dollars (1959-1989)[7]

	Atlanta	Boston	Chicago	Dallas	Los Angeles	Lafayette	New York	Washington	Total
1959-1960							65 000		65 000
1960-1961							60 111		60 111
1961-1962							70 030		70 030
1962-1963							60 443		60 443
1963-1964							90 261		90 261
1964-1965							99 016		99 016
1965-1966							133 199		133 199
1966-1967							241 598		241 598
1967-1968							348 404		348 404
1968-1969			7 067				334 303		341 370
1969-1970		10 640	40 754	13 589	6 713		425 928		497 624
1970-1971		37 940	40 220	39 065	42 613	442 946	602 784		
1971-1972		43 483	63 781	38 141	56 991	471 563	673 959		
1972-1973		63 617	66 553	41 088	63 876	40 228	429 208		704 570
1973-1974		125 767	170 320	56 018	82 725	47 646	526 852		1 009 328

1974-1975		130 262	182 021	51 882	100 434	47 703	519 279		1 031 581
1975-1976		121 700	101 400	41 100	58 800	85 900	547 800		956 700
1976-1977		193 709	127 980	66 157	86 553	106 202	636 994		1 217 595
1979-1980	256 372	354 577	332 004	170 506	309 887	108 737	1 039 358	59 441	2 630 882
1980-1981	257 895	436 198	322 430	180 160	367 043	121 731	846 104	39 457	2 571 018
1981-1982	304 960	429 689	363 385	109 276	394 564	137 379	935 856	56 515	2 731 624
1982-1983	381 671	474 083	309 262	35 862	375 282	175 492	1 232 388	61 610	3 045 650
1983-1984	338 589	512 639	328 153	80 075	441 791	163 225	1 119 197	59 869	3 043 538
1984-1985	420 793	486 260	370 580	232 992	467 642	197 149	1 298 925	57 847	3 532 188
1985-1986	869 500	1 565 800	1 101 300	595 700	1 258 100	322 600	3 403 700	9 116 700	
1986-1987	638 900	1 473 400	860 900	216 800	1 248 000	267 100	3 366 300	105 300	8 176 700
1987-1988	5153 51	1 434 838	1 052 279	135 094	1 193 290	248 320	3 482 794	88 237	8 150 203
1988-1989	434 405	1 515 953	887 576	167 851	1 045 315	209 129	3 558 005	173 266	7 991 500
Total	4 418 436	9 410 555	6 727 965	2 271 356	7 599 619	2 278 541	25 785 562	701 542	59 193 576

Tableau 2.6

**Effectifs réguliers en poste à l'étranger
en excluant les postes vacants**

Année	États-Unis	Total	% É.-U./Total
1959-1960	6	6	100%
1960-1961	6	6	100%
1961-1962	6	14	43%
1962-1963	6	26	23%
1963-1964	10	31	32%
1964-1965	8	31	26%
1965-1966	8	40	20%
1966-1967	15	52	29%
1967-1968	20	72	28%
1968-1969	24	103	23%
1969-1970	26	100	26%
1970-1971	39	148	26%
1971-1972	36	128	28%
1972-1973	36	135	27%
1973-1974	40	143	28%
1974-1975	35	132	27%
1975-1976	47	181	26%
1976-1977	57	204	28%
1977-1978	64	228	28%
1978-1979	81	256	32%
1979-1980	89	281	32%
1980-1981	85	277,5	31%
1981-1982	77	268,5	29%
1982-1983	83	280,5	30%
1983-1984	92	310	30%
1984-1985	89	313	28%
1985-1986	100	349,5	29%
1986-1987	85	302,5	28%
1987-1988	85	303	28%
1988-1989	85	334	25%

fonction dite de «monitoring» auprès des milieux politiques de la capitale. La délégation de Boston vient habituellement en second lieu pour les dépenses, car elle couvre l'important territoire de la Nouvelle-Angleterre, dont trois États sont contigus au Québec. Suivent les délégations de Los Angeles, d'Atlanta et de Chicago et le bureau de Dallas. Ces missions sont situées dans des territoires qui, pour être éloignés du Québec, n'en représentent pas moins des lieux stratégiques quant au commerce, aux sources d'investissements et au développement technologique. Les dépenses affectées au bureau de Dallas ont varié en fonction du statut changeant de cette mission qui fut d'abord une délégation pour devenir par la suite un simple bureau.

La représentation de Lafayette est un cas particulier, puisque sa raison d'être tient essentiellement à la présence d'enseignants québécois en Louisiane et du soutien du gouvernement du Québec à la francophonie nord-américaine. Cet objectif est devenu moins important aux yeux des dirigeants québécois, au cours des années quatre-vingt, et cela s'est traduit dans les allocations budgétaires et dans le statut de la mission.

Le bureau de Washington vient en dernier lieu au chapitre des dépenses. Car il consiste surtout en un pied-à-terre pour les visiteurs québécois et pour le conseiller politique de New York. Il a aussi été employé à la promotion du tourisme.

Effectifs

Le tableau 2.6 nous révèle que les effectifs professionnels affectés aux missions américaines étaient modestes au cours des années soixante, qu'ils se sont sensiblement accrus au début des années soixante-dix pour connaître un sommet au milieu des années quatre-vingt et une légère baisse après 1986. Ces données confirment assez bien l'évolution des objectifs énoncés par le gouvernement du Québec. On sait, par exemple, que quatre délégations ont été créées aux États-Unis pendant les années 1969 et 1970. Cela ne pouvait que signifier une expansion remarquable de la présence québécoise auprès des Américains, à une époque où les médias ont fait état bien davantage de la présence québécoise à des conférences en Afrique. Il est vrai que les conférences ont signifié beaucoup quant au statut diplomatique du Québec et qu'elles ont été le lieu d'affrontements mémorables entre Ottawa et Québec. Mais l'ouverture de quatre délégations (Boston,

Lafayette, Chicago, Los Angeles) ne revêt-elle pas une signification beaucoup plus concrète quant à la percée du Québec dans le champ des relations internationales? En 1971-1972, le gouvernement du Québec consacrait près du tiers de ses effectifs professionnels à ses activités aux États-Unis.

Cette proportion a baissé quelque peu durant les premières années Bourassa, pour devenir plus forte que jamais sous l'administration de René Lévesque. Au moment de ce qu'on a appelé «l'Opération Amérique», lancée en 1978 en vue de rassurer les élites américaines quant à l'avenir du Québec et juste avant le blitz de 1982 évoqué plus haut, les effectifs professionnels québécois aux États-Unis ont atteint un sommet, comptant pour 34 des effectifs globaux affectés aux missions extérieures.

Est-ce à dire que la présence du Québec aux États-Unis est liée à la promotion de la souveraineté? Nous répondons non à cette question et maintenons la distinction entre les relations internationales du Québec et la dynamique de la souveraineté. Pour deux raisons. D'abord, comme on l'a vu plus haut, si les objectifs et les moyens dirigés vers les États-Unis sont importants au cours de la période référendaire, ils le deviennent davantage au lendemain de cette période, à un moment où l'idéal de la souveraineté est mis en veilleuse.

De plus, il importe de noter que le Parti québécois ne s'est pas empressé de nommer des militants indépendantistes à des fonctions de représentants aux États-Unis. Bien au contraire, des personnes déjà mises en place par l'administration libérale, bien connues pour leurs positions fédéralistes, ont été maintenues par le gouvernement du Parti québécois. Il est même arrivé que ce gouvernement ait placé lui-même à des postes clés des personnes notoirement opposées à son projet souverainiste. On ne constate aucune nomination partisane avant 1979.

On peut toujours interpréter cette situation en y voyant une manœuvre habile du Parti québécois qui s'était résigné, depuis l'échec du discours de son chef, le premier ministre Lévesque, à l'Economic Club de New York en 1977, à n'espérer rien d'autre qu'une absence d'opposition déclarée des Américains au projet qui devait faire l'objet du référendum[8]. On aurait placé des fédéralistes en poste dans le but de rassurer ou d'endormir les élites américaines. Cette interprétation n'est pas dénuée de fondements. D'autant plus que les représentants québécois ont fait des efforts pour se faire entendre à Washington et que le

Tableau 2.7

Nombre de professionnels par domaine, par année en poste aux États-Unis

	éducation	immigration	culture	coopération	économie	politique	agriculture	tourisme	direction	administration	information	autre	Total
1965-1966	0	0	0	0	2	0	0	0	1	1	0	0	4
1967-1968	0	0	0	0	3	0	0	1	1	1	0	0	6
1971-1972	0	0	0	0	10	0	0	1	1	1	1	0	14
1972-1973	0	0	0	0	10	0	0	2	2	1	1	0	16
1973-1974	0	0	0	0	8	0	0	3	2	2	1	0	16
1975-1976	0	0	0	0	9	0	0	3	2	1	2	1	18
1976-1977	0	0	0	0	6,5	0	0	5	4,5	1	1	1	19
1978-1979	0	0	0	0	12	0	0	4	5,5	3	6	5	35,5
1979-1980	0,5	0	1,5	0	17	0	0	8	6	0	5	3	41
1980-1981	1	0	1	0	15	0	0	7	7	2	3	4	40
1981-1982	1,5	0	1,5	0	14	0	0	8	6	1	1	4	37
1982-1983	1,5	0	0,5	1	15	0	0	7	6	1	1	5	38
1983-1984	2,5	0	0,5	0	18	0	1	7	7	2	1	2	41
1984-1985	2,5	1	0,5	0	15	1	1	7	6	1	2	1	38
1985-1986	2,5	1	0,5	0	17	3	1	7	6	0	1	3	42
1986-1987	2	0	1	0	15	3	1	5	4	1	1	1	34
1987-1988	1,5	1	1,5	0	15	3	2	5	4	1	1	0	35
1988-1989	1	2	1,5	0	14	5,5	3	3	4	1	1	0	36
Total	16,5	5	10	1	215,5	15,5	9	83	75	21	29	30	510,5

bureau de tourisme créé en 1978 dans la capitale avait pour but non avoué de constituer un point de chute auprès des organes du gouvernement américain.

Malgré tout, les professionnels non partisans en service aux États-Unis, à cette époque, se sont employés surtout à des activités qui avaient peu à voir avec les grandes orientations politiques du gouvernement. En effet, la plupart d'entre eux étaient affectés à des tâches économiques ou culturelles. Notons aussi que la majorité des délégués en poste au cours de la période étudiée provenait de l'entreprise privée.

Le tableau 2.7 (page précédente) confirme cette situation. On y voit que le nombre de professionnels affectés à des tâches politiques n'est jamais très élevé. En pratique, un conseiller dit «politique» peut être attaché à une délégation importante pour accomplir des tâches de «*monitoring*» ou d'observation de la scène politique américaine, dans la mesure où elle affecte les intérêts (surtout économiques) du Québec. Quelques professionnels sont affectés à l'éducation, à l'immigration, à la culture, mais en fort petit nombre. Ce sont davantage des domaines comme l'économie, le tourisme et l'immigration qui occupent les représentants québécois, outre la direction et l'administration. Notons enfin que l'information qui occupait six professionnels à temps plein en 1978-1979, sans doute en fonction des nécessités de la période préréférendaire, n'occupe plus qu'une seule personne à New York, en 1988-1989.

Si l'on examine maintenant l'ensemble des effectifs en poste dans les diverses missions (tableau 2.8), on se rend compte de la croissance et de la diversification de la représentation au cours des années. On voit que les effectifs de la délégation générale de New York sont toujours d'emblée les plus nombreux et que les autres délégations s'alignent un peu dans l'ordre indiqué plus haut au chapitre des dépenses. La croissance et le déclin de la délégation de Lafayette sont bien illustrés. Un seul conseiller politique, accompagné d'un employé de bureau, est encore en poste en 1989, pour encadrer les quelques enseignants québécois qui demeurent. La représentation d'Atlanta a également été l'objet d'une dépréciation. Dans les années qui suivirent, la mission d'Atlanta est redevenue, après 1989, une délégation; un personnel plus nombreux y a été affecté. Quant au bureau de Dallas, il a été privé de personnel en 1986, mais une personne y fut préposée à partir de la délégation d'Atlanta. L'importance de la région de l'Atlan-

Tableau 2.8

Effectifs réguliers en poste à l'étranger
en excluant les postes vacants

	Atlanta	Boston	Chicago	Dallas	Lafayette	Los Angeles	New York	Washington	Total
1959-1960	0	0	0	0	0	0	6	0	6
1960-1961	0	0	0	0	0	0	6	0	6
1961-1962	0	0	0	0	0	0	6	0	6
1962-1963	0	0	0	0	0	0	6	0	6
1963-1964	0	0	0	0	0	0	10	0	10
1964-1965	0	0	0	0	0	0	8	0	8
1965-1966	0	0	0	0	0	0	8	0	8
1966-1967	0	0	0	0	0	0	15	0	15
1967-1968	0	0	0	0	0	0	20	0	20
1968-1969	0	0	0	0	0	0	24	0	24
1969-1970	0	0	2	0	0	0	24	0	26
1970-1971	0	2	2	2	2	2	29	0	39
1971-1972	0	3	3	2	2	3	23	0	36
1972-1973	0	3	3	2	2	2	24	0	36
1973-1974	0	4	5	2	2	3	24	0	40
1974-1975	0	4	5	2	2	2	20	0	35
1975-1976	0	9	6	3	3	2	24	0	47
1976-1977	0	10	7	3	4	6	27	0	57
1977-1978	1	9	7	4	4	5	33	1	64
1978-1979	4	12	9	4	4	9	36	3	81
1979-1980	8	14	12	6	4	10	31	4	89
1980-1981	8,5	14	11	5	6	9	28	3	84,5
1981-1982	8,5	12	8	2	5	10	28	3	76,5
1982-1983	11	14	8	2	7	10	28	3	83
1983-1984	10	14	11	5	6	13	31	2	92
1984-1985	12	14	10	5	5	12	29	2	89
1985-1986	10	15	12	6	5	14	35,5	2	99,5
1986-1987	9	14	12	0	3	12	32,5	2	84,5
1987-1988	7	14	13	0	3	12	34	2	85
1988-1989	6	17	11	0	2	12	36	1	85
Total	95	198	157	55	71	148	686	28	1438

tique-Sud, qui constitue le quatrième grand marché régional du Québec aux États-Unis, a été réévaluée à l'occasion du rapport d'évaluation de 1988. On notait alors que l'Ontario était présente et active à Dallas aussi bien qu'à Atlanta.

Les missions de Chicago et de Los Angeles conservent leur importance au cours des années, en termes de commerce, de transferts technologiques, de prospection des investissements et, dans une moindre mesure, en termes d'éducation et de culture, en raison des concentrations majeures d'établissements universitaires. Pour Los Angeles, il faut ajouter l'industrie du cinéma qu'on cherche à intéresser au Québec. Enfin, Washington ne compte plus qu'un seul représentant en 1988-1989, alors qu'en 1979-1980, ce bureau en comptait quatre. C'était encore bien peu, mais cela correspondait à une brève tentative d'établir une véritable présence dans la capitale américaine. Le gouvernement du Parti québécois comptait sans doute sur une victoire au référendum pour légitimer cette présence.

À quoi attribuer les baisses d'effectifs de 1980-1981, de 1981-1982, de 1984-1985 et de 1986-1987? Les deux premières sont probablement attribuables au moindre intérêt qui suivit la défaite référendaire. Mais, comme on l'a vu plus haut, dès 1982, on trouve de nouvelles raisons pour accentuer les activités québécoises aux États-Unis. Il en résulte que les effectifs de 1983-1984 sont supérieurs à ceux de 1979-1980. La baisse de l'année suivante (de 92 à 89) n'est pas assez forte pour être vraiment significative et elle est suivie d'une forte augmentation (89 à 100). Quant à la nette décroissance de 1986-1987, elle correspond sans doute à la volonté de l'administration de Robert Bourassa de réduire les effectifs et de rentabiliser davantage la représentation québécoise en stricts termes économiques.

Institutions

On peut compter encore au nombre des moyens[9] que s'est donnés le Québec dans la poursuite de ses objectifs aux États-Unis un certain nombre d'institutions multilatérales permanentes qui ont contribué à affermir les liens entre le Québec et ses partenaires américains.

Mentionnons d'abord la Conférence des gouverneurs de la Nouvelle-Angleterre et des Premiers ministres de l'Est du Canada. Cette institution, qui consiste essentiellement en l'organisation d'une conférence annuelle entre les dirigeants de six États de la Nouvelle-Angleterre (Massachusetts, Connecticut, Rhode-Island, Maine, New

Hampshire, Vermont) et des cinq provinces de l'Est (Terre-Neuve, les Maritimes et le Québec), a été mise sur pied en 1973 et comporte deux secrétariats permanents, l'un à Halifax pour le Canada, l'autre à Boston pour les États américains. Les conférences annuelles ont pour but de fournir un mécanisme de consultation et de concertation pour les gouvernements concernés dans les domaines de l'énergie, de l'histoire locale, de l'agriculture, du tourisme et de l'environnement. Des comités en sont issus: un groupe de travail sur la production forestière, un comité de l'environnement, deux comités de coopération économique et de développement non préjudiciable à l'environnement et enfin, le NICE (North East International Committee on Energy), comité international sur l'énergie.

Ces conférences et comités n'ont pas donné lieu à des politiques qui auraient contesté celles des États fédéraux américain ou canadien[10], mais elles ont permis des échanges d'information et l'expression d'intentions qui ont pu conduire à des accords formels. Le Québec a cherché à tirer parti de ces rencontres pour se tailler une place unique dans le réseau des relations dites «sous-nationales» du nord-est américain. Il est parvenu parfois à conférer dans les faits une structure tripartite à cette organisation.

Le Québec participe aussi, par l'intermédiaire de ses parlementaires, à diverses activités de la «National Conference of State Legislatures» et du «Council of State Governments».

Le «Council of Great Lakes Governors» est une autre institution à laquelle le Québec a participé, surtout comme observateur, mais dont il a su profiter pour élaborer des mécanismes de coopération avec les États riverains des Grands Lacs, notamment en matière d'environnement: par exemple, le Comité de gestion des ressources des Grands Lacs et le Groupe de travail sur l'élimination des substances toxiques dans le Saint-Laurent et dans les Grands Lacs.

Mentionnons encore une quinzaine de comités ou groupes de travail formés conjointement par le Québec et l'État de New York, en particulier sur l'énergie, l'environnement, les pluies acides et le développement technologique.

Les actions

Tous ces moyens mis au service des objectifs ont donné lieu à des actions concrètes. Nous avons voulu étudier dans la catégorie des

Tableau 2.9

Nombre de visites par domaine et par région

	États-Unis	%	Europe-France	%	France	%	Autres	%	Total
politique/ diplomatique	47	27%	59	34%	43	25%	26	15%	175
institutionnel/ organisationnel	12	26%	20	43%	10	21%	5	11%	47
culture/ communication	20	25%	15	19%	28	35%	16	20%	79
économie/ commerce/ finance	142	33%	131	31%	62	14%	93	22%	428
éducation/ science	5	7%	12	18%	20	30%	30	45%	67
immigration	2	4%	13	27%	8	17%	25	52%	48
écologie/ environnement	23	52%	9	20%	6	14%	6	14%	44
PVD	0	0%	0	0%	0	0%	2	100%	2
affaires sociales/ travail	11	13%	41	49%	17	20%	15	18%	84
mobilité des Québécois	0	0%	0	0%	0	0%	0	0%	0
aménagement du territoire/ urbanisme	2	5%	21	55%	13	34%	2	5%	38
Total	264	26%	321	32%	207	20%	220	22%	1012

actions, deux phénomènes susceptibles d'être comptabilisés, c'est-à-dire les visites et les ententes. Ces deux activités, rappelons-le, n'épuisent pas le champ des actions internationales. Elles constituent toutefois des indicateurs fiables.

Les visites

Nous trouvons ici encore la confirmation d'un pattern déjà établi au niveau des objectifs. D'abord, un nombre considérable de visites

Tableau 2.10

Nombre de visites par région et par mandat

	États-Unis	%	Europe	%	France	%	Autre	%	Total
Lesage	5	15%	16	47%	13	38%	0	0%	34
Johnson	4	33%	0	0%	6	50%	2	17%	12
Bertrand	3	23%	5	38%	5	38%	0	0%	13
PLQ 1	16	16%	39	39%	34	34%	12	12%	101
PLQ 2	11	12%	42	44%	19	20%	23	24%	95
PQ 1	61	32%	59	31%	35	18%	38	20%	193
PQ 2	97	29%	99	30%	65	20%	68	21%	329
PLQ 3	67	29%	61	26%	30	13%	77	33%	235
Total	**264**	**26%**	**321**	**32%**	**207**	**20%**	**220**	**22%**	**1012**

ont été effectuées aux États-Unis, soit 264 sur un total de 1012, incluant les institutions, sur un total de 954 si l'on s'en tient aux diverses régions géographiques, soit 26 ou 28 de l'ensemble. Les États-Unis sont moins visités que l'ensemble de l'Europe, mais ils demeurent le pays le plus souvent visité. Si l'on s'arrête au seul domaine économique, la part des États-Unis devient encore plus grande. Une visite économique sur trois s'est tenue en sol américain (voir tableau 2.9).

Il n'y a là rien d'étonnant si l'on considère l'énormité de l'impact économique des États-Unis sur le Québec. Ce qu'il faut noter plutôt, c'est la nouvelle diversité des relations américano-québécoises, par exemple le fait que plus d'une visite sur quatre dans le domaine de la culture et des communications se soit effectuée aux États-Unis.

Si l'on considère maintenant les visites américaines selon le mandat (voir tableau 2.10), on se rend compte que tous les gouvernements du Québec ont accordé une grande importance aux États-Unis. (En fait, tous les premiers ministres, sauf Jean-Jacques Bertrand, retenu par une course au leadership, des dossiers chauds et une campagne électorale, en moins de deux ans de gouvernement, et Pierre-Marc Johnson, qui ne gouverne que durant deux mois, ont visité les États-Unis). Les deux premiers gouvernements de Robert Bourassa sont les seuls, après Lesage, dont les visites américaines n'aient pas totalisé 20% de l'ensemble. Il y a là de quoi étonner de la part d'un gouvernement qui entendait mettre un terme aux guerres de drapeaux (toujours plus susceptibles de se produire en Europe) et qui comptait sur l'appui financier américain pour son projet majeur à la Baie-James. Il faut dire cependant que Robert Bourassa a toujours attaché une grande importance à l'Europe et qu'il héritait d'une relation franco-québécoise, déjà bien mise en marche, qu'il lui fallait poursuivre.

Malgré tout, Bourassa se rend aux États-Unis dès les premiers mois de son mandat. Il visite la Californie aussi bien que la métropole new-yorkaise. En tout, sept voyages aux États-Unis sur six ans et demi de gouvernement.

Notons aussi que même Daniel Johnson, passablement préoccupé par les relations avec la France, s'est rendu à New York à deux reprises pendant son court mandat.

Encore ici, c'est le gouvernement du Parti québécois qui s'intéresse davantage aux États-Unis. En neuf ans, 158 visites. Plus de la moitié de l'ensemble des visites américaines que nous avons recensées ont été effectuées par les membres du gouvernement de René Lévesque. On sait que ce dernier s'est rendu à New York, moins de deux mois après son élection. Le discours de M. Lévesque à l'Economic Club en janvier 1977 fut considéré comme une belle œuvre de sincérité par plusieurs de ses partisans. Du côté américain, cependant, on considéra que c'était une énorme erreur de comparer le mouvement indépendantiste québécois à la révolution américaine.

Sans doute pour corriger cette «erreur» ou ce malentendu, l'Opération Amérique fut lancée un an plus tard et donna lieu à de nombreuses visites du premier ministre péquiste en territoire américain. En 1978, il est à Boston, à New York, à Chicago, à San Francisco, à Los Angeles. En 1979, il se rend en Louisiane, il cherche à apprivoiser Washington (conférence de presse au National Press Club, rencontre avec le sénateur Edmund Muskie), il visite le Vermont, le Massachusetts, New York. Et le rythme s'accélère au cours des années quatre-vingt. Plusieurs de ses ministres lui emboîtent le pas.

Comme on l'a vu pour les objectifs et les moyens, c'est au cours du second mandat du Parti québécois, après le référendum, que les visites aux États-Unis se font les plus nombreuses: 97 visites ministérielles en moins de 5 ans.

Les voyages vers le sud sont moins fréquents au cours de la deuxième administration Bourassa, sans doute parce que ce gouvernement, tout proaméricain qu'il soit, se veut plus frugal.

Si l'on considère maintenant les voyages qui ont lieu dans les divers États de l'union américaine, en d'autres termes si l'on additionne les États visités à chaque voyage, on obtient évidemment une somme plus considérable, soit 341 visites. Au total, 26 États ont été visités, en plus du district de la capitale (District of Columbia, D.C.) et des institutions (voir tableau 2.11, pages suivantes). Les États les plus visités sont naturellement l'État de New York (87 visites) et le Massachusetts (49 visites). Vient ensuite la Californie avec 29 visites, ce qui est plus étonnant, compte tenu de l'éloignement de cet État et de son importance relative au niveau des objectifs. Mais il s'agit de l'État le plus populeux et le plus riche du pays. Si l'on additionne les divers États couverts par les délégations de Chicago et d'Atlanta, on obtient des nombres respectifs de 25 et de 22, ce qui n'est pas beaucoup moins que la somme de 32, si l'on ajoute à la Californie les autres États du territoire de la délégation de Los Angeles.

On peut encore s'étonner de ce que l'État limitrophe du Vermont reçoive beaucoup plus de visiteurs québécois (15) que les autres États voisins du Maine et du New Hampshire (4 chacun). Une explication partielle tient à ce que les frontières partagées avec ces deux derniers États sont jugées moins stratégiques.

Notons enfin le nombre élevé des visites de nature économique (183/341) et de celles relatives à l'environnement qui sont devenues plus fréquentes au cours des années quatre-vingt, comme on le verra au tableau 2.12, page 94. Quant au nombre élevé de visites à caractère politique et diplomatique, il faut souligner qu'elles s'adressent rarement à l'interlocuteur souverain, comme on le verra plus loin.

Le tableau 2.12 montre bien la croissance des visites sous les mandats du Parti québécois et la proportion plus grande de visites dites politiques au cours de cette période, bien que l'aspect économique n'ait pas été négligé, loin de là. Il est intéressant de noter aussi que, même si les visites déclinent, sous Bourassa de 1985 à 1989, comme on l'a souligné plus haut, elles sont tout de même plus fréquentes au cours de cette période qu'au cours du premier mandat du Parti québécois. On peut donc parler d'une croissance naturelle de l'intérêt du Québec à l'endroit des États-Unis, indépendamment des partis au pouvoir.

Il peut être intéressant de relativiser ces nombres en tenant compte de la durée des mandats et d'obtenir une moyenne de visites par année, ce qui donne une meilleure idée de l'importance accordée aux

Tableau 2.11

Nombre de visites ministérielles aux États-Unis par domaine et par cible

	politique/ diplomatique	institutionnel/ organisationnel	culture/ commu- nication	économie/ commerce/ finance	éducation/ science	immigration
Institutions	8			29		
Alabama.				1		
Arizona		1		1		
Californie	4	1	2	16	2	
Caroline du Nord				1	1	
Connecticut	1			3		
District of Columbia	7	1	3	8		
Floride	3			2		
Géorgie	1	1		3	1	
Illinois	3	1		5	1	
Louisiane	2	2	3	5		
Maine	2			1		
Maryland						
Massachusetts	10	2	2	23	3	1
Michigan				5		
Missouri	2			2		
New Hampshire	2			1		
New York	12	4	10	53		
Ohio				1		
Oregon					1	
Pennsylvanie				5	1	
Rhode Island	1			1		
Tennessee				1		
Texas	1	1		3		
Vermont	1			11		1
Virginie				1		
Washington				1	1	
Wisconsin						
Total	60	14	20	183	11	2

écologie/ environnement	PVD	affaires sociales/ travail	mobilité des Québécois	aménagement/ urbanisme	Total	%
9		2			48	14
					1	0
					2	1
1		3			29	9
					2	1
					4	1
6		1			26	8
					5	1
					6	2
					10	3
		1			13	4
1					4	1
1					1	0
6		1		1	49	14
					5	1
					4	1
		1			4	1
6		2			87	26
1					2	1
					1	0
		1			7	2
					2	1
1					2	1
					5	1
2					15	4
					1	0
					2	1
3		1			4	1
37	0	13	0	1	341	100

Tableau 2.12

Nombre de visites ministérielles aux États-Unis
par domaine et par mandat

	Lesage	Johnson	Bertrand	PLQ 1	PLQ 2	PQ 1	PQ 2	PLQ 3	Total
politique/ diplomatique	2	0	0	2	4	18	29	5	60
institutionnel/ organisationnel	1	0	0	4	2	7	0	0	14
culture/ communication	1	0	1	2	0	4	6	6	20
économie/ commerce/ finance	1	3	2	9	7	40	69	52	183
éducation/ science	0	0	0	0	0	1	10	0	11
immigration	0	0	0	1	0	0	1	0	2
écologie/ environement	0	0	0	1	2	0	17	17	37
PVD	0	0	0	0	0	0	0	0	0
affaires sociales/ travail	0	0	0	0	1	0	8	4	13
mobilité des Québécois	0	0	0	0	0	0	0	0	0
aménagement du territoire/ urbanisme	0	0	0	0	0	1	0	0	1
Total région	5	3	3	19	16	71	140	84	341

États-Unis par chaque gouvernement. La croissance de l'intérêt apparaît presque ininterrompue (voir tableau 2.13).

On peut encore examiner les visites en tenant compte des grandes régions. Cela a pour effet, comme on l'a déjà laissé entendre plus haut, de relativiser l'importance accordée à la Californie. Dans le tableau 2.14, on voit que la région du Sud-Est, si elle inclut Washington, la capitale, reçoit plus de visiteurs que la région du Pacifique (les États de Washington, Oregon et Californie). Notons que le Sud-Ouest inclut ici le Texas et tous ses voisins à l'Ouest jusqu'à la côte du Pacifique. On voit aussi que les visites commencent à se diversifier un peu au

Tableau 2.13

Nombre de visites ministérielles aux États-Unis
relativisé par durée des mandats

	Lesage	Johnson	Bertrand	PLQ 1	PLQ 2	PQ 1	PQ 2	PLQ 3	Total
Total des visites	5	3	3	19	16	71	140	84	341
Mandat en mois	70	26	18	40	35	53	53	48	343
Durée en années	5,83	2,17	1,50	3,33	2,92	4,42	4,42	4,00	28,58
moy. par mois	0,07	0,12	0,17	0,48	0,46	1,34	2,64	1,75	0,99
moy. par an	0,86	1,38	2,00	5,70	5,49	16,08	31,70	21,00	11,93

Tableau 2.14

Visites ministérielles aux États-Unis par région et par mandat

	Lesage	Johnson	Bertrand	PLQ 1	PLQ 2	PQ1	PQ2	PLQ 3	Total
Pacifique	0	0	0	3	0	6	13	10	32
Sud-Ouest	1	0	1	0	4	4	2	0	12
Mid-West	0	0	0	1	1	8	9	6	25
Sud-Est	0	0	0	5	0	12	19	15	51
Nord-Est	4	3	2	10	6	34	74	40	173
Institutions Canada/ États-Unis	0	0	0	0	5	7	23	13	48
Total région	5	3	3	19	16	71	140	84	341

cours des premiers mandats de Bourassa, mais bien davantage sous les gouvernements de René Lévesque. Quant au dernier mandat étudié de Bourassa, si les visites diminuent, leur distribution ne change guère.

Enfin, nous avons ventilé les visites selon le type d'interlocuteur auquel elles s'adressaient. Si l'on rencontrait un membre du Congrès, un fonctionnaire de Washington ou un membre du Cabinet américain, l'interlocuteur était classé dans la catégorie «État souverain». Si l'on s'adressait à des représentants des États, cela tombait sous le générique «État non souverain». Nous avons ajouté quelques autres catégories: organisations gouvernementales ou non et rencontres multilatérales.

Le tableau 2.15 confirme le caractère peu politique des relations Québec-États-Unis, puisque 140 visites sur 341 s'adressent à des organismes non gouvernementaux (tels des chambres de commerce, des groupes financiers, des industriels, des associations sans but lucratif comme le Council on Foreign Relations ou le World Affairs Council, des cercles de journalistes, des universitaires, etc.). Par contre, quand les interlocuteurs sont des personnages politiques, ce sont, le plus souvent, des représentants des États, tant au niveau d'un État particulier qu'au niveau multilatéral d'associations d'États.

Les ententes

Si les visites sont un bon indicateur d'activité diplomatique, les ententes ou accords en sont une manifestation plus tangible. Dans les relations avec les États-Unis, ces manifestations sont nombreuses. Des 230 accords internationaux conclus par le gouvernement du Québec, 57 l'ont été avec les États-Unis, en fait, le plus souvent avec des États américains, comme le montre bien le tableau 2.16, page 98. Pas moins de 29 États ont signé une ou des ententes avec le Québec. Ces accords portent, en grande majorité, sur les domaines économique et commercial, soit 38 sur 57. Très souvent, il s'agit de réglementation réciproque en matière de transport, comme, par exemple, des accords avec de nombreux États portant sur l'immatriculation des véhicules automobiles. Huit accords portent sur l'environnement. Très peu d'ententes formelles ont été conclues dans les domaines de l'éducation et de la science, de même qu'en matière de communication et de culture. Il faut dire cependant qu'un grand nombre de programmes conjoints n'ont pas été inclus parmi les accords, comme par exemple, des programmes d'échange d'étudiants qui ont été mis sur pied après négociations avec plusieurs États américains.

L'État de New York apparaît comme le partenaire privilégié du Québec, ce qui confirme tous nos autres indicateurs. Dix ententes étaient en vigueur en 1989 entre Québec et New York sur des sujets aussi variés que l'environnement, la coopération en matière d'énergie, l'exécution réciproque d'ordonnances alimentaires, l'échange de renseignements en matière de taxes sur l'essence, le mazout et les cigarettes, sur les permis de conduire et les infractions aux règlements de circulation routière. De plus, le gouverneur de l'État de New York et le Premier ministre du Québec se rencontrent un fois l'an depuis 1983.

Tableau 2.15

Nombre de visites ministérielles aux États-Unis
par type d'interlocuteur et par mandat

	Lesage	Johnson	Bertrand	PLQ1	PLQ 2	PQ 1	PQ 2	PLQ 3	Total
État souverain	1	0	0	1	0	2	9	4	17
État non souverain	0	0	0	3	1	7	27	21	59
Organisations internationales	0	0	0	0	0	0	0	1	1
Non gouvernementale	4	3	3	5	5	38	53	29	140
Autres	0	0	0	10	5	17	28	17	77
Rencontres multilatérales État souverain	0	0	0	0	0	0	0	1	1
Rencontres multilatérales État non souverain	0	0	0	0	5	7	23	11	46
Total visites mandat	5	3	3	19	16	71	140	84	341

L'État du Vermont a signé 4 ententes, non seulement en matière de transport et de commerce, mais aussi sur l'environnement et les échanges d'étudiants. Quant aux autres États, rien de très significatif, mis à part les accords sur l'immatriculation des véhicules (parfois renouvelés) et la location d'avions-citernes à la Virginie et aux deux Carolines.

C'est encore le second mandat du Parti québécois qui a la part du lion. Des 57 ententes, 23 ont été conclues entre 1981 et 1985 (voir tableau 2.17, page 100). Mais, ce qu'il faut souligner surtout, c'est la croissance notable des ententes au cours des années quatre-vingt. Il semble bien que ces ententes se soient imposées de par la force même de la progression des relations transnationales. C'est le cas des ententes relatives à l'immatriculation. D'autres ont été rendues nécessaires par l'intensité du transport commercial ou encore par l'urgence des problèmes environnementaux. Aussi, des accords ont été conclus avec l'État de New York sur les pluies acides (1982, 1988), avec le Wisconsin sur l'environnement en général (1985), avec le Vermont et New York sur les eaux du lac Champlain (1988) et avec les États riverains des Grands Lacs sur l'élimination des matières toxiques (1988).

Tableau 2.16

Ententes signées avec un partenaire américain
par cible et par domaine

	politique/ diplomatique	institutionnel/ organisationnel	culture/ commu- nication	économie/ commerce/ finance	éducation/ science	immigration
États-Unis Institutions				1		
Canada/ États-Unis						
Alabama				1		
Arizona				1		
Caroline du Nord				4		
Caroline du Sud				1		
Colorado				1		
Delaware				1		
Floride				1		
Géorgie				1		
Illinois				1		
Indiana				1		
Iowa				1		
Kansas				1		
Louisiane			2	1	1	
Maine	1			1		
Maryland				1		
Massachusetts				1		
Michigan				1		
Minnesota				1		
Montana				1		
Nebraska				1		
New Hampshire			1			
New York	2			4		
Oregon				1		
Pennsylvanie				1		
Tennessee				1		
Vermont		1		2		
Virginie				3		
Washington				1		
Wisconsin				1		
Total États-Unis	3	1	3	38	1	0

environ-nement	Aide au développement	affaires sociales/ travail	mobilité	aménagement/ urbanisme	Total/cible
3			1	5	
1					1
					1
					1
					4
					1
					1
					1
					1
					1
					1
					1
					1
					4
					2
					1
					1
					1
					1
					1
					1
					1
2		1	1		10
					1
					1
					1
1					4
					3
					1
1					2
8	0	1	2	0	57

De toute évidence, ces ententes sont peu révélatrices d'une activité diplomatique si l'on entend par là des échanges de nature politique. Les dossiers d'ordre technique ont dominé nettement les pourparlers et les accords américano-québécois.

Autres actions

Au seul chapitre de la production et de l'exportation de l'électricité, le Québec s'est tourné périodiquement vers les États-Unis. Deux contrats de vente spectaculaires, 340 mégawatts à Vermont Joint Owners, pour des livraisons de l'ordre de 6 milliards de dollars entre 1990 et 2020, 1000 mégawatts à New York Power Authority pour 17 milliards de dollars entre 1995 et 2016, ont été retardés quant à la ratification et la mise en œuvre par l'énorme campagne de publicité des Cris et l'appui qu'ils ont reçu des environnementalistes américains et de larges secteurs de l'opinion publique. Mais déjà, en 1989, Hydro-Québec enregistrait des recettes de 271,8 millions de dollars, en raison des ventes d'électricité aux États-Unis.

Les activités intenses au chapitre de la promotion des entreprises commerciales québécoises doivent aussi être mentionnées, de même que les programmes d'information, d'affaires publiques et de promotion culturelle, quelque peu atténués depuis 1986.

Enfin, en matière de relations avec le monde académique, il faut signaler l'appui accordé à des organisations comme l'«Association of Canadian Studies in the United States» (ACSUS) et l'«American Council for Quebec Studies». De fréquentes visites d'universitaires sont subventionnées par le Québec, des États-Unis au Québec et vice-versa. Des groupes de toutes sortes, des journalistes visitent souvent le Québec et reçoivent l'aide du gouvernement à cet effet.

Bilan

Toutes les données relatives aux objectifs, aux moyens et aux actions confirment donc une même situation. La relation avec les États-Unis est primordiale pour le Québec. Cette relation s'est vue conférer une importance soutenue par tous les gouvernements qui se sont succédés depuis 1960. Cette importance s'est accrue sous le régime du Parti québécois pour des raisons qui semblent peu reliées à l'idéal de souveraineté prôné par ce parti. En effet, c'est au moment où la souveraineté était mise en veilleuse que les relations Québec-États-Unis devinrent plus intenses.

Tableau 2.17

Ententes signées avec des partenaires américains selon le mandat et la cible

	Lesage	Johnson	Bertrand	PLQ 1	PLQ 2	PQ 1	PQ 2	PLQ 3	Total/cible
ÉTATS-UNIS Institutions			1				3	1	5
Canada/ États-Unis						1			1
Alabama					1				1
Arizona								1	1
Caroline du Nord			1					2	3
Caroline du Sud	1							1	2
Colorado							1		1
Delaware				1					1
Floride		1							1
Géorgie			1						1
Illinois								1	1
Indiana							1		1
Iowa				1					1
Kansas							1		1
Louisiane			1				2	1	4
Maine				1				1	2
Maryland				1					1
Massachusetts					1				1
Michigan							1		1
Minnesota							1		1
Montana							1		1
Nebraska							1		1
New Hampshire								1	1
New York							4	6	10
Oregon							1		1
Pennsylvanie	1								1
Tennessee							1		1
Vermont						1	1	2	4
Virgine				1			1	1	3
Washington							1		1
Wisconsin				1			1		2
Total	2	1	4	6	1	2	23	18	57

Force est donc de relier la politique américaine du Québec à des facteurs non politiques, c'est-à-dire aux nécessités géographiques, économiques et culturelles qui s'imposent autant au gouvernement qu'à la population du Québec. Il faut encore relier cette politique à une évolution du système international et à la création de sous-ensembles régionaux qui transcendent les frontières des pays. Qu'on le veuille ou non, le Québec fait de plus en plus partie d'un système économique nord-américain, d'un espace environnemental et même d'un univers culturel nord-américain. Comment ne pas considérer ces facteurs comme plus pertinents qu'une volonté québécoise de faire valoir sa spécificité par rapport au Canada, de promouvoir un statut particulier ou un idéal de souveraineté? En effet, au moment même où cette volonté québécoise s'est quelque peu émoussée, les relations avec les États-Unis ont progressé.

Nous ne pouvons nier cependant que les gouvernements québécois ont voulu se constituer une niche particulière aux États-Unis et qu'ils se sont heurtés parfois à l'opposition d'Ottawa et à une certaine gêne de la part de Washington. Mais ces incidents politiques, toujours beaucoup plus médiatisés que les aspects non politiques de la relation, apparaissent bien plutôt comme le résultat d'activités québécoises intenses que comme leur cause ou leur catalyseur.

Il reste que les relations du Québec avec les États américains ont pris plus d'ampleur que celles entretenues par d'autres provinces. Il faudrait voir si cette impression est fondée ou si elle n'est pas l'effet d'une plus grande médiatisation des activités internationales du Québec. Des provinces comme l'Ontario, l'Alberta et la Colombie-Britannique ont été très actives aux États-Unis. Admettons cependant que les relations du Québec sont les plus étendues. Faut-il alors faire intervenir le facteur politique?

Peut-être mais pas nécessairement. La seule asymétrie de la situation québécoise peut rendre compte du caractère particulier de sa politique américaine. De même qu'un organisme comme Radio-Canada est appelé à jouer un rôle tout à fait spécifique au Québec de par la force des choses, pour la même raison, étant donné l'histoire du Québec dont nous faisions état au début de ce chapitre, l'action québécoise aux États-Unis prendra une allure toute particulière.

Mais, comme on l'a vu dans l'analyse des données empiriques, cette allure particulière est demeurée bien peu empreinte des grands thèmes politiques qui ont souvent constitué, du moins aux yeux des

médias et d'observateurs superficiels, la trame des relations internationales du Québec.

Il est bien vrai, comme on l'a vu, que René Lévesque a voulu
défendre le projet de souveraineté à New York, en janvier 1977, que
des efforts ont été poursuivis pour établir des contacts politiques à
Washington et que certains ministres se sont montrés réticents à jouer
le jeu du fédéralisme auprès du gouvernement américain. Il est encore
vrai qu'on a cherché à exploiter les antagonismes américano-canadiens
à l'occasion. Mais, dans l'ensemble de la relation, on observe bien
plutôt une fréquence considérable de visites, d'ententes et de démarches auprès des gouvernements locaux et d'autres organismes paragouvernementaux ou privés. Comme on l'a noté plus haut à plusieurs
reprises, la grande majorité des dossiers traités sont de nature économique, environnementale ou culturelle. Même dans ses démarches à
Washington, ce n'est pas auprès de l'exécutif que le Québec a marqué
des points, mais de façon fort modeste, auprès de quelques membres
du Congrès. Quand les premiers ministres québécois vont à Washington, ils rencontrent surtout des sénateurs et des journalistes.

Les relations Québec-États-Unis sont donc, pour une très grande
part, des relations peu empreintes de politique, mais frappées au coin
du pragmatisme. Dans la mesure où on a cru le contraire, il faut se
demander si les médias ne sont pas responsables, pour avoir braqué un
éclairage beaucoup plus intense sur les conflits avec Ottawa que sur la
routine des relations du Québec aux États-Unis.

Cela ne signifie pas cependant qu'on ne doive pas parler de diplomatie québécoise aux États-Unis. Bien au contraire et paradoxalement,
on pourrait aller jusqu'à affirmer que les représentants du Québec sont
amenés à faire preuve d'une diplomatie plus subtile que ce n'est le cas
pour leurs homologues canadiens. En effet, alors que ces derniers
fonctionnent souvent, comme nous le mentionnions plus haut, à l'intérieur d'une structure assez homogène, les nécessités de l'asymétrie
québécoise imposent aux représentants du Québec de jouer le jeu de
la diplomatie, un jeu qui se pratique habituellement entre personnes
issues de cultures différentes. Les Québécois ont beau se sentir Nord-
Américains et être à leur aise aux États-Unis, leur langue maternelle
(pour la majorité) est différente et ils représentent une culture «étrangère» aux yeux des Américains.

De plus, les meilleures réussites québécoises proviennent d'opérations qui se poursuivent à deux niveaux. D'une part, les missions

québécoises ont leurs objectifs, leurs effectifs et leurs activités propres. Mais d'autre part, comment ne pas compter aussi sur les effectifs autrement plus imposants des missions canadiennes (pour lesquelles les contribuables québécois paient des impôts) et sur leurs possibilités d'action? De la sorte, un délégué du Québec consacre souvent une bonne part de son temps à veiller à ce que le Québec ait toujours sa place dans les programmes canadiens.

Mais peut-on parler de succès? Dans une certaine mesure, oui. Sur le plan économique, il n'est pas facile d'évaluer le travail accompli. Les investissements américains au Québec ne comptent que pour 10 de l'ensemble canadien. Les exportations québécoises aux États-Unis ne croissent que faiblement. Mais qu'en serait-il si les représentants du Québec n'avaient pas agi?

Côté information, il est plus facile d'enregistrer des succès. Par exemple, des articles de presse beaucoup plus avertis au sujet des Accords du lac Meech et de leur faillite en 1990; un nombre croissant d'intellectuels qui analysent sérieusement la réalité québécoise au sein d'associations comme ACSUS et le «Council on Québec Studies»; un consulat général à Québec assez ouvert aux perspectives québécoises.

Mais, par contre, on assiste à un désastre, à l'automne de 1991, dans le dossier du projet Grande Baleine. La diplomatie du petit peuple Cri s'est révélée plus efficace que celle du Québec. Doit-on voir dans cet échec un effet du fléchissement des relations depuis 1986? Ou ne s'agit-il que d'une conjoncture momentanée que les multiples liens établis ne peuvent que corriger? Par exemple, quand on considère la panoplie des relations déjà instituées entre le Québec et l'État de New York, comment ne pas croire que les occasions seront nombreuses de corriger la situation, du moins de rectifier une image négative du Québec présentée par les médias dans cette affaire?

Quoi qu'il en soit, les relations Québec-États-Unis sont bien établies et ne peuvent que constituer, encore dans l'avenir, une part essentielle de la politique extérieure du Québec.

Notes

1. Le sociologue américain Seymour Martin LIPSET a bien documenté les différences qui existent entre la culture canadienne (surtout canadienne-anglaise) et la culture américaine. Mais il se doit d'admettre que, comparées toutes deux à la culture britannique (ou même à la culture canadienne-française), elles apparaissent plutôt similaires. Voir *Continental Divide,* New York, Routledge, 1990 et

Revolution and Counterrevolution, New Brunswick, Transaction Books, 1988. Voir aussi Louis BALTHAZAR, «Les relations canado-américaines», dans Paul PAINCHAUD, dir., *De Mackenzie King à Trudeau. Quarante ans de diplomatie canadienne*, Québec, Les Presses de l'Université Laval, 1989, pp. 258-260.

2. Ce total exclut les régions, les continents et les institutions internationales.

3. Conférence de presse du ministre des Affaires intergouvernementales, Québec, 19 février 1982.

4. Conférence au «World Affairs Council of Northern California», San Francisco, le 3 juin 1982.

5. Voir le chapitre «méthodologie», p. 47 et annexes en fin de volume.

6. Rapport synthèse présenté au ministre des Affaires internationales par Marcel Bergeron, Québec, 1988.

7. Voir le chapitre «méthodologie» pour l'interprétation du saut quantitatif entre 1984-1985 et 1985-1986.

8. Voir à ce sujet Claude MORIN, *L'Art de l'impossible. La diplomatie québécoise depuis 1960*, Montréal, Boréal, 1987, p. 275. Voir aussi Jean-François LISÉE, *Dans l'œil de l'aigle, Washington face au Québec*, Montréal, Boréal, 1990, pp. 307-312.

9. On pourrait tout aussi bien inscrire les institutions sous la rubrique «actions» puisqu'elles constituent des éléments structurels déterminants.

10. C'est du moins l'avis de Lise Bissonnette dans un article sur le sujet : «Orthodoxie fédéraliste et relations régionales transfrontières: une menace illusoire», *Études internationales*, vol. XII, n° 4, décembre 1981. Voir aussi Martin LUBIN, «Québec-U.S. Relations: An Overview», *The American Review of Canadian Studies*, vol. XVI, n° 1, printemps 1986, pp. 23-31 et «New England, New York and their Francophone Neighborhood», dans Ivo D. DUCHACEK, Daniel LATOUCHE et Garth STEVENSON, *Perforated Sovereignties: Trans-Sovereign Contacts of Subnational Governments*, New York, Greenwood Press, 1988, pp. 143-162. Nous remercions aussi Yves St-Germain pour une étude fouillée sur le sujet, déposée en décembre 1991, département de science politique, Université Laval.

11. Voir Renaud DEHOUSSE, «Fédéralisme, asymétrie et interdépendance: aux origines de l'action internationale des composantes de l'État fédéral», *Études internationales*, vol. XX, n° 2, 1989, pp. 283-309.

Chapitre 3

La France

Louis BÉLANGER[*]

La rencontre, au cours des années soixante, du Québec de la Révolution tranquille avec la politique étrangère de la France, qui s'adapte à cette époque à sa nouvelle situation d'ancienne puissance coloniale, a donné lieu à la mise en place des fondements institutionnels sur lesquels s'est développée la «paradiplomatie» québécoise. Pendant que la France trouve de nouveaux modes de relations à établir avec ses anciennes colonies devenues États souverains, voilà qu'un État moderne se construit, sur les bases de ce qu'il est advenu de la Nouvelle-France, au sein de la fédération canadienne. Coïncidence? Signe des temps? Chose certaine, le concept de souveraineté et les conditions de participation à la vie internationale sont en train de changer[1]. La France est bien placée pour le sentir et elle saura, à sa manière, en informer le Québec. Ce dernier profitera de l'ouverture que lui offre cette conjoncture. Encore aujourd'hui, même si elle s'est diversifiée, la politique internationale du Québec doit une bonne part de son existence à la relation privilégiée qu'elle a développée avec la France.

L'importance pour le Québec de ses relations avec la France rend à la fois ardue et aisée leur analyse dans le cadre du présent ouvrage. En effet, comme les États-Unis, la France se présente, à elle seule, comme une véritable région de l'espace international québécois mais, contrairement à la fédération américaine, elle ne donne pas prise à la décomposition géopolitique. La dissection analytique ne peut donc, ici, contrairement aux autres chapitres, prendre la voie de la comparaison entre sous-unités. En revanche, l'analyse isolée du cas français exige et rend possible le recours à des indicateurs qui lui sont propres. Elle permet, par exemple, de procéder à une mesure systématique de l'évolution de la coopération franco-québécoise, grâce aux documents de travail de la Commission mixte qui en assure le suivi depuis plus de 25 ans.

Le chapitre compte deux parties. Dans la première, l'importance particulière qu'a occupée la France dans l'ensemble des relations internationales du Québec, au cours des huit mandats gouvernementaux que couvre notre étude, sera évaluée[2]. Pour chaque gouvernement, la place de la France est située dans l'ensemble de la politique extérieure québécoise et on tente de mettre cette situation en contexte. L'accent est mis principalement sur le contexte politique, étant donné que les autres dimensions des relations franco-québécoises seront examinées plus attentivement dans la seconde partie. Dans cette dernière, en effet, l'évolution de la hiérarchie des domaines d'interventions privilégiés par le Québec dans ses échanges avec la France sera d'abord traitée. Quatre de ces domaines font ensuite l'objet d'une analyse spécifique.

La place de la France dans les relations extérieures du Québec

Le gouvernement Lesage (1960-1966)

On doit au gouvernement du premier ministre Jean Lesage l'inauguration des relations officielles franco-québécoises telles que nous les connaissons aujourd'hui[3]. C'est à Georges-Émile Lapalme en effet que revient la paternité de la Délégation générale du Québec à Paris, ouverte en 1961, et à Paul Gérin-Lajoie et Pierre Laporte celle des premières ententes que signa le Québec avec le gouvernement de la République française en 1964 et 1965. Quant à Jean Lesage, il a su, à l'occasion de ses voyages officiels en France et de ses rencontres avec de Gaulle, en particulier à l'occasion de la visite ministérielle de novembre 1964, donner aux initiatives souvent solitaires de ses ministres, la portée nécessaire à leur succès. Malgré cela, Lesage s'est

Graphique 3.1

Évolution de la part relative d'objectifs consacrés à la France,
aux États-Unis et à la Francophonie
selon le mandat gouvernemental

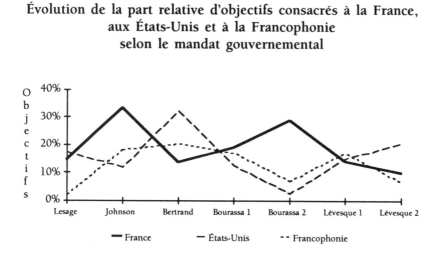

montré, dans son approche des relations extérieures du Québec, beaucoup plus préoccupé par la réalité nord-américaine que par la réalité française. Si l'on analyse les discours de Lesage et que l'on additionne aux objectifs de politique internationale ayant les États-Unis pour cible (apparaissant au graphique 3.1), ceux dont la cible, plus générale, est l'«Amérique du Nord», on obtient un ensemble d'objectifs représentant 31,4% des objectifs énoncés par Lesage. Alors que, dans le cas de Daniel Johnson par exemple, la même compilation représente seulement 13,3% des objectifs. La chose s'explique assez bien si l'on s'attarde brièvement à situer la France dans l'ensemble des préoccupations de Lesage, quant au contexte international dans lequel le Québec devait mener à terme sa Révolution tranquille.

De manière symptomatique, lorsque Lesage s'adresse à un auditoire étranger, il ne cesse d'expliquer, de justifier et de situer l'action de son gouvernement. Il dira, quelques mois avant l'élection de 1966, à propos des défis auxquels, selon lui, le Québec d'alors est confronté:

> Notre première difficulté est de bien nous faire comprendre. Je ne veux pas seulement dire qu'il est essentiel que le gouvernement fédéral saisisse nos points de vue, mais aussi et surtout que partout au Canada et dans les autres pays on ait une image de nous qui soit conforme à la réalité. Autrement, tous les malentendus sont possibles et les vieux clichés continuent de hanter les conversations[4].

Lesage craint en fait que la politique interventionniste et autonomiste de son gouvernement soit mal interprétée. S'il insiste constamment, dans ses discours destinés à des auditoires étrangers, sur le caractère démocratique des changements en cours au Québec, c'est qu'il redoute que ces derniers ne soient associés à un nationalisme de gauche, hostile au secteur privé et aux investissements étrangers (31% de tous les objectifs de Lesage concernent les investissements étrangers). Dans ce contexte, l'environnement nord-américain devient l'objet d'une attention particulière.

Il en va cependant tout autrement dans le cas de plusieurs ministres. En particulier de Paul Gérin-Lajoie, dont les discours ont été analysés dans le cadre de notre recherche[5]. Dans l'ensemble des discours recensés, le ministre de l'Éducation ne formule aucun objectif spécifique aux États-Unis. Tout au plus, l'Amérique du Nord donne-t-elle lieu à trois objectifs. En revanche, la France génère à elle seule 25 objectifs, soit 36,2% de l'ensemble.

C'est d'ailleurs Paul Gérin-Lajoie qui signe la première entente avec la France, ou plus particulièrement avec l'Association pour l'organisation des stages en France. Surtout, c'est à lui que l'on doit la mise en place d'un mécanisme institutionnel qui servira, et qui sert encore aujourd'hui, à encadrer la coopération entre les gouvernements français et québécois. En effet, l'entente du 27 février 1965, portant sur les échanges et la coopération en éducation, prévoyait la création de la Commission permanente de coopération franco-québécoise, laquelle aura la responsabilité de coordonner l'ensemble des programmes de coopération décidés subséquemment. Cet accord allait permettre d'officialiser les échanges franco-québécois et de constituer par le fait même un nouveau domaine d'intervention pour l'État québécois. C'est là l'une des manifestations du rôle pivot que joua la relation franco-québécoise pour ce qui allait devenir les relations internationales du Québec.

Dès 1965-1966, le gouvernement consacra 894 000 dollars à la coopération avec la France[6]. L'entente de 1965 donna lieu à un vif débat avec le gouvernement canadien sur la compétence du Québec en la matière, à l'occasion duquel fut énoncé ce qu'il est maintenant courant d'appeler la doctrine Gérin-Lajoie[7], laquelle est encore largement considérée comme la position officielle du Québec sur la question du prolongement international de ses compétences constitutionnelles. L'accord en matière d'éducation fut «encadré» par un échange de lettre entre le gouvernement du Canada et celui de la France. Celui intervenu en matière de culture donna lieu à un autre échange de lettre entre Ottawa et Paris, plus général que le premier, au sein duquel étaient stipulées deux voies permettant de «couvrir» une entente entre le Québec et la France: soit que l'accord devait se faire «en vertu» de l'accord-cadre Canada-France, soit qu'il devait donner lieu à la même procédure que celle intervenue en février 1965 pour l'entente en matière d'éducation[8]. Du point de vue québécois, les ententes signées avec la France ont cependant une existence propre et aucune référence aux échanges entre Ottawa et Paris n'est intégrée aux textes des ententes que le Québec a signées avec la France. Il n'en est pas non plus question dans les compilations d'ententes publiées par Québec.

Le gouvernement Johnson (1966-1968)

La situation est différente dans le cas du gouvernement de Daniel Johnson. La France occupant la première place dans la liste des priorités du premier ministre, les relations franco-québécoises prennent leur élan le plus important au cours du bref mandat assumé par le successeur de Lesage. C'est ce que tend à montrer l'analyse des données dont nous disposons. Au plan du discours, tel que l'illustre le graphique 3.1, la France monopolise le tiers des objectifs de politique extérieure énoncés sous Johnson, et dans ce cas essentiellement par Johnson lui-même. Cette importance relative accordée à la France par le Premier ministre se manifeste aussi au plan de l'allocation des ressources. Le graphique 3.2, page 112, montre en effet clairement que les années 1966-1968 furent l'occasion d'une accélération assez vertigineuse de l'effectif de la délégation de Paris, nettement supérieure au mouvement général dans les autres représentations alors ouvertes ailleurs en Europe ou aux États-Unis. Cette augmentation des ressources humaines accompagne celle des ressources budgétaires qui passeront de 289 043 dollars pour l'année financière 1966-1967 à 626 335 dollars pour 1968-1969, soit une augmentation de 217% en deux ans des dépenses de la délégation de Paris. Le gouvernement Johnson doublait ainsi le rythme de croissance que connaissaient les dépenses et l'effectif de la délégation depuis son ouverture par Lesage. Le graphique 3.3, page 112, confirme aussi cette concentration des efforts gouvernementaux à l'égard de la France, qui est la cible de la moitié des visites ministérielles recensées pendant le mandat Johnson[9]. Le

Graphique 3.2

Évolution de l'effectif des représentations du Québec à l'étranger

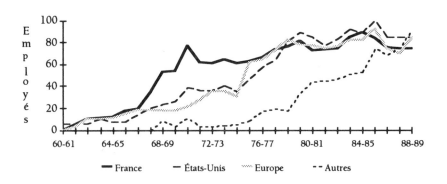

Graphique 3.3

Évolution de la part relative des visites ministérielles
effectuées en France, aux États-Unis, en Europe
et ailleurs selon le mandat gouvernemental

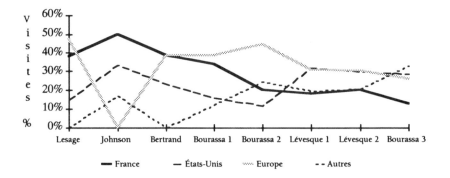

Premier ministre se rend lui-même à Paris à deux reprises, ce qui donnera autant d'occasions à de Gaulle de manifester sa sympathie pour l'homme politique québécois.

L'ensemble de ces données tend à confirmer l'hypothèse voulant que la période du gouvernement Johnson fut celle du véritable lancement sur orbite des relations France-Québec sur la base des premières initiatives prises par Lesage. Le mandat unioniste débute au moment où l'attitude de sympathie de de Gaulle à l'égard du Canada français se trouve renforcée du fait que le général eut connu certaines déceptions dans ses relations avec Ottawa, notamment lors des négociations sur la vente d'uranium canadien à la France[10]. Surtout, ce changement d'attitude correspond à la période d'éclosion de la politique extérieure gaullienne de l'«obsession américaine[11]». Fort de sa victoire aux élections de décembre 1965, le président français, en effet, lance en 1966 une véritable campagne de singularisation de la politique extérieure de la France, depuis peu débarrassée du fardeau colonial. Une nouvelle politique qui se manifeste surtout par la fin des inhibitions d'après-guerre à l'égard de l'hégémonie de la superpuissance américaine: retrait de la France du commandement intégré de l'OTAN, rapprochement avec l'URSS, vives critiques de la politique étrangère de Washington, etc. Ce changement d'attitude transparaît dans le traitement accordé au Québec par le gouvernement de la France. L'offensive québécoise de de Gaulle durera jusqu'à son départ au printemps 1969 et connaîtra son apogée le 24 juillet 1967 avec le «Vive le Québec libre!» lancé du haut du balcon de l'Hôtel de Ville de Montréal. Suite à cet incident, le général force la note et met les autorités québécoises dans des situations de plus en plus délicates[12]. Il interdit à ses ministres tout déplacement officiel au Canada anglais[13] et accélère le rythme des échanges diplomatiques et de coopération avec le Québec. On passe, pour reprendre l'expression de Christopher Malone, des «encouragements prodigués» aux «chemins indiqués» et aux «moyens conseillés[14]».

Johnson se laisse entraîner par le rythme qui lui est plus ou moins imposé par les circonstances, car il estime ne plus pouvoir décevoir la France. Cela dans la mesure où les relations internationales deviennent en 1967 un enjeu du débat constitutionnel canadien et que la relation Québec-Paris peut être considérée comme un sérieux élément de négociation. Il est de plus probable que Johnson considérait l'appui de la France comme une assurance dans l'éventualité où, ne pouvant obtenir l'égalité, le gouvernement serait forcé de choisir l'indépendance et donc de chercher à obtenir une reconnaissance internationale[15]. À la faveur de la politique antianglo-saxonne du général, mais aussi de la sympathie qu'éprouvaient Johnson et le président l'un pour l'autre, on vit donc la coopération entre les deux pays prendre l'ampleur que seule pouvait lui donner une ferme volonté politique des deux côtés. Puisqu'en France c'est le président qui prend véritablement toutes les initiatives dans le domaine des affaires extérieures, il suffisait que celui-ci exprime sa volonté pour que les différents ministres s'activent à traduire cette dernière dans une série de gestes concrets. Un bon nombre de ces initiatives ont été regroupées dans l'accord Johnson-Peyrefitte du 14 septembre 1967. Celui-ci élargit substantiellement le champ et la portée de la coopération initiée sous le gouvernement Lesage par Paul Gérin-Lajoie et Pierre Laporte, dans les domaines de l'éducation et de la culture. Il prévoit, par exemple, une multiplication par huit des moyens affectés à la coopération franco-québécoise et la création de trois centres franco-québécois dans les domaines du développement pédagogique, de l'enseignement technologique et de la recherche scientifique et technique[16]. Le 9 février 1968, c'était l'entente sur la création de l'Office franco-québécois pour la jeunesse (OFQJ) qui était signée, lequel connaîtra un immense succès. En novembre de la même année, finalement, c'est la Commission des Finances et du Plan de l'Assemblée nationale française qui passe quatre jours à Québec afin d'évaluer le potentiel de coopération économique entre les deux États.

Dans la foulée de ces développements, mais sur le plan plus diplomatique, c'est à cette époque que le Consulat général de Québec se voit accorder un nouveau statut. Paris décide en effet de lui donner une juridiction directe sur l'ensemble du territoire québécois, de lui accorder le droit de communication directe avec le ministère des Affaires étrangères et de nommer son titulaire ministre plénipotentiaire[17].

Le gouvernement Bertrand (1968-1970)

Jean-Jacques Bertrand n'ayant gouverné qu'un an et demi, les graphiques 3.1 et 3.3, qui donnent l'impression d'une importance égale des mandats, sont trompeurs quant à l'impact réel qu'a eu le successeur de Daniel Johnson sur le cours de la politique étrangère québécoise. L'analyse du discours est d'autant plus délicate que l'on doit composer avec l'absence regrettable de la banque de données des discours hors Chambre de Marcel Masse, alors ministre des Affaires inter-gouvernementales. La courbe des objectifs se trouve ainsi modelée, pour ce mandat, essentiellement par les propos du Premier ministre. Or, il semble que Marcel Masse développa une attitude beaucoup plus agressive que son chef en matière de relations internationales[18]. Jean-Jacques Bertrand n'a pas donné, en effet, aux relations internationales en général et, conséquemment, aux rapports franco-québécois, la même importance stratégique que son prédécesseur.

Soucieux de limiter toute source inutile de conflit avec le fédéral dans un contexte constitutionnel de plus en plus délicat, Bertrand a tenu d'abord à préciser au nouveau président français, Georges Pompidou, que le Québec n'était pas opposé à ce que des ministres français en visite officielle au Québec fassent un «détour protocolaire vers Ottawa», comme le rapporte Claude Morin[19]. Cette attitude convenait d'ailleurs fort bien à celle du nouveau président français, partisan d'une diplomatie plus discrète. La période du gouvernement Bertrand correspond en effet aux lendemains de mai 1968, au départ du général de Gaulle et à l'arrivée de Georges Pompidou à l'Élysée. Un moment de transition difficile donc et de diplomatie tranquille pour l'Hexagone. Le nouveau président français ne partageait pas, semble-t-il, les vues de son prédécesseur sur la question québécoise[20]. Quoique gêné par certains aspects de la politique étrangère canadienne, en particulier la dénonciation par le Canada des essais nucléaires français, on lui accorde généralement le crédit de la normalisation des relations entre les deux pays[21]. On ne doit donc pas s'étonner de voir la France perdre une bonne part de son importance relative des objectifs de politique étrangère, sous le gouvernement Bertrand, au profit notamment des États-Unis, partenaire de nature moins problématique où seront ouvertes alors quelques délégations. Quelques mois avant la démission du général, Jean-Guy Cardinal, vice-président du Conseil des ministres, a tout de même pu, par un échange de lettres, signer trois accords avec le gouvernement français. Bertrand lui-même, en raison de problèmes de santé, n'effectuera pas de visite officielle en France.

Malgré tout, les dix-huit mois du gouvernement Bertrand ne modi-fièrent en rien le rythme de croissance de la délégation de Paris (voir graphique 3.2). Les visites de ministres québécois en France ont main-tenu leur rythme, même si la cible française perdait de son importance relative au profit des autres destinations européennes (voir graphique 3.3). Encore une fois, cette situation correspond à l'évolution des contextes politiques au Québec et en France de même qu'à l'évolution de la position fédérale et à l'apparition de la Francophonie comme enjeu stratégique.

Déjà amorcé dans les derniers temps du règne de Pearson, le raidissement de la position fédérale au sujet de la capacité internationale des provinces s'accentue avec l'élection de Pierre Elliott Trudeau à la tête de l'État canadien. C'est dans ce contexte que sera soulevée la question de la participation du Québec aux institutions naissantes de la Francophonie. Celle-ci monopolisera en quelque sorte l'attention des acteurs du triangle Québec-Ottawa-Paris, l'enjeu n'étant plus formellement les termes mêmes de la relation entre les trois capitales, mais la création d'une organisation des pays de la Francophonie dont les conditions de participation satisfassent chacun des protagonistes.

Le premier mandat du gouvernement Bourassa (1970-1973)

Le retour au pouvoir du Parti libéral, avec à sa tête Robert Bourassa, annonce une redéfinition de la politique française du Québec. Au cours de leurs dernières années sur les banquettes de l'Opposition, les libéraux n'avaient pas manqué de réclamer une remise en question de la politique internationale du gouvernement, en particulier à l'égard de la France, politique jugée trop onéreuse et improprement utilisée à des fins de négociations constitutionnelles[22]. Des mesures sont en effet prises dès 1970 dans le but de réévaluer certains aspects de la politique. Il n'y eut cependant pas de revirement complet. Tout au plus pouvons-nous dire que le premier mandat de Robert Bourassa marque la fin de la progression fulgurante des ressources allouées aux relations franco-québécoises depuis le milieu des années soixante. Le Premier ministre affirmait au journal *Le Monde*, peu après son élection, «... ce n'est pas mon gouvernement qui va diminuer l'importance des relations franco-québécoises[23]...». Il n'y aura pas de recul donc, il n'y aura pas d'avancée non plus.

Comme le montre éloquemment le graphique 3.2, le nouveau gouvernement libéral commence par réduire les ressources allouées à la délégation de Paris. Dès juillet 1970, le Premier ministre annonce son intention de couper le budget de la Délégation générale du Québec à Paris de 200 000 dollars à 250 000 dollars[24]. Le même mois, Yves Michaud, Commissaire général à la Coopération, est chargé de proposer une rationalisation administrative du réseau de délégations en Europe. Son rapport insiste beaucoup sur la nécessité de réduire les dépenses d'immobilisation de la délégation générale de Paris[25]. Cela ne sera cependant pas jugé suffisant et le Premier ministre s'envole moins d'un an plus tard vers l'Europe avec entre autres intentions d'évaluer lui-même la rentabilité de la présence québécoise sur le vieux continent[26]. Lors de ce voyage officiel en France, Bourassa acceptera, à la demande d'Ottawa, que l'ambassadeur du Canada en France l'accompagne à l'occasion de certaines rencontres officielles. Il rompait ainsi avec une pratique initiée sous de Gaulle, que Pompidou ne demandait d'ailleurs pas à modifier[27].

Conséquence de l'évaluation faite par le Premier ministre: l'effectif de la Délégation générale de Paris sera, au cours de l'année financière suivante, réduit de 20% et ses dépenses de 13%[28]. Le budget de la coopération, quant à lui, continuera à croître au cours des premières années du gouvernement libéral. Pendant les années unionistes, les dépenses autorisées à ce titre étaient passées de 894 000 dollars (1965-1966) à 3 120 500 dollars (1970-1971). Elles seront portées à 3 552 500 dollars en 1971-1972[29]. Si on déduit de ces sommes les montants alloués à l'OFQJ, afin de les rendre compatibles avec les données de Shiro Noda, on constate que, de 1970-1971 à 1973-1974, le budget de la coopération n'a pas vraiment augmenté, passant de 2 370 500 dollars à 2 406 600 dollars[30].

En partie à cause du débat qui accompagna la réduction des moyens accordés à la représentation du Québec à Paris, la France demeure néanmoins très présente dans le discours avec 18,8% des objectifs énoncés pendant ce premier mandat (voir graphique 3.1). Un score qui s'élève même à 21%, si on ne considère que la contribution du premier ministre Bourassa. Contrairement à ses prédécesseurs, ce dernier associe de plus en plus la cible française à celle, plus large, du Marché commun, lui donnant ainsi une perspective nouvelle. Il faut se rappeler, pour comprendre cet ajustement du discours, que le premier mandat du gouvernement Bourassa commence alors que vient de prendre fin la période transitoire au terme de laquelle l'union douanière européenne est complétée et se termine au moment où la Grande-Bretagne, alors deuxième marché d'exportation du Québec, fait son entrée dans la Communauté. Le Marché commun s'élargit et se consolide. Le Québec ne veut pas être laissé pour compte et sa politique française reflète cette préoccupation.

L'association au Marché commun donne aussi de la substance à l'argumentation économique de cette politique française. Comme le souligne Claude Morin, en effet, si ses prédécesseurs ont jugé nécessaire de justifier les coûts de la coopération franco-québécoise en prétextant des motivations de nature économique, Bourassa, lui, fera de ces dernières les véritables principes structurants de toute son action internationale[31]. Nous reviendrons sur cet aspect dans la seconde partie du chapitre.

En terminant, notons qu'aucune entente n'a été signée entre la France et le Québec au cours de ce premier mandat du gouvernement même si, et de loin, il s'agit du pays le plus visité par les ministres libéraux avec 34 visites, le Royaume-Uni se trouvant en seconde place avec seulement 8 visites.

Le second mandat du gouvernement Bourassa (1973-1976)

Autant les préoccupations générales du premier mandat de Bourassa ne laissaient que peu de place à des initiatives nouvelles dans le dossier des relations franco-québécoises, autant le thème de la souveraineté culturelle, qui structure en bonne partie l'action du gouvernement de 1973 à 1976, s'avère propice au relancement d'une coopération déjà vieille de dix ans.

Dans la foulée de l'adoption de la *Loi 22*, pièce maîtresse du nouveau programme gouvernemental, le Premier ministre se rend à Paris en 1974, dans un esprit fort différent de celui de 1971. Il exprime alors sa volonté d'exploiter les ressources disponibles en France afin de mener à bien les objectifs de francisation de son gouvernement et de donner un élan nouveau à la coopération franco-québécoise. Le «relevé des conclusions et des décisions», signé à cette occasion avec le gouvernement français (connu sous l'appellation d'«accord Bourassa-Chirac»), met l'accent surtout sur la mise en œuvre de l'effort de francisation prévu à la *Loi 22*, mais prévoit aussi la création de nouveaux programmes communs dans les domaines de la coopération industrielle, des transports, des richesses naturelles, des communications et de la mobilité de la main-d'œuvre[32]. Qualifié de véritable «nouvelle charte des relations franco-québécoises[33]» par Gérard D. Lévesque, à l'époque ministre des Affaires intergouvernementales, cet accord marquera substantiellement l'évolution de la coopération, particulièrement pour la seconde moitié de la décennie. Si on considère les dernières années du gouvernement Bourassa, le budget accordé à la coopération avec la France connaîtra en fait une hausse moyenne de 20% pour les deux années budgétaires suivant la signature de l'accord, passant de 2 495 000 dollars qu'il était en 1974-1975 à 3 514 500 dollars en 1976-1977[34].

Associant la promotion du français au Québec au combat pour la sauvegarde du français dans le monde, les propositions de coopération du gouvernement reçoivent un accueil chaleureux de la part des autorités françaises. Lesquelles, avec l'élection récente du président Valéry Giscard d'Estaing, s'engagent envers le Québec dans «une politique de non-ingérence, mais de non-indifférence». La visite officielle de Robert Bourassa à Paris en 1974 donne lieu à plus de pompes et de solennité que celle de 1971. Le Premier ministre sera même invité à prendre la parole devant le Conseil des ministres de la République, honneur inédit pour un représentant étranger.

Ce voyage, de même que le thème de la souveraineté culturelle donnent au discours de la politique étrangère québécoise un dynamisme tel que la France se trouve propulsée au premier rang (28,8%) des cibles suscitant l'expression d'objectifs. Encore une fois et spécifiquement en raison de son voyage, c'est au Premier ministre que l'on doit un tel sommet. Dans son cas, en effet, la proportion des objectifs qui concernent la France atteint 42,4%. Considérant sa brièveté, le second mandat de Robert Bourassa est le plus riche en objectifs ayant la France comme cible. Soixante-six de ces derniers ont en effet été énoncés pendant ce mandat, soit 28,7% de l'ensemble. Pourtant, dans l'ensemble, la France est moins visitée en 1973-1976 que pendant le mandat précédent par les membres du gouvernement. En effet, seulement 19 des 95 visites officielles recensées ont la France pour destination. Outre l'entente Bourassa-Chirac, trois accords de coopération seront signés avec la France durant ce second mandat. Donc quatre ententes sur les dix signées entre 1973 et 1976 l'ont été avec la France.

Le premier mandat du gouvernement Lévesque (1976-1981)

La France occupe, dans la politique extérieure du gouvernement du Parti québécois d'avant le référendum, une place à la fois centrale et soucieuse de normalisation. Centrale d'abord parce qu'il est clair que le gouvernement de René Lévesque compte sur l'appui de la France dans l'éventualité d'une victoire au référendum à venir. Cet appui était, semble-t-il, acquis, le président Giscard d'Estaing ayant, dès la première visite officielle du nouveau Premier ministre, en 1977, affirmé: «Vous déterminerez vous-même sans ingérence les chemins de votre avenir. Ce que vous attendez de la France, c'est sa compréhension, sa confiance et son appui. Vous pouvez compter qu'ils ne vous manqueront pas le long de la route que vous déciderez de suivre[35]». Assurance que les Chirac, Peyrefitte et Barre reprendront tour à tour, chacun à leur manière. Le gouvernement ne pouvait, dans les circonstances, demander mieux. Et même que, la chose eut été possible, il s'en serait bien gardé. Claude Morin explique en effet très bien dans *L'Art de l'impossible* que, pendant la période préréférendaire, tout appui français allant au-delà de celui, assez inoffensif, exprimé par le président de la République, aurait été considéré comme préjudiciable à l'avancement de la cause souverainiste, d'où le souci de normalisation[36]. L'objectif stratégique gouvernemental le plus important étant atteint dans le cas de la France, il était naturel que la politique étrangère du premier mandat du Parti québécois mette plus d'efforts ailleurs. Là où, comme aux États-Unis, la situation était beaucoup moins facilement contrôlable. D'autant plus qu'il n'était pas besoin de multiplier inutilement les occasions de dérapage dans les contacts avec Paris.

La baisse de l'importance relative de la France — qui n'occupe que 13,8 % des objectifs énoncés durant le premier mandat péquiste, tombant au troisième rang des cibles, ce qui, n'eût été l'intermède du gouvernement Bertrand, ne s'était pas produit depuis Lesage (voir graphique 3.1) — cette baisse, donc, ne peut cependant pas être attribuée essentiellement au contexte constitutionnel. Comme on le constatera dans l'analyse du second mandat péquiste, la politique étrangère québécoise des années quatre-vingt s'élargit de plus en plus tout en se continentalisant. On remarque en effet qu'il s'agit d'une tendance assez profonde qui se manifeste déjà pendant les années préréférendaires. Si on regarde l'évolution de l'effectif, on remarque en effet que la France se fait rejoindre par les autres régions, d'abord le reste de l'Europe en 1976 et ensuite les États-Unis en 1979. Ce qui ne veut pas dire qu'en termes absolus les moyens accordés à la Délégation générale de Paris n'aient pas crû. Son effectif a même connu une progression assez rapide pendant les années préréférendaires, passant de 66 en 1977 à 81 en 1980, une augmentation annuelle moyenne de 7,6%. Pendant la même période, les dépenses augmentaient de 93,3%, passant de

1 813 212 à 3 505 618 dollars. La part consacrée à la France suit ainsi l'augmentation du budget global consacré aux délégations. Après le référendum cependant, pendant la dernière année de ce premier mandat du Parti québécois, les ressources allouées à la délégation de Paris se mettront à diminuer de manière tant absolue que relative, entamant ainsi une tendance qui se poursuivra pendant le second mandat. Quant aux visites ministérielles, comme le montre le graphique 3.3, c'est avec le premier mandat du Parti québécois que la France perd la première place des pays visités.

Malgré cela, les rapports franco-québécois ont été marqués au cours de ces années d'événements d'une importante valeur symbolique et politique. La première visite officielle de René Lévesque en France d'abord, à l'automne 1977, fut l'objet de la part du gouvernement français d'attentions protocolaires sans précédents. Le Premier ministre reçut à cette occasion les insignes de Grand Officier de la Légion d'honneur des mains du président et fut invité à s'adresser aux membres de l'Assemblée nationale. Mais plus important encore, c'est à cette occasion que furent institutionnalisées les rencontres des premiers ministres français et québécois. On statua en effet que de telles rencontres «au sommet» auraient lieu chaque année, alternativement en France et au Québec. On verra plus loin ce qu'il adviendra de cet engagement réciproque; cependant, on doit en comprendre l'importance et la signification en réalisant la place que le Québec se voit ainsi conférée au sein du programme de la politique étrangère d'une puissance telle que la France.

Les deux rencontres subséquentes des premiers ministres français et québécois furent l'occasion de grandes tensions entre Ottawa et Québec. Au début de 1979, la visite de Raymond Barre fut l'objet d'une négociation serrée donnant lieu à de méticuleux calculs, afin de s'assurer que les parties canadienne et québécoise du voyage s'équivaudraient. Puis, la deuxième visite de Lévesque, au lendemain du référendum, permit aux deux premiers ministres d'exprimer la convergence de leurs points de vue sur la participation du Québec à la Conférence de Dakar qui devait jeter les bases de ce qui sera les Sommets de la Francophonie. Cette prise de position conjointe provoqua la colère d'Ottawa et entraîna l'annulation de la Conférence.

La rencontre Barre-Lévesque fut en outre l'occasion de redéfinir les priorités de la coopération franco-québécoise. À partir de ressources dégagées par une réduction du volume des échanges en matière d'édu-

cation, on comptait développer une programmation «à incidences économiques» plus vigoureuse, notamment dans les secteurs de l'agro-
alimentaire, des pêches, des mines et des énergies nouvelles, par des
échanges d'ingénieurs et la formation de cadres de PME[37]. De manière
générale le Québec a poursuivi avec succès pendant cette période un
effort d'équilibrage de sa participation à la coopération entre les deux
pays afin d'atteindre une plus grande parité dans les moyens consentis
par les deux parties, à la faveur de la fin des programmes prévus dans
l'entente Bourassa-Chirac. Le budget de la coopération avec la France,
OFQJ non compris, passait de 3 514 500 en 1976-1977 à 4 824 100
dollars en 1980-1981, progressant à un rythme légèrement inférieur à
l'ensemble des crédits alloués à la coopération au MAI[38]. À partir de
1979, ces budgets seront administrés à Québec par une nouvelle direction «France», dorénavant distincte du bureau «Europe».

Le second mandat du gouvernement Lévesque (1981-1985)

Le dernier mandat du gouvernement du Parti québécois voit la
concrétisation de certaines tendances observées lors du premier, quant
à l'évolution de la place de la France dans la politique étrangère de
l'État québécois. Il est aussi l'occasion de développements politiques
majeurs qui contribueront à normaliser l'activité internationale du
Québec en général et à dédramatiser les rapports franco-québécois.

Première tendance, la politique extérieure du Québec se diversifie
et s'articule de plus en plus, dans la foulée du *Virage technologique*[39],
autour d'objectifs à incidence économique, entraînant une relativisation de l'importance de la France au sein d'un espace international de
plus en plus vaste. Mais il s'agit bien d'une situation relative. Si, par
exemple, la France ne récolte plus que 9,6% des objectifs de politique
étrangère exprimés pendant cette période, il faut bien dire que cela est
attribuable à une véritable explosion d'objectifs. De 181 objectifs
comptabilisés pendant le premier mandat du Parti québécois on passe
à 750 pour le second! Malgré tout, la France passe désormais au
second rang des cibles spécifiques d'objectifs, loin derrière les États-
Unis, et au troisième rang des cibles régionales, devancée de peu par
l'Asie et talonnée de près par l'Europe. Cette position est presque
conforme à celle qui lui est attribuée dans l'énoncé de politique internationale que le gouvernement rend public en 1985. Ce dernier place
la France, avec les États-Unis et l'Europe, dans le «premier cercle de
la politique extérieure régionale du Québec[40]».

À partir du milieu des années quatre-vingt, on constate que le discours sur la France des ministres, péquistes comme libéraux, s'ils insistent toujours sur un attachement du Québec à la France, parlent de «rythme» ou de «vitesse de croisière» des rapports France-Québec, suggérant ainsi que l'on peut maintenant s'en remettre à la force d'inertie du mouvement initié au cours des années précédentes. Le discours sur la France est de plus en plus parsemé de références à l'économique de même qu'au couple science et technologie. L'intention du gouvernement du PQ d'axer dorénavant sa coopération avec la France sur ces domaines de priorités est clairement exprimée dans l'énoncé de politique de 1985[41]. Il sera cependant difficile de concrétiser dans l'immédiat cette volonté de coopération scientifique étant donné que le début des années quatre-vingt est une période fort éprouvante pour la France économiquement. La sortie de crise se fera là-bas passablement plus tard qu'au Québec et il est impensable alors d'engager de nouvelles dépenses gouvernementales. C'est pourquoi, malgré les intentions formulées par la partie française elle-même[42], le volume de la coopération, particulièrement celle allant dans le sens France-Québec, déclinera pendant pratiquement toute la durée du second mandat péquiste, le nombre de moyens consacrés aux missions et séjours de Français au Québec passant de 775 dans la planification adoptée en 1980 à 488 dans celle adoptée en 1985.

Toujours dans la foulée du virage technologique, on nomme un conseiller scientifique à la délégation de Paris, avec un mandat orienté vers le développement industriel. Ce qui contribue à une augmentation sensible de l'effectif en poste en France durant ce mandat. Celui-ci passe de 73 en 1981-1982 à 89 en 1984-1985, rejoignant du même coup l'effectif total en poste aux États-Unis. Il faut considérer cependant que cette hausse de l'effectif a pu se faire sans hausse des dépenses, lesquelles se sont maintenues à environ 3 millions de dollars par année pendant la même période, à cause des dévaluations successives qu'a subies le franc à cette époque.

Seconde tendance, les relations internationales du Québec se normalisent et perdent leur caractère hérétique dans le cadre politique canadien. Il ne s'agit pas ici d'un développement qui s'est fait graduellement. Le second mandat du Parti québécois a en fait été marqué au départ d'une recrudescence des tentatives du gouvernement fédéral d'encadrer les relations France-Québec et de faire valoir ses prétentions d'exclusivité en matière de conduite de la politique étrangère.

Cela, certes, à la faveur de l'échec de la démarche référendaire, mais aussi du changement de famille politique au pouvoir en France. Il semble que le premier ministre Trudeau ait vu dans l'élection des socialistes en 1981 l'occasion pour le gouvernement fédéral de lever définitivement l'hypothèque gaulliste qui pesait sur les relations franco-canadiennes. D'autant plus que la personnalité et les prises de positions de Trudeau sur des sujets de politique internationale semblaient convenir tout particulièrement à Mitterrand. Le nouveau président de la République, par ailleurs, n'apparaissait pas comme un chaud partisan de la solution indépendantiste pour résoudre le problème québécois et, dans les faits, il est vrai qu'il commençait son septennat en intensifiant les rapports politiques avec Ottawa: Trudeau rendra visite à Mitterrand à deux reprises à l'été 1981, des visites de ministres français au Canada anglais s'organiseront, on parlera d'acheter des avions français, d'octroyer à des entreprises françaises la construction d'hélicoptères militaires, de coopération dans l'industrie pétrolière et gazière, etc.

Le Premier ministre canadien compte bien profiter de l'occasion et nomme Pierre de Bané ministre d'État aux Relations extérieures avec, semble-t-il, le mandat de «normaliser» les rapports entre Paris et Québec. Celui-ci adoptera la tactique de rappeler le gouvernement français à l'ordre à chaque fois qu'il jugera déplacé le comportement d'un de ses membres. À l'occasion de la planification d'une visite d'un ministre français, Ottawa tentera ainsi de rompre avec la tradition des voyages en deux parties distinctes, en tentant d'introduire dans le programme de la partie fédérale des éléments de visite au Québec[43]. Cependant, les projets de coopération économique entre Paris et Ottawa n'aboutissent pas, Mitterrand se montre déçu du manque d'agressivité de Trudeau lors des sommets du G-7 et rapidement la politique québécoise de Mitterrand se met à ressembler de plus en plus à celle de ses prédécesseurs[44]. Ainsi, les rencontres annuelles des premiers ministres français et québécois se poursuivent et donnent lieu à des échanges productifs et sans ambiguïtés sur la position d'appui de la France au Québec, par exemple dans le dossier du Sommet francophone.

Finalement, c'est la victoire des conservateurs de Brian Mulroney qui marque durablement l'acceptation par le fédéral de la pratique québécoise en matière de relations directes avec la France. C'est à l'occasion de la visite du premier ministre français Laurent Fabius que le nouveau chef du gouvernement canadien déclarera son intention de ne plus faire obstacle aux rapports directs entre la France et le Québec, dans la mesure où ceux-ci respectent certaines règles de bases[45]. La dernière visite de Lévesque en France, qui aura lieu au printemps 1985, pourra donc se dérouler dans une atmosphère détendue et cordiale.

Le premier mandat du second gouvernement Bourassa (1985-1989)

D'une certaine manière, le retour de Robert Bourassa aux affaires de l'État ressemble, en ce qui a trait aux relations franco-québécoises, à son arrivée au début des années soixante-dix. Le contexte montre certaines similitudes. On constate que la politique internationale du gouvernement doit être comprise à la lumière d'une volonté générale de rationalisation des dépenses de l'État. Du côté de l'Europe, on assiste à un regain d'activité communautaire: suite au Sommet de Milan, en effet, un nouvel horizon commercial se dessine pour le vieux continent. En France, finalement, la droite est de retour au gouvernement à partir de 1986 et Robert Bourassa se retrouve, comme en 1974-1976, avec Jacques Chirac comme interlocuteur.

Même si on ne dispose pas de données quantitatives sur le discours des décideurs libéraux de 1985 à 1989, une analyse qualitative de ceux-ci montre que l'importance relative qu'ils accordent à la France baisse significativement par rapport à leurs prédécesseurs, au profit, en particulier, des États-Unis et des cibles asiatiques. Ainsi, on ne parle guère plus dans le cas de la France que de «maintien des relations privilégiées» et non pas de «développement» de ces mêmes relations, tel qu'il est proposé dans le cas des autres cibles privilégiées du gouvernement. Le discours libéral confirme ainsi une tendance déjà bien sentie dans le discours péquiste de la période postréférendaire[46].

Comme au début des années soixante-dix, la France est, dans le discours de Robert Bourassa et des titulaires libéraux du ministère des Relations internationales, fortement associée au marché commun européen et, plus particulièrement, au défi du Marché unique de 1993. L'attrait stratégique de la France sera en outre renforcé, suite au retour de la Droite au gouvernement, par le mouvement de libéralisation et surtout de privatisation qui souffle alors sur la politique économique française. Les investissements québécois en France profitent de cette mouvance[47], tandis que les échanges commerciaux atteignent un sommet, ce qui ne manque pas de ravir les dirigeants politiques. En 1986, les exportations destinées à la France ont connu en effet une augmentation de 41,8%, passant de 223 millions à 316 millions de dollars.

Malgré ces perspectives encourageantes, la délégation de Paris n'est pas épargnée par le climat d'austérité qui règne à Québec. Le ministère des Relations internationales doit en effet composer avec une compression de son budget de l'ordre de 19%, malgré le dépôt au Conseil du trésor d'un plan de développement de 3,6 millions de dollars, et on songe à une restructuration du réseau de délégations et de bureaux à l'étranger[48]. Ce qui se traduit, pour la Délégation générale de Paris, par une baisse d'effectif. Celui-ci passe de 89 employés qu'il était au terme de l'exercice budgétaire 1984-1985, à 74 en 1988-1989. Quant aux dépenses de la délégation, même si certaines variations peuvent être causées par le changement intervenu dans les méthodes comptables du ministère à partir de l'année fiscale 1985-1986, on note une baisse marquée de l'importance relative du budget de Paris au début du mandat libéral. Ainsi, alors qu'elle représentait 25,8% des dépenses des délégations pour l'année 1984-1985, cette part diminuait à 19,1% l'année suivante, pour remonter à 24% en 1986-1987 et se maintenir à ce niveau par la suite. Notons, pour bien comprendre la signification de cette variation, que les coûts d'opération de la Délégation générale de Paris ont été affectés par une nette progression de la valeur du franc durant cette même période.

Quant à l'importance relative de la Direction générale «France» en terme d'effectif, par rapport à l'ensemble des directions à vocation régionale, elle baisse à 22% en 1989, soit après la fusion avec le Commerce extérieur. En 1987, la Direction France représentait 25% de cet ensemble contre 29% en 1984.

Là où le resserrement des moyens se fait sentir avec la plus grande vigueur, c'est au niveau des projets de coopération eux-mêmes. Le budget de la Direction générale «France» du ministère consacré à la coopération subit en effet une coupure draconienne. Celui-ci avait déjà été amputé de 21,5% en 1985-1986, passant de 3,13 millions à 2,45 millions de dollars, il sera encore réduit pour 1986-1987, de 27,1% cette fois, pour atteindre 1,79 million de dollars, et à nouveau coupé pour 1987-1988, de 12,2%, pour atteindre un plancher de 1,57 million de dollars. En somme, le budget de la contribution québécoise à la coopération France-Québec a été amputé de moitié entre 1984-1985 et 1987-1988. On assiste ensuite à une légère remontée[49].

Cette baisse s'est traduite au départ par une diminution sensible du flot de coopération: 1122 traversées prévues en 1986 contre 1436 en 1985. Par la suite, elle a donné lieu à une réduction de la durée des séjours, ceux de moyenne et longue durée étant dorénavant constitués principalement de stages, la forme la plus économique de coopération, et les séjours de courte durée dépassant rarement une ou deux semaines.

Le nombre de visites ministérielles effectuées en France a suivi, de manière un peu plus marquée que les autres régions, la baisse des déplacements hors frontières compilés pendant la période du gouvernement Bourassa (voir graphique 3.3). Pour la première fois, la France occupe manifestement le dernier rang des régions visitées. Elle conserve tout de même son deuxième rang parmi les cibles spécifiques. Le nombre d'ententes, lui, augmente pendant la même période.

En ce qui concerne les rencontres des premiers ministres, elles s'espacent. Jacques Chirac reporte à 1987 la visite qu'il devait effectuer au Québec en 1986. Robert Bourassa, qui profite tout de même du Sommet francophone de Paris en février 1986 pour renouer avec la classe dirigeante française, n'effectuera de déplacement officiel à Paris qu'en janvier 1989. Il sera alors reçu par le président et le premier ministre. Le retour de Chirac aux affaires a tout pour rassurer le Québec. Le premier ministre s'est toujours fait remarquer pour ses prises de positions favorables à la cause de l'émancipation du peuple québécois. On note d'ailleurs qu'il fait une référence explicite au Québec, en avril 1986, lors de son premier discours comme premier ministre devant l'Assemblée nationale française[50].

Cependant, en 1989, c'est Michel Rocard qui accueillera Robert Bourasa lors de sa visite officielle. Les deux premiers ministres s'entendent alors pour orienter résolument la coopération entre les deux pays vers des secteurs à fort potentiel commercial et industriel. Ils dressent la liste des secteurs stratégiques de coopération pour les dix prochaines années: sciences et technologies de pointe, développement des services informatisés, communication et formation adaptée à l'emploi et accès réciproques aux deux marchés continentaux, nord-américain et européen, en voie de formation[51].

On ne peut passer sous silence l'événement hautement symbolique que fut le voyage officiel de François Mitterrand, le premier séjour en sol québécois d'un président de la République française depuis le fameux épisode de 1967. En fait, le passage du président doit être interprété comme le volet québécois d'une visite canadienne. Le format protocolaire des visites de premiers ministres français ne convenant manifestement pas au type d'accueil que l'on réserve au chef d'État d'une grande puissance alliée, le président amorce son séjour à Ottawa pour ensuite visiter le Québec, la Saskatchewan et l'Ontario. Le tiers du périple (une trentaine d'heures) est en fait réservé au Québec. L'ambassadeur canadien à Paris accompagnera le président dans tous ses déplacements et la présence d'un ministre fédéral est prévue à chaque activité officielle. Au Québec, Mitterrand adressera à l'Assemblée nationale un discours chaleureux et rassurant pour ceux qu'inquiétait la faible substance du menu québécois de la visite du chef de l'État français, mais ses activités seront essentiellement de nature protocolaire et symbolique. Il faut bien dire que, quoique le président soit le véritable chef de la diplomatie française, les aléas de la petite histoire du triangle Paris-Québec-Ottawa font que c'est le premier ministre qui, en France, a la responsabilité des relations franco-québécoises.

L'ensemble de ces données montrent que le retour des libéraux au pouvoir s'accompagne d'une diminution en termes absolus et relatifs de l'importance que le gouvernement québécois accorde à ses relations avec la France au sein de sa politique étrangère. Ce qui confirme tout en l'accélérant une tendance déjà observée pendant les dernières années du gouvernement péquiste. La politique française du gouvernement fait de plus en plus les frais de la diversification des intérêts internationaux du gouvernement. Du moins, elle ne suit plus la progression générale de la politique étrangère québécoise, ce qui était le cas jusqu'au début des années quatre-vingt.

Conclusion

Traitée, comme les États-Unis, mais aussi l'Europe ou l'Asie, à la manière d'une région, il est évident que la France a perdu de son importance au fil de l'évolution de la politique étrangère du Québec. Mais cette affirmation doit être relativisée de deux façons. Premièrement, même si l'action du Québec s'est diversifiée, il n'en demeure pas moins que, qualitativement, la forme des rapports qu'il entretient avec la France ne connait pas d'équivalent. Que l'on pense aux rencontres alternées des premiers ministres, à l'accès qu'ont les représentants du Québec au président de la République française, au statut de la Délégation générale du Québec à Paris ou à la fonction du Consulat général de France à Québec, qui répond directement du ministère des Affaires étrangères, il y a, dans les relations avec la France, une valeur en terme de statut qui ne peut être qualifiée.

Deuxièmement, si on traite la France comme une cible spécifique et qu'on la compare aux autres du même type, force est de constater qu'elle est loin d'avoir perdu, sous cet angle, de son importance. À titre d'exemple, ne prenons que la formulation d'objectifs. Si on analyse des données pour des cibles spécifiques seulement, c'est-à-dire que seuls les objectifs ayant un pays comme cible et non pas une région, un continent, une organisation, ou une cible environnementale soit conservés, on isole au total 724 objectifs. Ainsi, la France, parmi ces cibles spécifiques, se classe en deuxième place avec 230 objectifs (31,8%), derrière les États-Unis, qui sont la cible de 245 objectifs (33,8%), mais loin devant la Belgique, qui occupe la troisième place avec seulement 37 objectifs (5,1%).

C'est donc dire que malgré la diversification de la politique étrangère québécoise, la France, comme les États-Unis du reste, a continué d'occuper pendant toute la période étudiée, une place véritablement privilégiée et pour le moment difficilement contestable dans l'espace international du Québec. Malgré tout, notre analyse montre que depuis le début des années quatre-vingt, le développement des relations avec la France ne suit plus la progression générale des relations internationales de l'État québécois. La chose peut sembler normale étant donné l'ampleur de la domination des échanges franco-québécois sur l'ensemble de ces relations dans le passé. La cible «France» ayant servi à donner une légitimité et un cadre institutionnel à la politique étrangère québécoise, elle demeurera néanmoins toujours un pôle important de celle-ci. Quelle que soit l'ampleur de la diversification des intérêts québécois à l'étranger, en effet, une bonne part des moyens dont dispose l'État du Québec pour défendre ceux-ci repose sur la fonction historique et stratégique des rapports Québec-Paris.

Les domaines et les formes des relations franco-québécoises

Après avoir suivi l'évolution de la place occupée par la France à l'intérieur de l'ensemble de la politique extérieure du gouvernement, examinons maintenant quelles ont été les formes spécifiques et, plus particulièrement, les domaines d'interventions privilégiés dans l'articulation de cette politique. Pour ce faire, il faut identifier une hiérarchie des priorités sectorielles ou domaines d'intervention impliqués dans la politique française du gouvernement québécois. Ensuite, pour quatre secteurs fondamentaux — l'économie, l'éducation, la culture et l'immigration — une analyse plus systématique de l'évolution de l'action gouvernementale privilégiant les formes de comportement que nous avons choisi d'étudier sera proposée: la formulation d'objectifs, la présence d'effectifs à l'étranger, les visites officielles, la signature d'ententes et le volume de la coopération.

Hiérarchie des domaines aux différents moments d'articulation de la politique

Afin de dégager une hiérarchie des priorités sectorielles, au sein de la politique étrangère du gouvernement québécois, chaque indicateur peut être mis à contribution. Chacun d'eux permet d'isoler un moment précis de la formulation ou de la mise en œuvre de la politique gouvernementale, avec ses contraintes et ses particularités. Dans le cas de la France, trois grands secteurs d'activités — la culture et les communications, l'économie, l'éducation et la science — monopolisent l'attention des décideurs. À cela, ajoutons l'intérêt manifesté pour la relation avec la France en elle-même, c'est-à-dire exprimée de façon générale, et la présence d'un quatrième secteur, quelque peu marginalisé par nos indicateurs, mais qui prend une importance grandissante, l'immigration.

La formulation des objectifs

L'essentiel des objectifs énoncés à l'égard de la France par les décideurs québécois est donc concentré dans trois grandes catégories et dans le domaine que nous qualifions de «général» (voir tableau 3.1). En fait, cette concentration dépasse celle observable pour l'ensemble des objectifs. Des objectifs énoncés pour la France, 90% ont en effet été classés dans l'une ou l'autre des quatres catégories mentionnées contre 77% de l'ensemble des objectifs. Cela peut s'expliquer dans une certaine mesure par l'importance surprenante que prend, dans le cas de la France, le domaine général, avec 26% des objectifs contre 18% pour l'ensemble des objectifs. Une part relative qui s'élève même à 60% pendant le premier mandat du Parti québécois. Cela signifie que

Tableau 3.1

Répartition des objectifs énoncés pour la France
selon le domaine d'activité et le mandat

	Lesage		Johnson		Bertrand		PLQ 1		PLQ 2		PQ 1		PQ 2		Total	
	n	%	n	%	n	%	n	%	n	%	n	%	n	%	n	%
politique diplomatique	0	0	0	0	0	0	1	4	0	0	1	4	5	7	7	3
institutionel/ organisationel	0	0	0	0	0	0	0	0	5	8	0	0	0	0	5	2
culture/ communication	2	13	4	20	3	38	3	13	16	24	0	0	13	18	41	18
économie/ commerce/ finance	4	27	6	30	3	38	9	38	18	27	4	16	25	35	69	30
éducation/ science	4	27	3	15	1	13	2	8	9	14	5	20	12	17	36	16
immigration	0	0	3	15	0	0	0	0	0	0	0	0	0	0	3	1
écologie/ environnement	0	0	0	0	0	0	0	0	0	0	0	0	0	0	0	0
PVD	0	0	0	0	0	0	0	0	0	0	0	0	0	0	0	0
affaires sociales/ travail	0	0	0	0	0	0	0	0	6	9	0	0	2	3	8	3
mobilité	0	0	0	0	0	0	0	0	1	2	0	0	0	0	1	0
général	5	33	4	20	1	13	9	38	11	17	15	60	15	21	60	26
Total	15	100	20	100	8	100	24	100	66	100	25	100	72	100	230	100

la cible française est plus propice que les autres à l'expression d'une volonté de coopération tous azimuts; c'est-à-dire que les décideurs, lorsqu'ils parlent de la France, se livrent à des énumérations de domaines qui relèvent plus de la figure de style voulant exprimer la totalité, que de la volonté de donner explicitement du poids à un domaine ou à certains domaines particuliers. Ajoutons que la volonté de relations, en soi, quelle que soit sa forme concrète, est extrêmement forte dans le cas de la France et il semble qu'elle s'exprime de manière particulièrement manifeste durant la période préréférendaire.

Pour ce qui est de la place relative des trois autres pôles, ils présentent eux aussi des traits distinctifs par rapport à l'ensemble du discours. Ainsi, si le domaine économie/commerce/finance se situe en tête des domaines spécifiques énoncés pour la France, sa position relative est beaucoup moins importante dans le cas français (30% des objectifs) que pour l'ensemble du discours (40% des objectifs). En contrepartie, les domaines culture/communication et éducation/science obtiennent une importance relative beaucoup plus élevée avec, respectivement, 18% et 16% des objectifs ciblant la France, contre 11% et 9% dans le cas de l'ensemble des objectifs énoncés.

Ce qui étonne le plus dans ces résultats, c'est la faible importance relative accordée aux domaines politique/diplomatique et institutionnel/organisationnel, qui reçoivent respectivement 3% et 2% des objectifs ciblant la France, contre 8% et 7% dans le cas de l'ensemble des objectifs. Cela signifie-t-il que le cadre des relations franco-québécoises ayant été institué assez rapidement au cours des années soixante, il n'y a pas eu lieu de revenir sur le sujet directement, et que l'on s'est contenté de discuter publiquement du contenu plutôt que de la forme des rapports avec la France? Ou bien cela signifie-t-il que le sujet est trop délicat pour être largement repris par le discours politique?

On doit ainsi porter notre attention sur les absences relatives ou les trous qui apparaissent. Manifestement, des domaines d'intervention, pourtant fort importants dans la politique d'ensemble du gouvernement comme nous le verrons plus loin, tels que l'immigration ou la mobilité des personnes, ne font pas partie du discours général tel qu'il est véhiculé par les premiers ministres et les ministres responsables de la coordination de la politique étrangère québécoise. Dans les deux cas que nous venons de citer, il s'agit de secteurs dont la responsabilité incombe en grande partie au ministère des Communautés culturelles et de l'Immigration[32]. Contrairement aux autres secteurs d'activité internationale du gouvernement, ceux-ci n'ont pas véritablement fait l'objet de tentatives de centralisation et d'intégration au sein des institutions chargées de la coordination des activités du gouvernement à l'étranger. On peut donc considérer qu'ils sont défavorisés par le type d'indicateurs que nous avons retenus.

La présence officielle en France: effectif et visites

La présence officielle du Québec en France prend deux formes: une représentation permanente et des visites officielles.

Graphique 3.4

Évolution du nombre de professionnels selon le domaine
d'activité à la Délégation générale du Québec à Paris

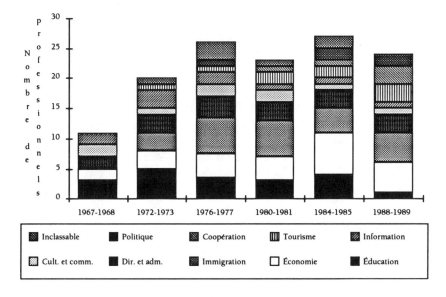

Poursuivons l'analyse en jetant un regard sur la répartition des professionnels à l'emploi de la Délégation générale du Québec à Paris selon leur domaine d'affectation. Même si les chiffres qui sont à notre disposition ne sont que des clichés pris à un moment bien précis, soit la fin de chaque année financière, il est possible de se servir de cet indicateur afin de mesurer l'effort accordé par le gouvernement à chacun des principaux secteurs d'activités à travers le personnel qu'il affecte et qu'il recrute sur place. À l'intérieur des années financières pour lesquelles nous possédons suffisamment d'information pour être en mesure de dresser un portrait relativement précis de la situation, nous comparons (au graphique 3.4) six années différentes avec une périodicité d'approximativement quatre ans. Chacune des années ainsi représentée correspondant plus ou moins au terme d'un mandat gouvernemental.

Le graphique permet de constater que, si au départ l'allocation des ressources dont fait l'objet la délégation de Paris correspond assez bien aux priorités identifiées plus haut, elles progressent rapidement vers une marginalisation du secteur culture/communication, principalement au profit d'une progression des responsabilités en matière d'immigration. Le nombre d'agents d'immigration augmente graduellement au cours des années soixante-dix pour connaître son apogée en 1979-1980. Il décroît par la suite jusqu'à quatre en 1983-1984, puis se stabilise à cinq à partir de 1985-1986. On constate aussi que l'éducation, qui a été le domaine dominant jusqu'au milieu des années soixante-dix perd par la suite de son importance en termes absolus et relatifs. Il est raisonnable de croire que cela est en partie dû au fait que les activités de coopération ont été graduellement transférées des conseillers en éducation aux conseillers en coopération, lesquels ne peuvent être associés à un secteur particulier. Ce qui ne change rien au fait que la part relative de la coopération consacrée à l'éducation a diminué. Pendant ce temps, la place accordée aux activités à caractère économique, y compris le tourisme, n'a cessé de croître et elles se maintiennent au premier rang des secteurs d'activité.

En 1976-1977, apparaît un conseiller exclusivement voué aux affaires politiques. Ce poste disparaîtra deux ans plus tard pour refaire surface en 1982-1983. Il faut dire que la direction de la délégation a toujours assumé un important mandat politique. La fonction politique de la délégation prendra du poids au fur et à mesure que ses responsabilités à l'égard des instances multilatérales de la francophonie se fera plus exigeant. De plus, cela correspond aussi à une tendance générale qui veut que les délégations soient amenées à assumer de plus en plus une fonction de relations publiques auprès de la classe politique et de l'opinion publique des pays qu'elles couvrent.

Parce qu'il touche le comportement d'un plus grand nombre de ministres, l'indicateur «visites» permet de rendre compte d'une plus grande variété de domaines que celui choisi pour mesurer la formulation des priorités. Cette plus grande ouverture se traduit par une dispersion plus élevée en terme de domaines (voir tableau 3.2). En effet, 74% des visites sont concentrées dans les quatre domaines de base, qui sont appelés ici politique/général, culture/communication, économie/commerce/finance. Ce qui est substantiellement moins élevé que les 90% observés pour le discours, mais qui est pratiquement identique à la concentration observée pour l'ensemble des visites.

Tableau 3.2

Répartition des visites ministérielles pour la France selon le domaine d'activité et le mandat

	Lesage		Johnson		Bertrand		PLQ 1		PLQ 2		PQ 1		PQ 2		PLQ 3		Total	
	n	%	n	%	n	%	n	%	n	%	n	%	n	%	n	%	n	%
politique/ général	5	38	3	50	2	40	5	14	2	11	10	28	10	15	6	21	43	21
institutionnel/ organisationnel	2	15	0	0	1	20	2	6	1	5	1	3	3	4	0	0	10	5
culture/ communication	2	15	0	0	1	20	5	15	1	5	2	6	11	17	6	21	28	13
économie/ commerce/ finance	2	15	2	33	0	0	10	29	4	21	7	20	26	39	11	38	62	30
éducation/ science	2	15	1	17	0	0	2	6	4	21	5	14	5	7	1	3	20	10
immigration	0	0	0	0	0	0	2	6	3	16	1	3	1	2	1	3	8	4
écologie/ environnement	0	0	0	0	0	0	1	3	1	5	2	6	1	2	1	4	6	3
PVD	0	0	0	0	0	0	0	0	0	0	0	0	0	0	0	0	0	0
affaires sociales/ travail	0	0	0	0	0	0	3	9	3	16	2	6	7	11	2	7	17	8
mobilité	0	0	0	0	0	0	0	0	0	0	0	0	0	0	0	0	0	0
aménagement/ urbanisme	0	0	0	0	1	20	4	12	0	0	5	14	2	3	1	3	13	6
Total*	13	100	6	100	5	100	34	100	19	100	35	100	66	100	29	100	207	100

* Les pourcentages ayant été arrondis, la somme de ceux-ci n'est pas toujours égale à 100.

À l'intérieur de ce bloc cependant, la distribution des visites pour la France est sensiblement différente de l'ensemble des cibles. Ainsi peut-on constater encore une fois que le poids relatif accordé au domaine économie/commerce/finance lors des visites ministérielles en France (30%) est sensiblement inférieur à celui observable pour l'ensemble de la compilation des visites (42%). Inversement, l'importance relative accordée, dans le cas de la France, aux secteurs culture/communication (13%) et éducation/science (10%) est significativement plus importante que dans le cas de l'ensemble des visites (respectivement 8% et 7%). Le domaine politique/général, quant à lui, demeure relativement élevé avec 21% des visites en France, contre 17% dans l'ensemble. On remarque donc une hiérarchie des quatre principaux pôles sectoriels d'activité internationale assez semblable à celle observée grâce à l'analyse du discours. En terme de tendances, il appert qu'à partir du milieu des années soixante-dix, l'importance relative accordée au secteur éducation/science baisse régulièrement, alors qu'on assiste au contraire à une augmentation progressive du secteur culture/communication. Quant au secteur économique, il se voit accorder une nette prépondérance à partir du second mandat du Parti québécois.

À l'extérieur de cet ensemble, on retrouve les autres grandes divisions sectorielles de l'État québécois, soit les affaires sociales et le travail, l'aménagement et l'urbanisme, les institutions (y compris la justice), l'immigration et l'environnement qui récoltent chacune entre 8% et 3% des visites. À peu de choses près, l'importance accordée à chacun de ces domaines dans le cas de la France correspond à celle qui se dégage de l'analyse de l'ensemble des données.

Il est difficile de dégager des tendances pour ce qui est de l'évolution de ces secteurs plus périphériques. Ces tendances seront analysées un peu plus loin.

Les ententes et les flux de coopération en résultant

En elle-même, la compilation d'ententes ne peut donner une image très juste de l'état des relations entre deux partenaires. La signature d'ententes a un effet cumulatif, mais chacune a un effet inégal et difficilement mesurable sur l'ensemble de la coopération. De plus, une entente prévoyant couvrir un domaine particulier d'échanges peut très bien donner lieu en pratique à des activités d'une portée finalement très limitée ou encore, à l'inverse, déborder ce domaine. C'est ce qui est arrivé, par exemple, avec l'entente en matière d'éducation signée

Graphique 3.5

**Répartition des ententes signées avec la France (1964-1989)
selon le principal domaine concerné**

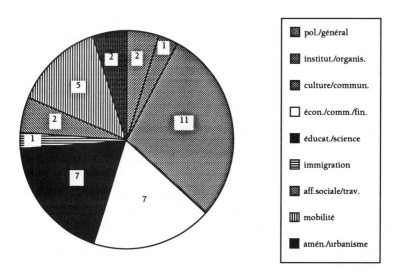

entre la France et le Québec le 27 février 1965. Elle s'avéra constituer un cadre institutionnel, sous la forme de la Commission permanente de coopération franco-québécoise, à l'intérieur duquel la coopération entre les deux gouvernements allait se développer dans divers domaines.

Néanmoins, il est difficile de ne pas y aller d'un commentaire général. Nous reviendrons sur la portée réelle de ces ententes en parlant des flux de coopération un peu plus loin. Dans la compilation présentée au graphique 3.5, on retrouve les trois pôles d'activités en première place, avec culture/communication qui occupe le premier rang. On remarque la présence d'un important ensemble d'accords consacrés à faciliter la mobilité des ressortissants des deux États (permis de conduire, fiscalité, sécurité sociale). En analyse ces données dans une perspective diachronique, on constate que le domaine est dans une certaine mesure fonction de la période à laquelle a été signée l'entente. Un premier bloc de neuf ententes a été signé entre 1964 et 1969. Sur ces neuf, une seule, la première concerne la coopération technique[53] et l'autre, la coopération industrielle, les autres sont toutes vouées à la culture et à l'éducation. Il faudra ensuite attendre le second mandat du gouvernement Bourassa et la signature de l'entente Bourassa-Chirac pour que des initiatives véritablement nouvelles soient prises, surtout dans le domaine culturel, mais aussi en matière de mobilité des personnes. La diversification des secteurs couverts démarre véritablement sous les gouvernements Lévesque avec l'ajout des affaires sociales, de la justice et de l'aménagement du territoire. Au terme de l'administration péquiste, on accélère la conclusion d'ententes pour lui donner un rythme que reprendra le gouvernement libéral qui lui succédera. Ce dernier ajoutera l'immigration et contribuera à chacun des domaines cités, sauf les affaires sociales et la justice (organisationnel/institutionnel).

Afin de dégager la hiérarchie des priorités observable dans les flux de coopération entre la France et le Québec et son évolution, nous avons regroupé pour des périodes de quatre années l'ensemble des moyens décidés par la Commission permanente de coopération franco-québécoise, selon une répartition des domaines d'activité la plus proche possible de celle utilisée pour les autres indicateurs[54]. Ce regroupement, un peu rapide dans la mesure où il donne lieu à une compilation indistincte des moyens de courte, de moyenne et de longue durée, n'est pertinent que pour dresser un aperçu général[55].

La lecture des graphiques 3.6 et 3.7, pages 140-141, qui présentent respectivement l'évolution des flux de coopération dans le sens Québec-France et dans le sens France-Québec, montre que ceux-ci épousent assez bien la hiérarchie des priorités observée précédemment. On retrouve en effet une priorisation des domaines éducation/science, économie et culture/communications (y compris la langue).

Le couple éducation et science domine l'ensemble de la période, mais on voit s'opérer un transfert progressif de l'un vers l'autre. On peut ainsi dire que, globalement, l'effort de coopération en matière d'enseignement s'est déplacé de l'enseignement primaire et secondaire vers la recherche aux niveaux supérieurs du système d'enseignement. Au départ, en effet, les échanges se font presque exclusivement dans le domaine de l'éducation, mais au cours des années soixante-dix, la part des moyens accordés aux échanges scientifiques augmente rapidement au point d'occuper définitivement la première place à partir de 1975. On doit ajouter à ces chiffres ceux de l'OFQJ qui coordonne en moyenne 1000 stages de jeunes chaque année dans chacune des directions.

Dans le cas des échanges Québec-France, le couple culture et langue arrive immédiatement derrière, surtout à cause de l'effort important consenti aux échanges linguistiques dans la foulée de la *Loi 22* et de l'entente Bourassa-Chirac. N'eût été de cette dernière, la culture arriverait en quatrième place, derrière les affaires sociales. C'est le cas d'ailleurs en ce qui concerne les échanges dans le sens France-Québec. Le secteur de la culture et des communications, qui ne se voit accorder que peu de moyens au départ, connaît néanmoins un essor important au milieu des années quatre-vingt et va rejoindre le secteur économie au début des années quatre-vingt-dix. Ce dernier, à partir de 1978, conserve sa position de troisième grand secteur de coopération. Nous aurons l'occasion de revenir plus en détail sur ces domaines.

Avant d'en arriver là, cependant, on doit noter l'importance accordée au secteur des affaires sociales[56] dans la coopération franco-québécoise. Surtout concentrés dans la période 1973-1977, les moyens accordés à ce secteur sont principalement constitués de stages dans le domaine de la santé. Le domaine des loisirs, qui a pris une certaine importance ces dernières années, est surtout constitué d'initiatives diverses, surtout des activités sportives. Le secteur de l'administration publique[57] comprend surtout, quant à lui, des échanges de fonctionnaires ainsi que des projets de coopération entre administrations municipales. L'environnement, quant à lui, est un domaine en progression depuis le début des années soixante-dix. Enrichi des initiatives prises dans le secteur de la protection de la nature, il connaît ses périodes les plus fastes au début des décennies quatre-vingt et quatre-vingt-dix. Quant à la catégorie «autres», elle est surtout constituée des volontaires du service national français (VSN) qui n'ont pas été comptabilisés au sein d'un programme particulier de coopération.

Notons que ces tendances se vérifient aussi par l'analyse des budgets accordés à la coopération avec la France[58] de 1970 à 1980 qui nous sont fournis par Noda et Beaudoin. Le domaine de l'éducation a en effet toujours maintenu sa supériorité relative en terme de crédits alloués, du moins entre 1970-1980, alors qu'il s'accapare de la moitié du budget de la coopération avec la France[59] (62,5% en 1970-1971,

Graphique 3.6

Évolution du nombre de moyens alloués par la Commission permanente de coopération franco-québécoise allant dans le sens Québec-France pour les années 1966 à 1990*

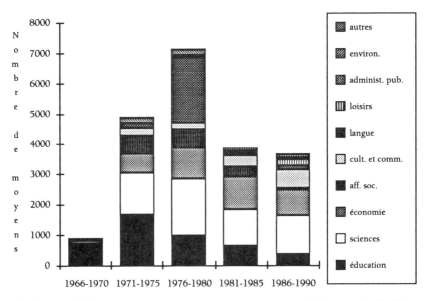

* Ici l'année 1990 est incluse parce que les moyens pour 1990 ont été décidés en 1989.

jusqu'à 64,7% en 1978-1979 et au minimum 47,9% de celui-ci en 1980-1981). Mais c'est l'enseignement supérieur qui s'accapara graduellement la majorité des ressources allouées à ce secteur. À lui seul, en effet, il était, déjà en 1977-1978, responsable de 30,1% de toutes les dépenses de coopération avec la France.

Il est étonnant de constater que le domaine de l'économie ne cesse de perdre de l'importance durant cette période. Alors que, pour l'année 1974-1975, il comptait pour 21,3% du budget de coopération, il glissait graduellement pour atteindre 13,1% en 1978-1979 et effectuer ensuite une légère remontée autour de 17%[60]. Quant au domaine culturel, il perd de l'importance pendant le mandat 1973-1976 du Parti libéral, passant en une année de 10,2% à 8,5% du budget de coopération[61], alors qu'en 1971-1972 il comptait pour 15,8% de l'ensemble.

Graphique 3.7

Évolution du nombre de moyens alloués par la Commission
permanente de coopération franco-québécoise allant
dans le sens France-Québec pour les années 1966 à 1990

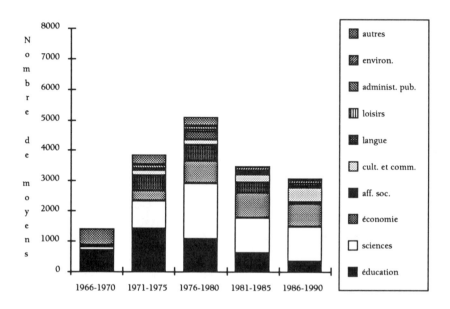

Sous le Parti québécois, il effectuera une remontée absolue et relative,
pour atteindre 23,1% de l'effort budgétaire de coopération en 1980-
1981.

Conclusion

Il ressort de cette première lecture des indicateurs sous l'angle des
domaines d'intervention que la politique du Québec à l'égard de la
France s'articule sur quatre grands axes. Le premier, général et donc
probablement politique, est à mettre dans une catégorie à part. Il s'agit
de cette dimension du comportement gouvernemental qui aborde les
relations franco-québécoises en elles-mêmes, pour ce qu'elles signifient dans leur ensemble, en dehors de fortes considérations sectorielles. Cet aspect ayant été traité dans la première partie du chapitre,
nous la mettrons de côté pour l'instant.

Le premier des trois autres grands axes est sans doute l'économie, toujours présente, mais qui prend une importance marquée à partir du second mandat du Parti québécois. Entre autres, on retrouve sur cet axe un secteur en expansion, celui du tourisme. On retrouve ensuite le secteur de l'éducation et de la science et celui de la culture et des communications. Finalement, en dehors de ces axes, car occupant une place particulière par rapport à l'articulation d'ensemble de la politique étrangère du Québec, l'immigration apparaît comme un domaine négligé par certains indicateurs, mais dont l'importance, par exemple au sein de la représentation québécoise à Paris, exige qu'on l'étudie de plus près.

Ces quatre domaines — l'économie, l'éducation, la culture et l'immigration — seront maintenant soumis à une analyse détaillée.

Le domaine de l'économie

Le contenu économique de la politique québécoise à l'égard de la France a considérablement varié au cours de la période étudiée. Il est d'abord possible de diviser cette dernière en deux sous-périodes fort différentes l'une de l'autre: avant et après 1974. Cette année, qui a donné lieu au voyage du Premier ministre en France et à la signature de l'entente Bourassa-Chirac, marque le début de la nouvelle politique française du gouvernement libéral de Robert Bourassa. Jusqu'alors, les intentions des gouvernements étaient pour le moins vagues, sauf en ce qui a trait à la recherche d'investissements étrangers. En 1969, un premier échange de lettre en matière de coopération économique était bel et bien intervenu entre les ministres Cardinal et Debré. Mais cette entente était plutôt exploratoire. Le libellé de l'entente Bourassa-Chirac annonce un effort beaucoup plus énergique et prévoit des secteurs et des mécanismes de coopération économique assez précis. Il annonce clairement la volonté du Québec: ce dernier «ne cherche plus l'implantation pure et simple d'entreprises étrangères, mais des accords industriels[62]» Par la suite, la préoccupation première des gouvernements sera de favoriser les échanges commerciaux et technologiques.

Cette coupure transparaît clairement dans la formulation des objectifs, 1974 et les événements se déroulant cette année-là donnant lieu à l'énonciation de pas moins de 17 objectifs classés dans le domaine économique, soit le quart de ceux-ci pour l'ensemble de la

période analysée. Alors que les objectifs ayant comme nature de favoriser les investissements français au Québec sont aux deux tiers (10
sur 16) regroupés dans la période 1963-1971, ceux visant à favoriser
les exportations québécoises sur le marché français se retrouvent pour
l'essentiel (8 sur 9) dans la période 1974-1985. De même, l'intention
de favoriser les transferts technologiques entre les deux sociétés se
retrouvent tous (10) dans cette période. Il semble donc que le second
gouvernement de Robert Bourassa ait donné une impulsion et une
direction à la politique économique du Québec à l'égard de la France
que les gouvernements ultérieurs ont maintenues.

Cette évolution s'explique d'abord par une tendance générale observable pour l'ensemble de la politique québécoise. Celle-ci réagit
sans doute à la baisse inquiétante de la part du Québec dans l'ensemble des exportations canadiennes. Celle-ci passe en effet de 30,8%
en 1968 à 17,34% en 1974. Dans ce contexte, la France, cinquième
partenaire commercial du Québec, peut sembler une partie de la solution, dans la mesure où le Québec maintient sa part entre 30 et 40%
des exportations canadiennes, avec des sommets dépassant les 40%, et
ce justement au milieu des années soixante-dix (44,1% en 1976). Il y
avait donc lieu d'espérer.

Quant aux investissements, le gouvernement réalise que les
attentes face à la France doivent être modérées et on assiste donc à la
fin des années soixante-dix au passage à une stratégie axée plus sur la
coopération entre petites et moyennes entreprises que sur la recherche
de gros investisseurs. Sont surtout visées, les associations rentables du
point de vue des transferts technologiques. Dans cette perspective, une
entente entre l'Agence nationale de valorisation de la recherche de
France et le ministère de l'Industrie et du Commerce du Québec est
signée en 1977, dans le but de favoriser les accords industriels entre
entreprises françaises et québécoises. Puis, en 1980, un centre de
promotion des coopérations technologiques et industrielles, doté de
deux sections, l'une à Montréal, l'autre à Paris, est créé par le biais
d'une entente[63]. Quelques années plus tard, en 1983, un conseiller
scientifique disposant d'un mandat industriel se joint à l'équipe des
conseillers économiques de la délégation de Paris.

Il n'est pas étonnant, dans ces circonstances, que le programme
«soutien au développement économique», à l'intérieur duquel on retrouve justement diverses initiatives s'adressant aux petites et
moyennes entreprises et qui vise à favoriser des contacts dans des

Tableau 3.3

**Répartition des moyens décidés par la Commission permanente
de coopération franco-québécoise dans le domaine
de l'économie selon les principaux secteurs
ou programmes pour les années 1969-1990**

Rang	Secteur ou programme	moyens
1	soutien au développement économique	1093
2	agriculture, agro-aliment., pêcheries	1079
3	recherche industrielle et innov. techno.	796
4	biotechnologies	559
5	énergie	523
6	forêts et industries du bois	463
7	géologie/mines	403
8	transports	325
9	eau (gestion)	238
10	informatique/robotique	134
11	tourisme	131
12	coopératives	67
13	gestion des entreprises	51
14	institutions financières	43
15	secteur manufacturier	38
16	développement régional	29
17	architecture	10
	autres et missions non ventilées	258
	Total	6240

secteurs susceptibles de bénéficier d'ententes industrielles ou commerciales, arrive en tête de notre compilation des moyens de coopération avec la France (voir tableau 3.3).

Il faut convenir que ces données demeurent relativement superficielles, dans la mesure où il faudrait décortiquer la catégorie «soutien au développement économique» afin de procéder à une analyse sectorielle rigoureuse. En attendant de bénéficier d'un tel travail, la compilation dont nous nous servons ici peut fournir des indications précieuses, car elle constitue un des rares moyens de constater une hiérarchie dans les secteurs d'activité économique faisant l'objet d'une volonté de coopération entre les deux gouvernements. Presque la totalité des moyens ainsi recensés sont de courte durée (missions de une à deux semaines). Elles donnent généralement lieu à des échanges plus intensifs dans le sens Québec-France que dans le sens France-Québec, sauf pour quatre secteurs (forêt, biotechnologies, informatique et robotique, recherche et innovation).

Le fait que le secteur agro-alimentaire obtienne le second rang est fort intéressant. Il y a là une intense collaboration qui ne transparaît ni dans le discours ni dans l'analyse de l'effectif. Jamais, en effet, un conseiller agricole n'a été nommé à Paris. Un des premiers secteurs, dès 1971, à faire l'objet d'un effort de coopération, maintient son intensité pendant l'ensemble de la période avec une remarquable stabilité, connaissant un sommet en 1980, avec 69 missions dans le seul sens Québec-France.

Il est intéressant de noter que les secteurs traditionnels, agriculture, forêts et mines, sont les premiers à démarrer avec une certaine intensité au milieu des années soixante-dix. Dans le cas de l'exploitation minière et dans celui de l'énergie, il s'agit de secteurs qui avaient été au cœur des discussions entre ministres français et québécois, lors de la visite de Raymond Barre en 1979[64]. Ils seront aussi tous les trois sujets de baisses considérables au cours des années quatre-vingt, alors que les nouveaux secteurs de pointe comme les biotechnologies et l'informatique et robotique font leur apparition. Ce sont ces secteurs, avec le transport, qui sont en voie de dominer les flux de coopération si la tendance constatée ces dernières années se maintient.

Il n'en reste pas moins qu'on retrouve encore l'agriculture, les pêches et l'alimentation en haut de la liste, au troisième rang. Il y a là manifestement un intérêt qui ne se dément pas. Que ce soit pour accompagner une délégation de producteurs à une foire agricole ou pour discuter de la question de la pêche française sur les bancs de Terre-Neuve, le ministre de l'Agriculture, des Pêches et de l'Alimentation semble fort actif dans les relations avec la France, de la même manière que son ministère occupe une place importante au sein de la coopération franco-québécoise.

Le tourisme est un autre secteur économique négligé par le discours des premiers ministres et ministres responsables de la coordination de la politique internationale du gouvernement (un seul objectif énoncé), mais qui n'en demeure pas moins très important en terme de ressources accordées. En effet, la délégation de Paris possède un important service touristique qui emploie une six employés réguliers. Le tourisme est en outre un secteur de coopération en progression au sein des programmes de la Commission de coopération et arrive au cinquème rang des visites ministérielles ayant un objectif économique. Pendant la période étudiée, le nombre de touristes français venant au Québec a été multiplié par huit. Et cette croissance a été particulièrement forte au cours des cinq dernières années couvertes. La France représente aujourd'hui le deuxième marché touristique du Québec après les États-Unis. Le Québec a accueilli la majorité des Français qui visitent le Canada, mais cette part a diminué lorsque, au début des années soixante-dix, le nombre d'entrées de touristes en provenance de la France s'est mis à croître rapidement. À la fin des années soixante, plus de 80% des touristes français choisissaient en effet le Québec comme point d'arrivée au Canada alors que depuis les chiffres oscillent entre 60% et 65%[65]. Le gouvernement prévoyait, pour 1988, 100 millions de dollars de retombées économiques dues au tourisme français au Québec[66]. L'intérêt du gouvernement pour ce secteur transparaît aussi dans les thèmes de l'OFQJ. Le tourisme figure en effet au rang des secteurs priorisés dans l'organisation de stages de jeunes Québécois en France.

Il est assez difficile de connaître la part des programmes d'aide à l'exportation et de promotion des investissements qui est réservée à la France au long de la période. Pour ce qui est des dernières années couvertes cependant, on note que la part relative du nombre de projets financés dans le cadre du programme APEX (aide à l'exportation) qui ont la France comme marché cible est assez faible. Elle ne serait que de 7,3% et 7,0% pour les années financières 1989-1990 et 1990-1991 (32 projets sur 441 en 1989-1990 et 33 projets sur 473 en 1990-1991)[67]. Il faut bien dire qu'il s'agit de projets qui s'ajoutent à ceux qui s'effectuent dans le cadre de la coopération régulière. Un autre programme, visant à favoriser la visite d'acheteurs étrangers, a donné lieu, selon le rapport annuel de 1988-1989 du MAI, au financement de 18 projets visant des acheteurs français, comparativement à 131 par exemple, dans le cas des acheteurs étatsuniens.

Pour ce qui est des initiatives gouvernementales visant la prospection d'investissements, les chiffres du ministère de l'Industrie, du

Commerce et de la Technologie pour 1989-1990, montrent que la France a été cette année-là la cible de 9 missions de prospection (sur un total de 57), tandis que 6 groupes d'investisseurs français étaient reçus (sur un total de 35 groupes)[68].

Même si le marché français occupe une place marginale dans une politique économique extérieure du Québec dominée par la cible états-unienne, il semble que les efforts du gouvernement québécois pour faire une place à l'économie dans sa politique à l'égard de la France ne soient pas négligeables. D'abord dominée par une stratégie visant à attirer sur le sol québécois de gros investisseurs français, la politique économique française du Québec s'est orientée vers une valorisation des contacts et des échanges entre PME françaises et québécoises dans des secteurs susceptibles de donner lieu à diverses formes de partenariat rentables, du point de vue des transferts technologiques, des échanges commerciaux ou des investissements. Les secteurs ainsi privilégiés ont surtout été jusqu'à maintenant ceux des biotechnologies, de l'agro-alimentaire, des transports, du tourisme, des forêts et de l'énergie. On remarque par ailleurs qu'un transfert s'est effectué, au cours de la période étudiée, par lequel les industries à fort contenu technologique ont été priorisées aux dépens de celle du secteur primaire. Pour ce qui est du secteur des services, c'est principalement le tourisme qui a attiré l'attention des décideurs gouvernementaux.

Le domaine de la culture et des communications

Les 41 objectifs classés dans le domaine culturel se répartissent pour l'essentiel, selon les 3 grands secteurs que comprend cette catégorie: 12 d'entre eux visaient à favoriser le développement de la langue française, 10 concernaient les échanges culturels en général, 7 le développement des communications internationales. Huit autres étaient formulés de manière générale. Ces objectifs sont répartis sur l'ensemble de la période étudiée, sans qu'il soit véritablement possible d'associer certaines formes spécifiques d'objectifs à des mandats gouvernementaux. La seule coupure dans le temps concerne les objectifs touchant spécifiquement la langue, dans la mesure où, absents jusque-là du discours à l'égard de la France, ils apparaissent en force au début des années soixante-dix. Malgré cette uniformité d'ensemble apparente dans le discours, il semble bien que les relations culturelles entre le Québec et la France aient subi des variations importantes. C'est du moins ce que suggèrent les autres indicateurs de l'activité gouvernementale québécoise. On verra plus loin comment la poussée donnée par les échanges dans le secteur de la terminologie a, dans la deuxième moitié des années soixante-dix, donné un élan remarquable aux échanges culturels. Mais, ce programme terminé, la coopération a grandement diminué.

Georges Cartier et Lucie Rouillard[69] démontrent dans leur étude à quel point la France domine les relations culturelles internationales du Québec avec 43% des ressources consacrés à ces activités[70]. Ce qui place la France au premier rang des cibles culturelles du Québec, loin devant les États-Unis, qui occupent la seconde place avec environ 10% des montants recensés.

C'est l'entente-cadre de novembre 1965, signée par Pierre Laporte, qui introduit le domaine de la culture aux mécanismes de coopération mis en place par l'entente de février 1965. Visant une coopération dans les domaines de la langue et des échanges artistiques en général, elle permettra de coordonner l'ensemble de la coopération culturelle pour les 25 années suivantes. D'autres ententes seront cependant nécessaires, afin de coordonner les efforts des deux gouvernements dans des secteurs pas ou mal couverts par cette entente. Surtout dans le cas de l'audiovisuel.

Il s'avère difficile de présenter ici une ventilation exacte de l'ensemble des 5985 moyens de coopération que nous avons recensés pour la période 1965-1991 pour le domaine de la culture, des communications et de la langue. Cela à cause principalement des modifications aux programmes qui rendent difficile à suivre, pour certaines années, l'évolution d'un secteur particulier. Quelques considérations générales peuvent néanmoins être tirées de l'examen des données que nous possédons. D'abord, il est possible d'isoler le secteur linguistique. C'est d'ailleurs le plus important avec 3026 des moyens accordés (50,6%). Majoritairement, il s'agit de moyens visant des stages de terminologie de Québécois en France, accordés dans le cadre de l'entente Bourassa-Chirac, et qui ont été accordés pour la période 1976-1980. Ensuite, il est possible de dégager certaines tendances de l'analyse des autres moyens. On remarque que ce sont les arts d'interprétations qui ont surtout bénéficié des programmes culturels de la Commission. Significativement, ces derniers ont été en partie traités, à partir du milieu des années quatre-vingt, dans le cadre du programme «industries de la culture». Lequel, devient alors le plus important du domaine. Viennent ensuite les échanges de journalistes, du milieu des années 1970 au milieu des années 1980, et la coopération dans le secteur des télécommunications et des technologies de l'information, surtout depuis le milieu des années quatre-vingt.

Cette transition, dont nous venons de parler, vers un traitement de l'activité culturelle en tant qu'industrie, modifie passablement le portrait de la politique culturelle du gouvernement à l'égard de la France. Par exemple, il devient de plus en plus difficile de distinguer la politique culturelle de la politique commerciale. Signe évident de ce nouvel amalgame, l'entente de 1985 entre l'Institut français pour le financement du cinéma et des industries culturelles et deux sociétés québécoises, la Société de développement des industries de la culture et des communications et la Société générale du cinéma[71]. Couvrant les domaines du cinéma et de l'audiovisuel, du disque, du livre et des nouvelles technologies, elle prévoit une collaboration entre les deux gouvernements pour le financement de projets de coproductions privées. Une analyse du contenu des visites que les ministres responsables de la culture et des communications effectuent en France démontre aussi que celles-ci sont de plus en plus étroitement liées à des questions d'exportations des produits et du savoir-faire québécois. On pense ici au soutien que l'État a accordé au secteur privé afin qu'il puisse profiter, dans les années quatre-vingt, du retard français en matière de cablôdistribution (au moins deux déplacements ministériels), et au soutien à l'effort de mise en marché des produits culturels québécois, en particulier le cinéma (au moins trois visites de ministres au cours des seules deux dernières années couvertes)[72].

On peut donc dire que, mises à part les fluctuations dues aux programmes linguistiques, le domaine de la culture s'est développé graduellement tout au long de la période étudiée. Ce développement semble largement tributaire du fait de l'association des activités culturelles à des considérations commerciales. La culture en tant qu'industrie est définitivement devenue un domaine privilégié de la politique du Québec à l'égard de la France.

Le domaine de l'éducation et de la science (recherche)

La grande majorité des objectifs identifiés dans le discours et tombant dans cette catégorie concernent les échanges dans le domaine de l'éducation et de la jeunesse. Seulement cinq sur trente-six touchent spécifiquement les échanges scientifiques, dont quatre ont été énoncés pendant la seule année 1974. Pour ce qui est des visites classées dans le domaine éducation/science/jeunesse, aucune ne concerne la science spécifiquement. Douze d'entre elles tombent résolument dans la catégorie «éducation», tandis que dix autres concernaient plus spécifiquement le domaine de la jeunesse et des loisirs[73]. Pourtant, dans les faits, comme nous l'avons constaté plus haut, la recherche scientifique est devenue au fil des ans le plus important secteur de coopération entre les deux gouvernements. Même si elle a connu un essoufflement au milieu des années quatre-vingt, en raison surtout des difficultés financières du gouvernement français à cette époque, la coopération scientifique domine l'effort de coopération franco-québécois depuis le milieu des années soixante-dix.

À la suite de l'entente Fouchet-Gérin-Lajoie de 1965, ce sont d'abord les échanges d'enseignants qui connurent une croissance rapide. Au début des années soixante-dix, plus de 200 enseignants participaient chaque année à ce programme dans chacun des deux systèmes d'éducation. Au même moment, pas moins de six conseillers œuvraient à la Délégation dans le secteur de l'éducation. Il ne reste plus, en 1988-1989, qu'un conseiller en éducation en poste à Paris. Le nombre des échanges a ensuite chuté constamment et il n'y a plus qu'une douzaine d'échanges de ce type qui ont lieu aujourd'hui. En cours de route, on a ajouté des programmes d'échanges touchant la formation permanente, technique et professionnelle et les technologies de l'enseignement qui, ensemble, ont donné lieu à plus de 2000 échanges au cours de la période 1965-1990.

Ensuite, ce fut la création de l'OFQJ pour l'entente de 1968[74] qui organisa en moyenne pour les jeunes 1000 stages au Québec chaque année. Ces chiffres atteignirent même 1500 à la fin des années soixante-dix. La moyenne de stages a été maintenue dans les années quatre-vingt, malgré une baisse des budgets suite à une diminution des prestations payées aux stagiaires.

Comme nous l'avons vu, la coopération en matière de science et d'enseignement supérieur a pris rapidement le dessus sur l'enseignement primaire et secondaire. Et, à l'intérieur de cet ensemble, les échanges universitaires, regroupés sous «enseignement supérieur et recherche», sont ceux qui ont reçu le plus d'attention (voir le graphique 3.8).

Graphique 3.8

Répartition des moyens alloués dans le secteur de l'enseignement supérieur et de la recherche par la Commission permanente de coopération franco-québécoise pour les années 1965 à 1990*

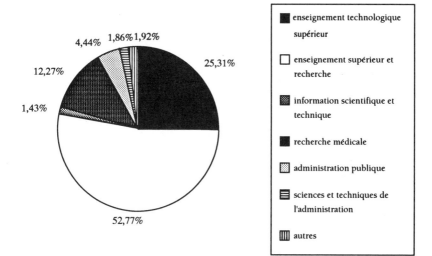

* OFQJ non incluse

Il est difficile d'évaluer l'impact qu'a eu cet effort sur la production scientifique au Québec et en France. Il n'en demeure pas moins, comme une récente étude sur la cosignature internationale d'articles par des chercheurs québécois le montre, que la France se maintient au second rang des partenaires scientifiques du Québec avec environ 20% des coopérations scientifiques internationales. Dans le sens inverse, le Québec «compte pour moins de 3% de la coopération scientifique française: cet indice est cependant supérieur à celui que la France enregistre avec le Japon, la Belgique, la Suède et situe le Québec au rang des Pays-Bas[75]».

En résumé, l'enseignement primaire et secondaire a constamment perdu de son importance, au profit de l'enseignement supérieur et de la recherche, dans la mise en œuvre de la politique française du Québec. Le secteur des échanges de jeunes a, quant à lui, conservé un volume de coopération impressionnant. Malgré tout, on s'aperçoit que, dans l'ensemble, les moyens alloués ont diminué et, si les volumes de coopération se maintiennent, cela est dû au fait que la durée et les coûts des activités ont été passablement réduits.

Le domaine de l'immigration

L'immigration est un domaine d'intervention extérieure de l'État québécois qui prend beaucoup d'importance, malgré le fait qu'il n'en est pratiquement jamais question dans les interventions du ministre responsable des relations extérieures du gouvernement. Il faut comprendre la signification du contrôle des flux migratoires comme instrument d'exercice de la politique extérieure d'un État. Pour s'en convaincre, il est utile de se rappeler la position intransigeante du gouvernement fédéral lorsque, à la faveur de la politique de «souveraineté culturelle» de Robert Bourassa, la question de pouvoirs du Québec en matière de sélection des immigrants a été soulevée[76]. Dans le cas de la France, un des principaux pays d'origine des immigrants choisissant le Québec comme nouveau lieu de résidence, nous n'avons relevé que trois objectifs concernant spécifiquement l'immigration, tous trois énoncés en 1968. Évidemment, cela est probablement attribuable au fait que l'immigration est le seul secteur d'intervention n'ayant pas fait l'objet d'un effort de centralisation sous l'autorité du MAI. La responsabilité d'énoncer des objectifs demeure donc celle du ministre de l'Immigration. Cela n'explique cependant pas tout, et il est intéressant de noter la relative autonomie de la politique d'immigration par rapport à l'ensemble de la politique étrangère, particulièrement dans son articulation spécifique à une cible particulière. Nous n'avons relevé que huit visites ministérielles concernant des questions d'immigration, dont cinq ont eu lieu durant les deux mandats libéraux de la période 1970-1976.

Dans le cas de la France, il semble que cette tendance soit en train de changer. Ce qui est probablement la conséquence d'une réorientation de la politique d'immigration du gouvernement qui déplace ses priorités en matière de préoccupations économiques et humanitaires vers le souci d'intégration des immigrants à la communauté linguistique francophone[77]. Signe des temps, le dernier énoncé de politique internationale du gouvernement, en discutant des perspectives pour la délégation de Paris, exprime spécifiquement cette préoccupation d'augmenter la part d'immigrants francophones, alors que dans celui de 1985 du Parti québécois il n'en était pas question.

Comme on l'a vu plus haut, le mandat de la délégation de Paris en matière d'immigration est très important. On compte en effet cinq professionnels responsables du secteur immigration en 1988-1989. Ce nombre a déjà été de sept en 1979-1980 et on peut prévoir qu'il augmentera dans les années à venir. L'énoncé de politique en matière d'immigration que le gouvernement a rendu public en 1990 prévoit en effet l'augmentation des ressources consacrées aux services d'immigration à l'étranger couvrant des bassins francophones[78].

L'enjeu est de taille. L'immigration française au Québec, qui constituait, à la fin des années 1960, presque 20% de l'immigration totale de la province, a subi une chute impressionnante qui n'a été contenue que récemment. En 1988, la France reprenait en effet le premier rang des pays de dernière résidence des immigrants s'installant au Québec, avec 7,52% du total. Le Québec exerce aussi, comme on peut le constater, un pouvoir d'attraction relativement important sur les immigrants français s'installant au Canada.

En 1989, le Québec signait avec la France une première entente en matière d'immigration concernant spécifiquement l'exercice de son pouvoir de sélection des immigrants. Par cette entente, le Québec déclare son intention de faire appel à l'immigration française afin d'augmenter l'immigration francophone et de parer un éventuel déficit démographique. La France s'engage pour sa part à collaborer avec le Québec dans son effort de mise en œuvre de cet objectif. Ce qui est fort significatif des intentions du gouvernement quant à la manière dont il entend exercer ces pouvoirs et de l'importance de la France au sein de la nouvelle politique d'immigration du Québec.

Conclusion

La présentation qui vient d'être faite de l'évolution de la politique du gouvernement québécois à l'égard de la France a permis, dans un premier temps, de mesurer quantitativement et qualitativement l'importance des rapports Québec-France, au sein de la politique extérieure québécoise dans son ensemble. Malgré le fait que la diversification des intérêts du Québec à l'étranger ait entraîné une certaine relativisation de la place qu'occupe la France dans l'espace international québécois, elle demeure, encore aujourd'hui, au cœur de la configuration historique et stratégique sur la base de laquelle s'est institutionnalisée l'aspiration de tous les gouvernements qui se sont succédés à Québec depuis la Révolution tranquille, à la poursuite d'une action internationale relativement autonome. L'intérêt que portent les gouvernements du Québec à la France varie néanmoins. On a constaté que ces variations peuvent généralement être associées à la présence de plusieurs facteurs. Entre autres, on a constaté que la quantité et la qualité des relations entre Québec et Paris dépendent beaucoup de l'attitude des dirigeants français envers le Québec — en particulier de celles du premier ministre et du président —, du type de rapports qu'entretiennent Québec et Paris avec Ottawa et des priorités internes générales du gouvernement.

L'analyse sectorielle des rapports franco-québécois a ensuite permis de mesurer l'évolution de la forme que les gouvernements ont voulu donner aux relations avec Paris. À ce chapitre, on a constaté que les efforts gouvernementaux ont progressivement favorisé le domaine de l'économie et de la recherche universitaire. À tel point qu'il semble que l'importance relative du domaine de la culture tienne en fait à la mise en valeur de ses attributs commerciaux et industriels. Cette importance accordée aux questions économiques, lorsqu'analysée à la lumière de la répartition géographique des initiatives subventionnées par l'État dans le cadre de ses programmes d'expansion des marchés et de prospection d'investissements étrangers, laisse croire qu'il s'agit d'un facteur qu'entraînera une relativisation plus grande de la France dans l'ensemble de la politique étrangère québécoise. Celle-ci peut être compensée cependant par l'importance grandissante de deux domaines de politique étrangère, au Québec comme ailleurs. D'abord celui de la coopération scientifique, cruciale dans la nouvelle compétition internationale, et qui semble bien engagée entre la France et le Québec. Ensuite, celui de l'immigration, par lequel il semble que le gouvernement soit prêt à accorder les ressources nécessaires, afin d'attirer au Québec une plus grande part d'immigrants à la fois francophones et qualifiés.

Notes

*   L'auteur tient à remercier tous les auxiliaires de recherche du CQRI pour leur collaboration tout au long de la recherche qui a conduit à la rédaction de ce chapitre. Plus particulièrement, il tient à souligner la précieuse collaboration de Jean Touchette au traitement des données et à la recherche documentaire. Jean Touchette, Thomas Tessier et Yves Saint-Germain ont participé à la saisie des données sur la coopération franco-québécoise. Cette recherche n'aurait pu être réalisée sans la collaboration de plusieurs fonctionnaires du MAI, en particulier ceux de la Direction générale France et du Bureau des ententes internationales. Qu'ils en soient remerciés.

1. Sur la décolonisation et ses conséquences sur le régime international de la souveraineté, voir Robert M. JACKSON, *Quasi-States: Sovereignty, International Relations and the Third World*, Cambridge, Cambridge University Press, 1990.

2. En fait, le découpage proposé ne respecte pas exactement la succession des mandats, étant donné que nous traitons en bloc les deux mandats de Jean Lesage et que nous traitons séparément les gouvernements de Daniel Johnson et de Jean-Jacques Bertrand.

3. Des contacts officiels entre la France et le Québec ont existé avant cette date, mais sans qu'il y ait continuité. Voir Louise BEAUDOIN, «Origines et développement du rôle international du gouvernement du Québec», dans Paul PAINCHAUD, dir., *Le Canada et le Québec sur la scène internationale*, Québec/Montréal, Centre québécois de relations internationales/Presses de l'Université du Québec, 1977, pp. 441-470 et Jean HAMELIN, «Québec et le monde extérieur: 1867-1967», *Annuaire du Québec 1968*, 1968, pp. 2-36.

4. Jean LESAGE, *Discours devant la Chambre de commerce des jeunes du District de Montréal*, Montréal, 12 mars 1966.

5. Nous remercions Michel Marcotte qui a procédé à cette analyse, avec l'aide de Daniel Marier, pour les fins de son mémoire de maîtrise.

6. L. BEAUDOIN, *op. cit.*, p. 166.

7. Voir Paul GÉRIN-LAJOIE, *Allocution du ministre de l'Éducation, M. Paul Gérin-Lajoie, aux membres du corps consulaire de Montréal*, Montréal, 2 avril 1965.

8. Voir Claude MORIN, *L'Art de l'impossible: la diplomatie québécoise depuis 1960*, Montréal, Boréal, 1987, pp. 46-62. L'échange de lettres tenant lieu d'accord-cadre France-Canada est reproduit dans Claude MORIN, *Le pouvoir québécois de négociation*, Québec, Boréal Express, 1972, p. 71.

9. Les sources utilisées pour couvrir cette période étant fragmentaires, il faut manier ces chiffres. Il se peut fort bien que l'attention portée aux relations avec la France par les commentateurs de cette époque explique une telle concentration.

10. Christopher MALONE, *La politique québécoise en matière de relations internationales: changements et continuités (1960-1972)*, Ottawa, Université d'Ottawa, mémoire de maîtrise (science politique) non publié, p. 286.

11. Alfred GROSSER, *Affaires extérieures: la politique de la France, 1944-1989*, Paris, Flammarion, 1989, pp. 180-229.

12. Nous ne nous attarderons pas sur les différentes manifestations de la «guerre des drapeaux» qui ont été largement commentées par Claude MORIN, *op. cit.*, et André PATRY, *Le Québec dans le monde*, Montréal, Leméac, 1980, entre autres.

13. Voir la description de l'«Affaire Lipkowski», par André DONNEUR, «Les relations franco-canadiennes: des péripéties à la substance», *La politique étrangère de la France*, Québec, CQRI, collection choix, n° 16, 1984, pp. 93-94.

14. *Ibid.*, p. 291.

15. C. MALONE, *op. cit.*, pp. 186-195.

16. Québec, MINISTÈRE DES RELATIONS INTERNATIONALES, *Recueil des ententes internationales du Québec*, Québec, ministère des Communications, 1984, pp. 12-14.

17. Voir André PATRY, *op. cit.*, p. 105.

18. Les avis divergent sur l'impact qu'a pu avoir la nomination de Marcel Masse au poste de ministre des Affaires intergouvernementales. Pour C. MALONE, *op. cit.*,

pp. 205-206, le jeune ministre mena une politique «activiste». Selon Tétrault, les nombreuses responsabilités de Masse (Affaires intergouvernementales, Office de la planification et Fonction publique) ne lui permettaient pas de s'occuper activement des relations internationales (voir André TÉTRAULT, *Le ministère des Affaires intergouvernementales: sa création, sa structure et son fonctionnement*, Dissertation, MAI, Université d'Ottawa, 1972, p. 92).

19. C. MORIN, *op. cit.*, p. 93.
20. Dale C. THOMSON, *De Gaulle et le Québec*, Québec, Édition du Trécarré, 1990, pp. 365-366.
21. Voir le commentaire de Daniel MOLGAT, dans *La politique étrangère de la France, op. cit.*, p. 103.
22. Voir A. PATRY, *op. cit.*, p. 132 et C. Malone, *op. cit.*, pp. 228-235.
23. Shiro NODA, *Les relations internationales du Québec de 1970 à 1980: comparaison des gouvernements Bourassa et Lévesque*, thèse de doctorat non publiée, Département d'histoire, Université de Montréal, 1988, p. 108.
24. Voir C. MALONE, *op. cit.*, p. 37 et S. NODA, *ibid.*, p. 115.
25. S. NODA, *ibid.*, pp. 114-115.
26. C. MALONE, *op. cit.*, p. 37.
27. En fait, la question de la présence de l'Ambassadeur canadien aux différents moments de la visite de Bourassa créa au sein de l'administration québécoise certaines tensions internes révélatrices de l'évolution du processus d'élaboration de la politique étrangère québécoise (voir Claude MORIN, *Mes premiers ministres*, Montréal, Boréal, 1991, pp. 428-431).
28. Shiro Noda affirme dans sa thèse, pp. 115-116 et 201, que les intentions ministérielles ne se sont pas traduites par des coupures réelles dans le budget et l'effectif de la délégation de Paris. Cependant, Noda fonde son affirmation sur une compilation de l'effectif du seul ministère des Affaires intergouvernementales et non pas de l'ensemble de l'effectif de la délégation. De plus, son appréciation de l'évolution du budget de la délégation est fondée sur une compilation des crédits alloués à ce ministère et non pas des dépenses réelles.
29. Voir L. Beaudoin, *op. cit.*, p. 166.
30. *Id.*, et S. NODA, *op. cit.*, p. 289.
31. Voir C. MORIN, *op. cit.*, pp. 382-383 et 444.
32. MINISTÈRE DES AFFAIRES INTERGOUVERNEMENTALES, *Recueil des ententes internationales du Québec, 1984-1989*, Québec, Les publications du Québec, pp. 737-743.
33. ASSEMBLÉE NATIONALE, *Journal des Débats*, 30ᵉ législature, 3ᵉ session, 27 mai 1975, p. B-3753.
34. Chiffres compilés par S. NODA, *op. cit.*, p. 297.
35. Cité dans Gabrielle MATHIEU, *Les relations franco-québécoises de 1976 à 1985*, Ottawa, Université d'Ottawa, mémoire de maîtrise (science politique) non publié, 1991, p. 65.
36. C. MORIN, *op. cit.*, pp. 262-265.
37. MINISTÈRE DES RELATIONS INTERNATIONALES, *Recueil des ententes internationales du Québec*, Québec, ministère des Communications, 1984, pp. 76-77 et Québec, MINISTÈRE DES AFFAIRES INTERGOUVERNEMENTALES, *Rapport annuel 1978-1979*, Québec, Éditeur officiel du Québec, 1980, p. 42.

38. Voir la compilation de S. Noda, *op. cit.*, pp. 297 et 459.
39. Voir Québec, *Le virage technologique. Programme d'action économique 1982-1986*, Québec, Direction générale des publications gouvernementales, 1982.
40. Ministère des Relations internationales, *Le Québec dans le monde ou le défi de l'interdépendance. Énoncé de politique de relations internationales*, Québec, Gouvernement du Québec, 1985, p. 150.
41. *Ibid.*, p. 158.
42. C. Morin, *op. cit.*, p. 435.
43. Voir G. Mathieu, *op. cit.*, pp. 137-138.
44. *Ibid.*, p. 135.
45. *Ibid.*, p. 102.
46. Cette analyse qualitative est faite sur la base d'une compilation des discours du même type que celle entreprise dans le cadre de l'analyse quantitative de la période 1961-1985.
47. Voir Harvey Enchin, «Quebec-France relationship takes on more commercial tone», *The Globe and Mail*, 27 avril 1987, p. B-11
48. Hélène Galarneau, «Chroniques des relations extérieures du Canada et du Québec», *Études internationales*, vol. xvii, n° 2, juin 1986, pp. 430-431.
49. Ces données ont été fournies par la Direction générale France. Ils ne tiennent pas compte des subventions que verse le mai à l'ofqj.
50. Brigitte Morissette, «25 ans de relations franco-québécoises : est-ce enfin l'heureux mariage à trois?», *La Presse*, 10 janvier 1987, p. 8.
51. Ministère des Affaires intergouvernementales, *Recueil des ententes internationales du Québec, 1984-1989*, Québec, Les publications du Québec, pp. 721-724.
52. Le mcci a la responsabilité, en plus de l'immigration, d'administrer les ententes internationales du Québec en matière de sécurité sociale, ce qui représente une large part de l'effort du gouvernement dans le domaine de la mobilité des personnes. De plus, ce ministère administre le Fonds d'aide aux réfugiés (auparavant «Fonds d'aide aux sinistrés») pour le gouvernement.
53. Il s'agit de l'accord signé avec l'Association pour l'organisation des stages en France. Du point de vue de l'organisme français, il s'agit bien d'un «programme de coopération technique» prévoyant des échanges entre ingénieurs, techniciens et industriels. Paul Gérin-Lajoie, alors ministre de la Jeunesse, tint cependant à préciser que l'objet de l'accord était «d'effectuer des échanges de personnes *de toutes disciplines* [...] dans la perspective du progrès technique, scientifique et économique», Ministère des Relations internationales, *op. cit.*, pp. 1 et 2. (L'italique est de nous). Malgré cette ambiguïté, considérant la nature des activités de l'astef, on doit classer cette entente dans la catégorie «économie».
54. L'indicateur utilisé dans l'analyse des flux de coopération, le nombre de moyens, correspond au type de quantification utilisée par la Commission permanente au cours de ses travaux. Les données utilisées dans ce chapitre sont le fruit d'une compilation systématique des tableaux de moyens annexés aux procès-verbaux de la Commission. Ces derniers nous ont été rendu accessibles grâce à la collaboration du Bureau des ententes du mai. Nous profitons de l'occasion pour remercier son directeur, monsieur Marcel Cloutier. La Commission décidant des moyens qu'elle accorde pour l'année suivante à la fin de chaque année, nous

avons classé les moyens décidés selon l'année de réalisation et non de décision. On ne peut garantir que les moyens décidés ont été effectivement réalisés. Selon les responsables de la Direction générale France, cependant, le taux de réalisation a toujours été très élevé, soit au-dessus de 80%. Afin de faciliter leur compilation, les moyens ont été classés en deux grandes catégories: les «courte durée» (3 semaines et moins) et les «moyenne et longue durée» (un mois et plus). On trouvera en annexe (en fin de volume) une liste des catégories d'activités et de programmes recensés. Ceux-ci ont été regroupés afin de dégager une répartition par domaine. Étant donné la difficulté de suivre d'année en année les programmes de coopération, il est évident que notre compilation n'est pas parfaite. Nous croyons néanmoins qu'elle permet de dégager avec une précision jamais atteinte à ce jour, les grandes priorités sectorielles de la coopération. Pour une description synthétique des grands domaines de coopération, on peut se référer à: MINISTÈRE DES AFFAIRES INTERGOUVERNEMENTALES, *La coopération franco-québécoise*, Québec, Direction générale de la coopération internationale, 1976.

55. Les stages de l'Office franco-québécois pour la jeunesse ne sont pas inclus dans cette compilation d'ensemble parce qu'ils ne figurent pas dans la liste des moyens accordés par la Commission. L'OFQJ coordonne des stages dans plusieurs domaines, en suivant généralement les priorités de l'ensemble de la coopération. En ce sens, elle a un effet multiplicateur.

56. Ne comprend pas la recherche dans le domaine médical, que l'on retrouve dans la catégorie sciences.

57. Ne comprend pas les écoles supérieures d'administration publique, que l'on retrouve dans la catégorie science.

58. Nous nous servons ici des organigrammes budgétaires compilés par S. Noda, *op. cit.*, pp. 289-292 et 450-453, ainsi que les chiffres de L. Beaudoin, *op. cit.*, p. 166, OFQJ non compris.

59. Nous ne tenons pas compte des subventions aux collèges français Stanislas et Marie-de-France.

60. Commission permanente et ACTIM-MAIQ.

61. Le secteur du livre, à l'époque classé dans les autres domaines, est ici pris en compte.

62. MINISTÈRE DES AFFAIRES INTERGOUVERNEMENTALES, *op. cit.*, p. 741.

63. MINISTÈRE DES RELATIONS INTERNATIONALES, *op. cit.*, p. 115.

64. Gabrielle MATHIEU, *op. cit.*, pp. 75-77.

65. Dominion Bureau of Statistics (catalogue #66-201) et Statistique Canada (catalogue #66-001).

66. Marcel BERGERON, *Évaluation du réseau de représentation du Québec à l'étranger. Rapport synthèse présenté au ministre des Affaires internationales par monsieur Marcel Bergeron*, Gouvernement du Québec, ministère des Affaires internationales, 1988, p. 60.

67. MAI, «Programme APEX. Demandes acceptées par volet et les budgets engagés selon les directions géographiques», 1989-1990 et 1990-1991, document interne, MAI.

68. MINISTÈRE DE L'INDUSTRIE, DU COMMERCE ET DE LA TECHNOLOGIE, *Rapport annuel 1989-1990*, Québec, Gouvernement du Québec, 1990.

69. Voir Georges Cartier et Lucie Rouillard, *Les relations culturelles internationales du Québec*, Québec, cepac/enap, 1984. Les données utilisées pour cette étude ne couvrent que l'année financière 1981-1982.

70. Les auteurs proposent en fait le chiffre de 56,3%, mais leur définition du secteur culturel inclut, contrairement à la nôtre, le domaine de l'enseignement et de la recherche. Puisque les sommes concernant ce domaine sont dûes à 94% aux subventions que le gouvernement québécois verse aux collèges Stanislas et Marie-de-France, nous avons soustrait, pour les fins de notre calcul, le montant de ces subventions du grand total et du total attribué à la France. C'est ainsi que nous obtenons un résultat relativement inférieur à celui des auteurs.

71. Lesquelles deviendront la Société générale des industries culturelles en 1988.

72. Notons à ce titre que ce n'est pas le mai qui, en 1988, a accueilli la Direction des industries culturelles de feu le ministère du Commerce extérieur et de la Technologie, mais bien la Société générale des industries culturelle (sogic), dont les Services extérieurs financent diverses activités d'aide à l'exportation dirigées en grande partie vers le marché français, telles que la participation de sociétés et d'organismes québécois aux marchés internationaux annuels du disque et de l'édition musicale (midem), de la télévision (mip-tv). Société générale des industries culturelles, *Rapport d'activités 1988-1989*, p. 41 et *Rapport d'activités 1989-1990*, p. 70.

73. Une visite n'a pu être rattachée à un sous-domaine particulier.

74. Ministère des Relations internationales, *op. cit.*, pp. 15-17.

75. Jean Gagné et Michel Leclerc, «La coopération scientifique internationale du Québec», *Nouvelles de la Science et de la technologie*, vol. 9, n° 2, 1991, pp. 134-135.

76. S. Noda, *op. cit.*, pp. 135-139.

77. Ministère des Communautés culturelles et de l'Immigration, *Au Québec pour bâtir ensemble. Énoncé de politique en matière d'immigration et d'intégration*, Québec, 1990.

78. *Ibid.*, p. 30.

Chapitre 4

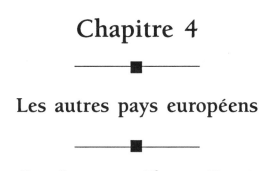

Les autres pays européens

Guy GOSSELIN et Thomas TESSIER

L es relations internationales du Québec ont d'abord et avant tout été axées sur la France et la Francophonie, nous rappellent toutes les études qui en traitent. L'importance singulière et constante de la France à cet égard est exposée dans un chapitre distinct. En conséquence, c'est le reste de l'Europe qui est l'objet du présent chapitre qui traitera principalement de l'Europe de l'Ouest, réservant les dernières pages à l'Europe de l'Est. Mais auparavant, il faut rappeler ce qu'a été l'Europe d'après-guerre pour le Canada et faire état de ce que l'on a déjà écrit sur les rapports du Québec avec l'Europe.

L'Europe d'après-guerre et le Canada

La division de l'Europe en 1947 marque l'apparition d'un système international bipolaire opposant les deux blocs, l'Est et l'Ouest, formés autour de deux superpuissances mondiales. Cette rivalité va conditionner, fondamentalement mais avec une intensité variable, l'ensemble des relations internationales jusqu'à l'aube des années quatre-vingt-dix. L'évolution générale de l'Europe se confond ainsi avec celle des rapports Est-Ouest. Cette dernière a d'abord pris la forme d'une guerre froide, particulièrement dans les années cinquante. Une période de détente a ensuite caractérisé les années soixante et soixante-dix. Puis une nouvelle période de tension s'est instaurée à la fin des années soixante-dix avant le grand dégel de la fin des années quatre-vingt.

Jusqu'à aujourd'hui, chacune des deux parties de l'Europe divisée a connu une évolution particulière. L'Europe de l'Ouest se reconstruit et se développe remarquablement. Elle le fait notamment en se dotant dès 1948-1949 de nombreuses institutions qui favorisent la coopération multilatérale en matière politique, de sécurité et, surtout, économique (Conseil de l'Europe, UEO, OTAN, OECE). Alors que ces diverses organisations traduisent un mode traditionnel de coopération inter-gouvernementale, l'initiative que représentait le plan Schuman en 1950 allait produire un type de coopération plus restreint et plus intense, dont l'impact sur l'Europe et sur le reste du monde sera de plus en plus marqué. Ce développement s'est fait graduellement à partir de la création, en 1951, de la Communauté européenne du charbon et de l'acier (CECA) qui devint la première organisation euro-péenne de conception supranationale et qui marqua la naissance de l'Europe des Six. Deux autres communautés s'ajoutèrent en 1957, la Communauté économique européenne (CEE) et la Communauté euro-péenne de l'énergie atomique (CEEA). Cet ensemble à trois volets sera par la suite désigné par le sigle CEE et, plus récemment, par le sigle CE.

À la même époque, en 1960, un autre groupe de pays s'associent au sein de l'Association européenne de libre-échange (AELE), en réac-tion à la CEE, et l'OECE devient l'Organisation de coopération et de développement économiques (OCDE) dont les pays membres ne sont plus seulement des pays européens. Cependant, c'est la CEE qui pro-gresse le plus rapidement et qui produit l'impact le plus important. Malgré une crise majeure en 1965, l'union douanière entre les Six est réalisée en 1968. Par la suite, les Six deviennent les Neuf en 1973, les Dix en 1981 et les Douze en 1986. Dans un contexte de croissance continue puis de crise économique mondiale (1973, 1980), la CEE s'im-pose fermement comme le cœur économique de l'Europe et la pre-mière puissance commerciale mondiale.

Les bouleversements politiques qui ont transformé l'Europe de l'Est en 1989-1990 ont aussi ouvert de nouvelles perspectives pour la CEE. Les défis posés sont considérables, mais la CEE y gagnera sans doute en importance sur le continent. Jusqu'à ce moment, les évolu-tions des deux parties de l'Europe étaient plutôt parallèles. La diffé-rence des systèmes économiques couplée à la rivalité politique et mili-taire limitait les rapports entre pays de l'Ouest et de l'Est. Ces rapports ont fluctué en fonction des périodes de tension et de détente et sont demeurés relativement limités. Ils ont principalement pris la forme de grandes négociations politico-militaires et d'échanges économiques restreints.

C'est également sur ce modèle que se sont entretenues les relations entre le Canada et l'Europe de l'Est. En dehors de sa participation aux négociations multilatérales du domaine politico-militaire, le Canada a eu surtout des rapports commerciaux avec certains pays de l'Est, essentiellement l'URSS, la Tchécoslovaquie et la Pologne. Les ventes massives de blé à l'URSS symbolisent bien ces rapports. Ces derniers se sont principalement développés dans les années soixante-dix dans un contexte de détente, alors que les échanges avec l'URSS se sont diversifiés au-delà du commerce. Par contre, les rapports avec les autres pays de l'Est sont demeurés concentrés dans le domaine commercial. La tension du début des années quatre-vingt a amené le Canada à restreindre ses échanges jusqu'à ce que les événements de la fin de la décennie ouvrent des perspectives toutes nouvelles.

Les relations du Canada avec l'Europe de l'Ouest, d'autre part, ont été très différentes. C'est la région du monde, après les États-Unis, avec laquelle le Canada a eu, traditionnellement, les relations les plus intenses. L'intérêt du Canada pour cette région comprend deux volets[1]. D'une part, l'Europe de l'Ouest est perçue comme une région où se trouvent des alliés dont la sécurité et l'indépendance sont vitales pour la sécurité même du Canada. D'autre part, elle est vue comme un marché important pour les exportations canadiennes. Dans la première perspective, le Canada a contribué à la reconstruction de l'Europe de l'Ouest et a joué un rôle actif lors de la création de l'OTAN et par sa contribution à cette organisation. De même, au début des années soixante-dix, il a pris une part active aux grandes négociations entre les deux parties de l'Europe, dans le cadre des négociations MBFR et surtout de la CSCE où il a concentré ses efforts sur le thème de la coopération et sur celui des échanges humains.

Relativement à la seconde perspective, le Canada a entretenu des relations commerciales et financières anciennes et fructueuses avec la Grande-Bretagne et la France et, de plus en plus, avec la RFA et les Pays-Bas entre autres. L'harmonie habituelle de ces relations a été perturbée par quelques événements. Dans le cas de la Grande-Bretagne, ce furent ses tentatives puis son adhésion à la CEE entre 1963 et 1973. Le Canada s'opposa d'abord fortement à cette adhésion qui ferait disparaître les préférences commerciales entre pays du Commonwealth, puis il s'y rallia en concluant un accord-cadre avec la CEE en 1976. Avec la France, les motifs d'opposition naissaient de la politique française envers l'OTAN, des essais nucléaires français et de l'appui de la France aux revendications du Québec.

L'accord-cadre avec la CEE se situe également dans la politique globale du Canada envers l'Europe que la révision majeure de 1970 et l'énoncé de politique dit de la «Troisième option» ont redéfini en termes de développement important des rapports avec l'Europe en vue de contre-balancer les rapports avec les États-Unis. C'est ainsi que l'intérêt du Canada pour la CEE s'est accru considérablement au cours des années soixante-dix. Cependant, l'accord-cadre n'a pas produit tous les résultats escomptés et l'intérêt pour la CEE s'est plutôt assoupi, comme la Communauté elle-même d'ailleurs. Et alors que cette dernière se ravivait avec l'Acte unique de 1986 et la marche entreprise vers l'Europe de 1992, le Canada se tournait davantage vers les États-Unis avec lesquels il concluait en 1989 un accord de libre-échange.

Le Québec et l'Europe

Dans le contexte de la division Est-Ouest de l'Europe et à l'instar du Canada, c'est essentiellement avec les pays de l'Europe de l'Ouest que le Québec a entretenu des relations depuis les années soixante. Il convient de rappeler, toutefois, que ces relations européennes avaient eu des antécédents au XIXe siècle et au début du XXe. Dès 1871, en effet, le gouvernement québécois désigne des agents d'immigration itinérants en Europe. Mais à partir de 1875, le recrutement des immigrants est assumé par le gouvernement fédéral. Par ailleurs, le Québec envoie un agent général à Paris en 1882. Cette représentation cessa en 1912, mais elle fut également utilisée à Londres de 1908 à 1935 et à Bruxelles de 1915 à 1933[2]. On y observe déjà à cette époque les pôles d'attraction majeurs que sont la première puis la seconde mère patrie pour le Québec ainsi que la Belgique francophone. Aussi ne sera-t-on pas étonné de voir le Québec de la Révolution tranquille renouer en priorité ses relations européennes avec ces mêmes pays.

Les premiers pas du Québec sur la scène internationale contemporaine sont apparus rapides et faciles. Une délégation générale était ouverte à Paris en 1961 puis une seconde, à Londres, en 1962. Dès 1963, on discutait d'échanges culturels avec la Belgique et on ouvrait un bureau commercial à Milan en 1965. L'installation d'un autre bureau à vocation économique à Düsseldorf en 1970 et d'une autre délégation générale à Bruxelles en 1972 complète ce premier tableau et le cercle des principaux partenaires du Québec en Europe. Si on y adjoint la CE, ces pays sont demeurés, au-delà ou à cause des efforts de diversification des années soixante-dix, du virage commercial des années quatre-vingt et des énoncés de politique de 1985 et de 1991, les cibles privilégiées du gouvernement québécois en Europe[3].

À côté de ce tableau général, les comptes rendus détaillés écrits par divers participants ou analystes des relations internationales du Québec font état de certains problèmes et de certaines opportunités qu'a rencontrés le gouvernement québécois. Il y est question des problèmes soulevés par la mise au point de liens institutionnels avec la Belgique. On note de même les réticences du gouvernement italien face aux intentions du Québec. On relate encore les péripéties constitutionnelles dans lesquelles fut engagée la Délégation générale de Londres. Par ailleurs, on souligne les relations d'affaires qui se sont établies avec la Grande-Bretagne, la Belgique, l'Italie, l'Allemagne fédérale et la CE.

Après la France, ce sont les rapports avec la Belgique qui ont opposé le plus les gouvernements de Québec et d'Ottawa. Les motifs d'opposition sont les mêmes dans chaque cas et, au début des années soixante, les deux questions sont reliées. En effet, le gouvernement québécois discute de projets d'échanges et de coopération en matière d'éducation et de culture avec les autorités françaises et belges à partir de 1962-1963. Avec la France, les discussions aboutissent aux ententes franco-québécoises de 1965 qui, en étant conclues directement par les deux parties, permettent au Québec d'affirmer son action autonome, en matière d'accords internationaux dans les domaines de sa compétence. Ces ententes furent rapidement coiffées par un accord-cadre franco-canadien, mais le gouvernement canadien parvint à prévenir la répétition de tels gestes en convainquant le gouvernement belge de signer un accord-cadre belgo-canadien préalablement à toute entente avec le Québec. Ce dernier riposta en refusant de signer une entente avec les Belges sous l'autorité de cet accord-cadre qui, une fois conclu en 1967, resta sans effet, en raison du refus du Québec de participer à sa mise en œuvre. Il fallut attendre 1975 pour que Québec accepte finalement la création, à l'intérieur de la Commission mixte permanente belgo-canadienne, d'une sous-commission belgo-québécoise, ce qui constituait un recul par rapport à la Commission permanente franco-québécoise[4].

Entre-temps, le Québec avait établi un bureau économique à Bruxelles en 1972, bureau transformé dès l'année suivante en délégation générale. Cette représentation québécoise et la constitution d'une sous-commission belgo-québécoise ont permis de lever les obstacles au développement de la coopération avec la Belgique. Cette dernière subissait d'ailleurs des transformations importantes, produisant une décentralisation progressive des pouvoirs vers des régions et des communautés de nature linguistique et culturelle. Conséquence de cette évolution, un accord était conclu directement entre le Québec et la Communauté française de Belgique en 1982, une délégation Wallonie-Bruxelles était installée à Québec la même année et l'Agence Québec-Wallonie-Bruxelles pour la jeunesse était mise sur pied en 1984. Dans le domaine culturel, la Belgique a ainsi acquis «une place toute spéciale tant par l'intensité et la continuité des contacts que pour le nombre et la diversité des ententes[5]». Par ailleurs, la Belgique demeure un partenaire économique important, particulièrement sur le plan des investissements[6].

Le grand nombre de Québécois d'origine italienne et la force de l'économie italienne ont incité le Québec à établir assez tôt des rapports avec ce pays. Aussi un bureau commercial est-il ouvert à Milan en 1965 et la question des immigrants italiens est-elle régulièrement à l'ordre du jour. Du point de vue du Québec, le bureau de Milan était un premier pas sur la voie d'une intensification des liens avec l'Italie. Mais «prudentes et formalistes, les autorités italiennes se montreront évasives» et le statut du Bureau québécois de Milan restera insatisfaisant, malgré les requêtes régulières du gouvernement québécois pour obtenir un minimum de privilèges[7]. De même, le projet de délégation à Rome, que le Québec entretenait depuis 1970, ne se réalisera que bien tardivement, soit en 1986. De plus, ce sont les problèmes posés par l'immigration italienne qui sont régulièrement l'objet des discussions entre les autorités des deux parties. Alors que le Québec souhaite maintenir le mouvement d'immigration en provenance d'Italie, celle-ci se préoccupe de l'intégration des immigrants italiens dans la société québécoise. Cette préoccupation vise en particulier l'apprentissage de la langue française et l'équivalence des diplômes et des cartes de compétence. L'ambassadeur d'Italie à Ottawa interviendra même dans la crise provoquée, à l'automne 1969, par la question de la fréquentation des écoles françaises par les enfants italiens de la ville de Saint-Léonard. En somme, note André Patry, l'Italie a eu tendance à considérer le Québec comme une région administrative qui ne peut prétendre à des privilèges diplomatiques, tandis que son ambassade à Ottawa surveillait les intérêts de la communauté italienne et en réclamait le respect par les autorités régionales québécoises[8].

Les relations tranquilles que le Québec a toujours entretenues avec la Grande-Bretagne se sont momentanément animées en 1980-1982 dans le cadre des péripéties constitutionnelles canadiennes de cette époque. Le gouvernement québécois a, en effet, tenté de bloquer le rapatriement unilatéral de la Constitution amorcé par le gouvernement canadien sans l'accord des provinces. Ces dernières ne s'entendaient pas avec le gouvernement canadien sur les modifications que celui-ci demandait au Parlement britannique d'apporter à la Constitution canadienne, avant de la rapatrier au Canada. En d'autres termes, le gouvernement fédéral tentait de modifier la Constitution à l'encontre de l'avis des provinces. C'est pourquoi le Québec a entrepris diverses démarches auprès du gouvernement de Londres et des parlementaires britanniques. Cette campagne de relations publiques sans précédent, menée par le Québec, pendant plus d'un an auprès des autorités britanniques et de nombreuses personnalités, n'a pas empêché le rapatriement de la constitution. Par contre, elle s'est déroulée sans crise diplomatique et elle a favorisé une plus grande et une meilleure connaissance du Québec qui n'a pu avoir que des effets bénéfiques sur la promotion ultérieure de ses intérêts[9]. Les Britanniques demeurent, en effet, les partenaires économiques du Québec non seulement les plus anciens, mais aussi les plus importants à la fois sur le plan commercial et sur le plan des investissements[10].

En plus de la Grande-Bretagne, de la Belgique et de l'Italie, le Québec considère comme des partenaires économiques importants l'Allemagne fédérale et la CE. L'installation d'une délégation économique à Düsseldorf en 1970 se fait sans difficulté et une attention particulière est portée aux investissements allemands. Quant à la CE, elle est pour le Québec comme pour les autres un partenaire majeur. Le Québec n'entretient pas de rapports directs avec la CE. Mais sa Délégation générale de Bruxelles suit de près les affaires de la Communauté et, dans la mise en œuvre de l'accord-cadre conclu entre le Canada et la CE en 1976, le Québec participe aux rencontres et aux groupes de travail dans des domaines qui l'intéressent. C'est ainsi que le gouvernement québécois s'est particulièrement préoccupé du débat sur les dangers de l'utilisation de l'amiante qui s'est amorcé en Europe en 1978[11].

Dans les faits et dans les intentions, ces pays et la CE apparaissent donc comme les partenaires et les cibles privilégiés du Québec en Europe depuis une trentaine d'années, la France mise à part. L'état de la situation publié par le gouvernement québécois, préalablement à l'énoncé de politique de 1985, fait mention de l'Espagne et des États scandinaves parmi les pays avec lesquels le Québec a le plus de relations, mais il n'y a aucune commune mesure entre ces dernières et les autres[12]. Par ailleurs, au niveau des intentions, les énoncés de politique de 1985 et de 1991 confirment l'importance des principaux partenaires traditionnels du Québec. Après les États-Unis et la France, ceux-ci demeurent, en Europe, la Grande-Bretagne, l'Allemagne fédérale, la Belgique, la CE et, dans l'énoncé de 1991, l'Italie. Se situent à un second niveau d'importance en 1985 et 1991, les pays nordiques et, en 1991, les Pays-Bas et l'Espagne. Chaque fois, cette importance est fondée sur les mêmes motifs, d'abord d'ordre économique, scientifique et technologique, puis d'ordre culturel et autre[13].

L'étude systématique que nous avons réalisée nous permet de décrire plus complètement l'importance et l'évolution de l'intérêt du Québec envers l'Europe, la nature de cet intérêt, ainsi que les principaux moyens utilisés pour le manifester. L'intérêt du Québec est observé par les objectifs de politique étrangère que formulent les gouvernants québécois, par les visites à l'étranger qu'ils effectuent et par les ententes qu'ils concluent. Sur le plan des moyens, ont été compilés les effectifs et les dépenses des représentations du Québec à l'étranger. Ces divers indicateurs nous montrent que, globalement, l'Europe est la troisième plus importante cible après les États-Unis et la France parmi les cibles sur lesquelles s'est dirigé l'intérêt du Québec. Selon les indicateurs et les périodes, ces trois cibles ont généralement occupé l'un ou l'autre des trois premiers rangs. Tous les indicateurs ont fluctué d'un gouvernement québécois à l'autre. Le nombre des objectifs relatifs à l'Europe a varié sans tendance claire. Par contre, l'Europe a été la région la plus visitée jusqu'au troisième mandat de Robert Bourassa. Mais il n'y a pas d'entente conclue jusqu'au second mandat de R. Bourassa, alors qu'il y en a un nombre croissant par la suite. Quant aux effectifs, ils augmentent régulièrement, de même que les dépenses, mais la proportion de ces dernières fluctue sensiblement[14].

Comme l'avaient laissé voir les études précédentes, l'intérêt du Québec s'est principalement fixé sur quelques pays européens. Il s'agit des mêmes, le Royaume-Uni, la Belgique, l'Italie et la RFA. Les indicateurs retenus indiquent aussi un certain intérêt pour d'autres pays. Mais cet intérêt demeure très limité et il n'est que marginal dans les autres cas. Comme pour l'ensemble de l'Europe, les indicateurs révèlent pour les principales cibles européennes la plus grande importance relative des visites devant les objectifs et le faible volume des ententes. Cependant, tous ont le plus souvent pour objet des questions de nature économique et politique. Les autres questions fréquemment abordées concernent l'éducation et la culture, les affaires sociales, l'aménagement du territoire, l'immigration et la mobilité des personnes. Selon le pays en cause, l'accent se déplace sur l'un ou l'autre de ces types de comportement ou de ces domaines d'intérêt.

Le Royaume-Uni

Les relations officielles avec le Royaume-Uni remontent au début du siècle mais, à la différence de la Belgique, elles ont repris et se sont poursuivies sans problème au début des années soixante. Londres est en effet le siège de la seconde délégation générale du Québec établie en Europe en 1962. Depuis lors, les rapports entre les deux partenaires ont été essentiellement orientés vers l'économie avec un intermède politique en 1980-1981. Ces rapports sont d'abord fondés sur des raisons historiques évidentes. Des liens anciens ont fait des Britanniques les partenaires européens du Québec les plus importants sur le plan commercial et sur celui des investissements. La Grande-Bretagne est une puissance commerciale majeure et elle est au centre du Commonwealth, même si ce dernier a perdu de son importance avec la constitution de l'AELE et l'entrée du Royaume-Uni dans la CEE. Mais pour le Québec, l'attrait de la Grande-Bretagne n'en est pas diminué, l'évolution des blocs commerciaux le rendant même plus grand; et Londres demeure le principal centre financier du monde. Également, jusqu'au rapatriement de la constitution canadienne en 1982, la Grande-Bretagne a conservé un rôle politique vis-à-vis du Canada en matière d'amendement constitutionnel et en particulier de partage des pouvoirs entre les paliers de gouvernement. La civilisation britannique, enfin, a marqué le Québec qui sait apprécier cet héritage. Dans ce cas, les relations du Québec s'insèrent bien non seulement dans l'ensemble des relations du Canada, mais aussi dans celles des autres provinces canadiennes avec la Grande-Bretagne. Cette cohérence leur donne un caractère tranquille.

Des relations tranquilles ne nécessitent sans doute pas de nombreux discours. Ceux qui sont prononcés, lors de l'inauguration officielle de l'Agence générale du Québec à Londres en mai 1963, énoncent les principaux objectifs que va constamment poursuivre le Québec. Selon le premier ministre Jean Lesage, en établissant une agence à Londres, le Québec «poursuit la politique d'expansion économique et culturelle qu'il a inaugurée il y a près de trois ans[15]». Il s'agit aussi, généralement, de resserrer les relations entre le Québec et le Royaume-Uni. Devant la Chambre de commerce du Canada à Londres, il précise encore que le Québec recherche les capitaux britanniques[16]. Ces objectifs sont affirmés de temps à autre, mais davantage à certaines occasions. Ainsi, à la suite de l'élection du gouvernement souverainiste en 1976, le ministre Claude Morin effectue une visite à Londres, au cours de laquelle il doit insister sur l'absence d'anglophobie qui accompagne l'affirmation plus marquée du caractère français du Québec, malgré ce que certains commentaires laissent entendre. Au contraire, il réaffirme fortement les objectifs d'échanges culturels et éducatifs que poursuit le gouvernement québécois, tout en soulignant que les échanges soutenus par ce dernier en matière culturelle et technique avec la Grande-Bretagne sont déjà plus actifs que ceux qu'entretient la Grande-Bretagne avec n'importe quel autre gouvernement canadien. Il rappelle enfin l'intérêt du Québec, que des circonstances historiques ont placé à la jonction des mondes anglophones et francophones, à développer des liens plus étroits avec la Grande-Bretagne, afin de maximiser les bénéfices de cette situation particulière[17].

Quant aux années 1980-1982, elles représentent l'intermède politique au cours duquel les affaires constitutionnelles canadiennes ont suscité une intense activité diplomatique de la part de la Délégation générale de Londres. À ce moment, le gouvernement québécois avait pour objectif principal de convaincre le gouvernement et le parlement britannique de ne pas donner suite à la démarche unilatérale du gouvernement canadien visant à rapatrier la constitution canadienne et à l'amender sans le consentement des provinces[18]. À la suite de ce rapatriement, les objectifs de nature économique sont redevenus prédominants. «Désormais, soutenait le ministre Jacques-Yvan Morin en 1983, ce qui nous intéresse en Grande-Bretagne, c'est d'améliorer notre position concurrentielle sur les marchés de la Grande-Bretagne[19]». Et ceux-ci, ajoutait même le ministre Bernard Landry en 1985, sont pour le Québec plus importants que ceux de la France[20].

Tableau 4.1

Objectifs par mandat et par domaine — Royaume-Uni

MANDATS	Lesage		Johnson		Bourassa 1		Lévesque 1		Lévesque 2		Total période	
DOMAINES	Royaume-Uni	Europe	Royaume-Uni	Europe	Royaume-Uni	Europe	Royaume-Uni	Europe	Royaume-Uni	Europe	Royaume-Uni	Europe
politique/diplomatique		0		0		1	4	8	1	7		
culture/communication	2	2	1	1		1	1	1	1	3		
économie/commerce/finance	3	9	1	1		10	2	2	6	27		
éducation/science		0		0	1	1	2	2	1	6		
immigration		1		0		0		0		0		
affaires sociales/travail		0		0		0		0		3		
Général	1	3		0	1	4	1	8		20		
Total	6	15	2	2	2	17	8	21	9	66	27	121
%	40%	100%	100%	100%	12%	100%	38%	100%	14%	100%	22%	100%

La réalisation de ces quelques objectifs a été soutenue essentiellement par les services de la délégation et par de nombreuses visites. Mais il n'y a pas d'entente. La Grande-Bretagne est le pays que les dirigeants québécois ont visité le plus, mais aussi l'un de ceux avec lesquels il y a eu le moins d'ententes (une seule, de nature technique, en 1987). Jacques Paquette observe que les Britanniques sont très pragmatiques en matière de coopération et d'échanges. Ils ont habituellement recours à des organismes paragouvernementaux, procédure qui ne requiert aucune entente officielle. Les relations avec le Québec n'ont donc jamais soulevé de difficulté de ce point de vue. De plus, avec une telle procédure, le correspondant est différent d'un programme à l'autre. Ainsi, en matière d'éducation et de culture, la Délégation générale fait affaire avec le Central Bureau of Educational Exchanges and Visits, la League for the Exchange of Commonwealth Teachers, le British Council, le Art Council, etc.[21].

Par ailleurs, les visites sont nombreuses et elles semblent révéler une attention continue depuis les années soixante-dix, ainsi qu'un intérêt relativement concentré. Les premières visites marquent l'inauguration de la Délégation générale en 1963, mais ce n'est qu'à partir de 1969 que les visites suivantes surviennent et ont lieu presque à chaque année jusqu'en 1989. La faible occurence de visites avant 1969 n'est pas un phénomène propre à la Grande-Bretagne. Par contre, il peut paraître étonnant qu'il n'y ait que trois visites chaque année en 1980 et en 1981, alors que le gouvernement québécois mène à Londres sa grande offensive politico-constitutionnelle. De plus, seules deux de ces visites, soit celles des ministres Jacques-Yvan Morin et Claude Morin en juin et en octobre 1981, ont un lien avec cette offensive. Cette dernière semble donc menée essentiellement par la Délégation générale. On notera aussi l'absence de visite en 1982, alors que le gouvernement québécois manifeste son mécontentement envers l'attitude prise par Londres lors du rapatriement de la constitution[22]. Mais, par la suite, 18 des 27 visites qui ont eu lieu de 1983 à 1989 se sont situées dans le domaine de l'économie, du commerce et de la finance. Ce domaine est aussi celui qui compte le plus grand nombre de visites pour l'ensemble de la période 1963-1989. Seulement le quart de ces visites se sont faites auprès des autorités politiques britanniques dont sept des huit visites du domaine politique.

Enfin, les moyens dont se dote le gouvernement québécois se matérialisent dans les budgets et les effectifs de la Délégation générale.

L'évolution des dépenses de cette dernière ne révèle rien de particulier pour l'ensemble de la période, les augmentations et les fluctuations observées n'étant pas propres à la Grande-Bretagne. On peut aussi noter l'effet assez limité que semble avoir eu la grande offensive politique de 1980-1981, les dépenses de la Délégation générale passant de 778 840 dollars en 1979-1980 à 741 627 dollars en 1980-1981 et 830 579 dollars en 1981-1982. La plus grande activité de cette période ne semble donc pas avoir requis d'importantes ressources financières additionnelles de la part de la délégation. La situation apparaît identique du côté des effectifs professionnels affectés à la Délégation générale. Leur nombre ne varie pas entre 1980 et 1982. Seule leur répartition entre les domaines d'activité laisse entrevoir une affectation possible reliée spécialement à cette offensive. Par ailleurs, les effectifs professionnels doublent dans la seconde moitié des années soixante-dix et demeurent assez stables à 9-10 par la suite. Cette augmentation est d'abord provoquée par l'affectation d'agents d'immigration à la suite de l'entente Bienvenue-Andras de 1975 et par l'augmentation du nombre d'agents économiques. Par la suite, la réduction des agents d'immigration sera compensée par l'arrivée d'agents de coopération et de tourisme. On compte un agent pour l'éducation en 1983-1985, mais aucun pour la culture. Toutefois, ces domaines peuvent être couverts par l'agent de coopération qui s'ajoute aux effectifs en 1980. C'est donc le domaine de l'économie qui est le mieux pourvu en nombre et en continuité.

Tous les indicateurs l'ont bien montré, les relations du Québec avec la Grande-Bretagne ont toujours eu une orientation nettement économique à l'exception de l'intermède constitutionnel de 1980-1981. Le rapport Bergeron le rappelait encore en 1988, en notant que les relations intergouvernementales, comme moyen d'appui aux secteurs prioritaires d'action, demeurent importantes dans le cas de la Grande-Bretagne et que la promotion des intérêts économiques du Québec y est dominante[23]. Le gouvernement québécois le rappelle dans le document de politique de 1991[24].

On remarque, par ailleurs, qu'il n'est presque jamais question du Commonwealth. Le ministre Claude Morin y fait une brève allusion lors de sa visite à Londres en 1978 lorsqu'il traite de l'intention du Québec de développer ses liens avec la Grande-Bretagne et le Commonwealth[25]. Parfois le premier ministre ou un ministre rend visite au ministre d'État au Foreign Office ou au ministre d'État au Foreign and

Tableau 4.2

Visites par domaine par mandat — Royaume-Uni

MANDATS	Lesage		Bertrand		Bourassa 1		Bourassa 2	
DOMAINES	Royaume-Uni	Europe	Royaume-Uni	Europe	Royaume-Uni	Europe	Royaume-Uni	Europe
politique/ diplomatique		6	2	3	3	7		7
institutionnel/ organisationnel	2	3	1	1	2	3	1	2
culture/ communication		0		0		1		1
économie/ commerce/ finance	1	6		0	2	17	2	17
éducation/ science		0		0		1		1
immigration		1		0		2		3
écologie/ environnement		0		0		0		0
affaires sociales/ travail		0		0	1	3	1	10
Général		0	1	1		5	1	1
Total	3	16	4	5	8	39	5	42
%	19%	100%	80%	100%	21%	100%	12%	100%

Commonwealth Office. Cela fait sans doute partie des efforts du Québec pour obtenir une reconnaissance internationale. De même, on ne voit aucune trace de la controverse entre le Canada et la Grande-Bretagne, au sujet des tentatives faites par cette dernière entre 1963 et 1973 pour adhérer à la CEE. Le Québec ne semble avoir pris aucune part à ce débat mettant en cause les préférences commerciales entre pays du Commonwealth, y compris le commerce du Québec avec la Grande-Bretagne.

Finalement, quels résultats cette relation tranquille a-t-elle produits? Les échanges de natures diverses, qui étaient déjà importants avant les années soixante, se sont poursuivis et se sont développés.

Lévesque 1		Lévesque 2		Bourassa 3		Total période	
Royaume-Uni	Europe	Royaume-Uni	Europe	Royaume-Uni	Europe	Royaume-Uni	Europe
1	9		11	2	16		
3	6	3	5				
	5		6		2		
4	15	10	48	9	28		
	4		6				
4	1	3					
	3		0	1	6		
1	2	2	18	2	8		
2	11		2		2		
11	59	16	99	14	61	61	321
19%	100%	16%	100%	23%	100%	19%	100%

Cependant, il est difficile de les relier aux efforts déployés par le gouvernement québécois. Dans le domaine commercial, la Grande-Bretagne a toujours été la cible principale des exportations québécoises en Europe de l'Ouest[26]. La même observation vaut pour les exportations canadiennes et on observe dans les deux cas une tendance générale à l'augmentation des exportations vers la Grande-Bretagne. Toutefois, en proportion de l'augmentation, le Canada fait un peu mieux que le Québec par rapport à la Grande-Bretagne et beaucoup mieux que le Québec par rapport à l'ensemble de l'Europe[27]. Sur le plan financier, la Grande-Bretagne semble demeurer aussi une source d'investissement majeure sinon principale parmi les pays européens[28].

Par ailleurs et dans les autres domaines, les échanges entre les deux parties se font souvent informellement ou dans le cadre d'ententes conclues entre des organismes paragouvernementaux.

En somme, les rapports du Québec avec la Grande-Bretagne sont très peu institutionnalisés. Ils paraissent aussi, globalement, peut-être moins sensibles qu'ailleurs en Europe aux efforts gouvernementaux. Et, si ces rapports sont importants, ils se font avec un pays où le Québec n'est pas la province canadienne la plus active.

La Belgique

Les rapports entre le Québec et la Belgique se sont amorcés tôt, mais ils se sont épanouis tardivement et lentement, malgré les intentions du gouvernement québécois. Celui-ci s'est heurté en effet aux efforts du gouvernement canadien pour affirmer ses compétences au-dessus de celles du Québec et à la réticence du gouvernement belge qui affrontait lui aussi une forte poussée de régionalisme. Pourquoi alors le Québec a-t-il persisté à vouloir développer ses relations avec la Belgique? On peut évoquer trois motifs généraux. D'abord, la Belgique compte une forte communauté francophone. Le Québec s'y était déjà intéressé en maintenant un représentant à Bruxelles de 1915 à 1933. En deuxième lieu, le Belgique se présente comme un partenaire économique important. L'agent général du Québec nommé en 1915 exerçait des fonctions commerciales. Depuis les années soixante, la Belgique se classe parmi les principaux partenaires commerciaux européens du Canada et du Québec. Enfin, Bruxelles est la capitale de l'Europe et le mandat de la Délégation générale du Québec s'étend aux affaires de la CEE que le gouvernement québécois suit activement.

Dans cette situation, que recherchait le Québec en Belgique? Les déclarations et les discours des principaux responsables québécois nous fournissent une réponse plutôt tardive et générale. L'analyse du discours québécois nous révèle en effet que les objectifs relatifs à la Belgique sont concentrés au début des années soixante-dix et au début des années quatre-vingt. Pourtant des projets d'échanges et de coopération en matière éducative et culturelle étaient discutés dès 1962-1963 parallèlement à ceux qui étaient mis au point avec la France. Mais la réponse des gouvernements belge et canadien aux initiatives québécoises ayant conduit à un accord-cadre Canada-Belgique en 1967, le Québec a refusé d'y participer jusqu'en 1975. Un bureau du

Tableau 4.3

Objectifs par domaine et par mandat — Belgique

Mandats	Lesage		Bourassa 1		Bourassa 2		Lévesque 1		Lévesque 2		Total période	
Domaines	Belgique	Europe	Belgique	Europe	Belgique	Europe	Belgique	Europe	Belgique	Europe	Belgique	Europe
politique/ diplomatique		0	1	1	6	6	1	8	7			
culture/ communication		2		1	4	6		1		3		
économie/ commerce/ finance		9		10	7	16		2	2	27		
éducation/ science		0		1	3	5		2		6		
immigration		1		0		0		0		0		
affaires sociales/ travail		0		0		0		0		3		
Général	1	3	1	4	4	13	1	8	6	20		
Total	1	15	2	17	24	46	2	21	8	66	37	165
%	7%	100%	12%	100%	52%	100%	10%	100%	12%	100%	22%	100%

Tableau 4.4

Visites par domaine et par mandat — Belgique

Mandats	Lesage		Bourassa 1		Bourassa 2	
DOMAINES	Belgique	Europe	Belgique	Europe	Belgique	Europe
politique/ diplomatique	1	6	1	7	2	7
institutionnel/ organisationnel	1	3		3	1	2
culture/ communication		0	1	1		1
économie/ commerce/ finance	1	6	2	17	3	17
éducation/ science		0	1	1		1
immigration		1		2		3
écologie/ environnement		0		0		0
affaires sociales/ travail		0		3	2	10
Général		0		5		1
Total	3	16	5	39	8	42
%	19%	100%	13%	100%	19%	100%

Québec à Bruxelles était tout de même ouvert en 1972 et obtenait le statut de délégation générale l'année suivante. Alors que les premières démarches québécoises ne semblent pas avoir suscité l'énoncé public de priorités gouvernementales en 1962-1963, le déblocage de 1972-1975 est l'occasion d'une véritable floraison (26 objectifs sur 37). Toutefois, cette floraison n'est pas très diversifiée. La majorité des objectifs sont d'une nature générale. Le plus grand nombre se retrouve dans des déclarations et des allocutions du ministre Gérard D. Lévesque mais une dizaine d'objectifs ont été énoncés par le premier ministre Bourassa, lors d'une visite en Belgique au mois d'avril 1974.

Quelques visites avaient bien eu lieu auparavant, mais sans être l'occasion de discours ou de formulation d'objectifs. Dès mai 1963, le premier ministre Lesage et deux ministres s'étaient rendus en Belgique

Lévesque 1		Lévesque 2		Bourassa 3			
Belgique	Europe	Belgique	Europe	Belgique	Europe		
4	9	2	11	4	16		
1	6	1	5		0		
1	5	1	6	1	2		
1	15	5	48	5	28		
1	4	2	6		0		
	4	1	3		0		
	3		0	1	6		
	2	2	18	1	18	Total période	
2	11		2			Belgique	Europe
10	59	14	99	12	60	52	315
17%	100%	14%	100%	20%	100%	16%	100%

où Jean Lesage avait rencontré le roi, le premier ministre et le ministre des Affaires étrangères, mais sans succès apparent. Il n'y eut plus de visite jusqu'en avril 1971, alors que le premier ministre Bourassa ne rencontra que des banquiers, des industriels et le président de la Fédération des industries belges. Puis, Gérard D. Lévesque et Guy St-Pierre se rendirent en Belgique en septembre 1972, le premier pour inaugurer la Maison du Québec et rencontrer les ministres des Affaires étrangères et de la culture néerlandaise, le second pour s'entretenir avec les secrétaires d'État à l'économie régionale wallone et flamande. Les visiteurs québécois de cette première période furent donc peu nombreux et plutôt discrets. La fréquence allait augmenter par la suite, à commencer par l'année 1974 qui donna elle-même lieu à sept visites.

La visite du Premier ministre, en avril 1974, se situe au lendemain de l'établissement d'une représentation québécoise à Bruxelles et à la veille de l'activation des relations avec la Belgique. Le 31 mai 1972, une note du ministère belge des Affaires étrangères est transmise à l'ambassade canadienne à Bruxelles, qui autorise l'ouverture d'une maison du Québec à Bruxelles. Dès le 1er juin, le gouvernement québécois informe le consul général de Belgique à Montréal que Paul Lussier sera le conseiller économique du Québec à Bruxelles. Répondant le 8 juin 1972 aux questions de l'Opposition à l'Assemblée nationale relativement au statut recherché pour cette maison du Québec, le ministre Gérard D. Lévesque disait rechercher les meilleures conditions possibles, compte tenu de la législation du pays, du contexte international et des relations plus ou moins privilégiées entretenues avec le pays[29]. Les autorités canadiennes et belges étaient opposées à l'établissement d'un bureau polyvalent axé sur le développement des relations culturelles belgo-québécoises qui pouvait constituer une menace pour l'unité belge. Le gouvernement belge tenait aussi à traiter avec celui du Québec par l'intermédiaire de l'ambassade du Canada. C'est finalement en 1973, et avec la collaboration de l'ambassadeur canadien Jules Léger, que le délégué du Québec, Jean Deschamps a obtenu le statut de délégation générale pour le bureau du Québec ainsi que le droit de communiquer directement avec le gouvernement belge[30].

Au cours de la visite qu'il a effectuée en Belgique les 22 et 23 avril 1974, le premier ministre Bourassa a rencontré le roi, le premier ministre et le ministre des Affaires étrangères et il a prononcé trois allocutions. Aux membres de la Fédération des entreprises belges, il n'a parlé que de l'Europe, plus exactement de la CEE, illustrant ainsi l'une des «raisons qui nous ont incités à installer notre troisième Délégation générale sur le sol européen dans votre capitale et dans la capitale de l'Europe qui se fait[31]». À une exception près, il a fait de même devant un groupe de personnalités belges[32]. C'est donc au seul moment du déjeuner offert par le gouvernement belge que le Premier ministre a traité des rapports belgo-québécois. Il y a surtout énoncé des objectifs généraux relatifs au renforcement des liens politiques et des relations en général, tout en annonçant une augmentation prochaine des effectifs de la Délégation générale. Et, fidèle à sa préoccupation constante, il a souhaité voir les liens économiques existants s'accroître et se mieux structurer[33].

Tableau 4.5

Ententes par domaine et par mandat — Belgique

Mandats	Lévesque 1		Lévesque 2		Bourassa 3		Total période	
DOMAINES	Belgique	Europe	Belgique	Europe	Belgique	Europe	Belgique	Europe
politique/ diplomatique		0	1	4		6		
culture/ communication		0		0	1	2		
économie/ commerce/ finance	2	2	2	3	1	4		
éducation/ science		1	2	2	1	1		
immigration	1	0	0					
écologie/ environnement		0	1	1		1		
affaires sociales/ travail mobilité des	0	1	1		0			
Québécois		1		1		6		
Total	2	5	7	12	3	20	12	37
%	40%	100%	58%	100%	15%	100%	32%	100%

Les intentions québécoises sont un peu plus précises dans la bouche de Gérard D. Lévesque. À titre de ministre des Affaires intergouvernementales, ce dernier formule à trois reprises des objectifs relatifs à la Belgique en 1975, l'année où le Québec accepte de constituer une sous-commission belgo-québécoise au sein de l'accord-cadre canado-belge, rendant ainsi possible l'activation de cet accord. Cette évolution avait permis un déblocage important, mais la situation demeurait délicate en raison des problèmes politiques belges et quelques difficultés subsistaient. Il s'agissait surtout des obstacles à surmonter pour établir les modalités d'un dialogue direct entre la communauté québécoise et les communautés belges dans le respect des régimes politiques en place. C'est ce que rappelle le ministre Lévesque dans son allocution la plus importante à Montréal, devant la Chambre de commerce

belgo-luxembourgeoise. Le ministre a aussi traité de la Belgique devant
la Chambre de commerce de Montréal et à l'Assemblée nationale. On
y trouve bien sûr quelques objectifs du domaine de l'économie et du
commerce, mais aussi de la culture et des communications ainsi que
de l'éducation et de la science. Les sept objectifs de ces deux derniers
domaines sont d'ailleurs les seuls objectifs de ces domaines pour
l'ensemble de la période de 1960 à 1985. L'éducation et la culture sont
pour le moins peu présentes dans le discours québécois. D'ailleurs,
lorsqu'il traite des difficultés qui subsistent, c'est au domaine culturel
que se réfère Gérard D. Lévesque. Et lorsqu'il rappelle les services
offerts par la Délégation générale, il mentionne surtout le domaine
économique, la recherche scientifique et les échanges industriels et
technologiques[34]. Derrière un discours plutôt général, le Québec
révélerait donc des préoccupations essentiellement d'ordre économique ou très apparentées à l'égard de la Belgique.

Cette impression est renforcée par la répartition, selon les domaines, des visites, des effectifs professionnels en poste à la délégation
générale et des ententes. Sur 52 visites recensées, qui se situent
presque toutes dans les années soixante et quatre-vingt, le plus grand
nombre se retrouve dans le domaine de l'économie, du commerce et
de la finance et dans les domaines général et institutionnel. De même,
comme l'indique la répartition par domaine et par année des professionnels en poste à Bruxelles, le domaine de l'économie est régulièrement et abondamment servi (3 professionnels après 1978), alors que
ceux de la culture et de l'éducation ne le sont jamais, ou à peu près,
directement. Sous cet aspect, l'immigration est l'autre domaine le
mieux servi (2 professionnels après 1978). Quant aux douze ententes
qui s'étalent de 1978 à 1985, elles visent surtout le domaine économique (5 ententes) et celui de l'éducation et de la science (3 ententes).
L'intérêt économique que révèlent ces divers indicateurs apparaît ainsi
comme un intérêt durable qu'est venu confirmer et renforcer le «virage
commercial» imprimé aux relations internationales du Québec par le
gouvernement Bourassa en 1988.

Les rapports avec la Belgique sont encore marqués par une orientation régionale au cours des années quatre-vingt. Ce report de l'attention et des ressources suit la décentralisation des pouvoirs vers les
Régions et les Communautés qui s'opère alors en Belgique[35]. Sans
abandonner ses relations avec le gouvernement central, même si ce
dernier cherche à demeurer à l'intérieur du cadre limité de la sous-

commission belgo-québécoise de 1975, le Québec rencontre des partenaires plus intéressés et plus actifs auprès des autorités régionales et communautaires. Les ententes et les institutions établies entre les communautés québécoise et belge montrent bien cette orientation régionale. Onze des douze ententes conclues avec la Belgique entre 1978 et 1989 l'ont été avec les autorités régionales et communautaires. Sur le plan institutionnel, on a mis sur pied en 1982 une Commission permanente Québec-Communauté française et la Délégation Wallonie-Bruxelles à Québec et, en 1984, l'Agence Québec-Wallonie-Bruxelles pour la jeunesse. Comme l'indiquent les institutions et le fait que seulement deux ententes soient intervenues avec l'Exécutif flamand, c'est sur la Wallonie et les francophones que s'est naturellement centrée l'attention du Québec.

Ces orientations, régionale et francophone, se retrouvent aussi dans le discours des ministres québécois. Ceux-ci formulent moins d'objectifs qu'au début des années soixante-dix, mais la dizaine d'objectifs des années 1980 à 1983 visent principalement les régions belges. Ainsi le ministre Claude Morin déclarait-il en juin 1981: «Il est évident que, sur un plan culturel, nous avons plus d'affinités naturelles avec la partie francophone de la Belgique, mais nous ne voulons pas laisser de côté pour autant la partie néerlandophone[36].» Son successeur, Jacques-Yvan Morin, reprenait cette affirmation en utilisant les mêmes termes en juin 1983[37]. Il ajoutait que le Québec s'appuyait beaucoup sur la décentralisation qui était en cours en Belgique, et qui attribuait aux régions des pouvoirs importants en matière de développement économique, pour réaliser une diversification de ses échanges axés sur des préoccupations économiques et techniques. «Nos ententes, disait-il, avec la communauté française de Belgique ainsi que la création de comités permanents avec les régions wallones et flamandes, constituent autant d'indices de la volonté du Québec et de ses partenaires belges de raffermir, d'étendre nos rapports[38].» Ces objectifs se sont donc traduits, on l'a vu, dans les ententes et les institutions qui caractérisent les années quatre-vingt.

Les ententes et les institutions qu'elles mettent sur pied assurent entre les partenaires québécois et belges un volume d'échanges important qui s'est développé depuis l'établissement de la Sous-commission belgo-québécoise en 1975. Déjà, à ce moment, les effectifs professionnels et les sommes reliés au fonctionnement de la délégation générale avaient augmenté considérablement. Ces divers moyens servent à mettre au point les projets et les programmes annoncés, à réaliser les échanges d'information et de personnes prévus, à soutenir les missions d'experts et les groupes de travail, à donner suite généralement aux ententes et à promouvoir le développement de la coopération. Pour leur part, les institutions communes prévoient habituellement une session par année, alternativement dans l'un et l'autre pays. De plus, les visites entretiennent le rythme de la coopération.

Au chapitre des réalisations, les données ne sont pas faciles à rassembler. Il semble qu'un courant continu d'échanges d'information et de personnes se soit établi. Les échanges de jeunes et les missions d'experts, par ailleurs, sont plus sensibles aux difficultés budgétaires des gouvernements. Parallèlement à ces activités accomplies sous des auspices officielles, se déroule une activité commerciale entre agents privés. De ce côté, si on observe les exportations chargées au Québec à destination de la Belgique et du Luxembourg, on constate des fluctuations fréquentes et parfois importantes, mais au total une croissance comparable aux autres principaux partenaires européens[39]. En dépit de l'attention portée aux questions économiques, c'est dans d'autres domaines que la Belgique semble se distinguer parmi les partenaires européens du Québec. Mis à part le statut de capitale de l'Europe que possède Bruxelles, c'est la dimension francophone de la Belgique qui s'impose. Dans la perspective de la fédéralisation et même de la confédéralisation de la Belgique, il importe donc que le Québec maintienne la priorité à cette orientation.

L'Italie

Suite à une visite à Rome de Paul Gérin-Lajoie en février 1965, une première représentation québécoise en Italie se concrétise par l'ouverture dès l'automne de la même année d'un bureau commercial à Milan. Il apparaît que le choix de Milan ait été déterminé d'une part, par le caractère industriel de cette ville, donc de son potentiel comme partenaire commercial et, d'autre part, par le rôle important que jouait la communauté italienne installée au Québec, ce qui facilitait l'établissement de liens formels entre les deux parties. L'Italie, comme la France et la Grande-Bretagne, a donc su attirer l'intérêt du gouvernement québécois à l'aube même de ses entreprises internationales. Pourtant, et c'est ce que nous constaterons, l'Italie ne deviendra pas un partenaire européen aussi important qu'on aurait pu l'anticiper à cette

Tableau 4.6

Visites par domaine et par mandat — Italie

MANDATS	Lesage		Bourassa 1		Bourassa 2		Lévesque 1		Lévesque 2		Bourassa 3		Total période	
DOMAINES	Italie	Europe	Italie	Europe	Italie	Europe	Italie	Europe	Italie	Europe	Italie	Europe	Italie	Europe
politique/diplomatique	1	6	1	7		7	1	9	2	11	2	16		
institutionnel/organisationnel		3		3		2		6	1	5		0		
culture/communication		0		1		1	1	5		6		2		
économie/commerce/finance	4	6	2	17	2	17		15	6	48	1	28		
éducation/science		0		1	1	1	2	4		6		0		
immigration	1	1	1	2	2	3	1	4		3		0		
écologie/environnement		0		0		0		3		0		6		
affaires sociales/travail		0		3		10		2	1	18		8		
Général		0		5		1	1	11		2		1		
Total	6	16	4	39	5	42	6	59	10	99	3	61	34	316
%	38%	100%	10%	100%	12%	100%	10%	100%	10%	100%	5%	100%	11%	100%

époque. D'une part, les relations commerciales avec ce pays ne se développeront pas au même rythme qu'avec d'autres partenaires européens et, d'autre part, les importants investissements dans le recrutement d'immigrants italiens, à partir du début des années soixante-dix, comme on le verra, ne produiront pas non plus des résultats significatifs.

Le portrait fourni par l'énoncé d'objectifs gouvernementaux envers l'Italie est très mince. En effet, au cours de la période couverte, c'est-à-dire de 1965 à 1985, seuls sept énoncés comportant des déclarations d'intention envers ce pays ont été cumulés. De plus, parmi ces sept, trois objectifs sont exposés lors du même discours du premier ministre Jean Lesage devant le Canadian Italian Business and Professionnal Men's Association le 20 novembre 1965. Trois autres objectifs, énoncés en 1973, 1975 et 1980, sont orientés vers l'Italie et vers d'autres pays européens et constituent, par conséquent, des déclarations d'ordre général. La dernière déclaration retenue à l'égard de l'Italie provient du ministre Jacques-Yvan Morin en 1983, qui fait mention de contacts avec le gouvernement italien, ainsi qu'avec le Saint-Siège, en vue de la visite du Pape au Québec.

Ainsi, l'Italie semble peu présente dans le discours québécois, alors que l'importance de l'investissement du gouvernement du Québec en termes de dépenses et d'effectifs, indique pourtant, un niveau d'intérêt assez élevé du gouvernement québécois à l'égard de ce pays. Une part d'explication de ce phénomène peut être apportée par le fait que, couramment, les mentions des pays européens, notamment lorsqu'il était question de relations commerciales, étaient produites en faisant allusion à l'Europe dans son ensemble. De plus, les relations avec l'Italie ne posaient pas de problème au niveau de la politique interne canadienne[40] et ne soulevaient pas, de ce fait, de débats à l'Assemblée nationale ou ailleurs.

Au chapitre des actes gouvernementaux, révélés par les visites ministérielles et les ententes, l'Italie ne jouit pas d'une attention particulière par rapport aux autres pays européens. En effet, relativement au nombre de visites reçues, elle se situe au quatrième rang en Europe (10,6%), après l'Allemagne, le Royaume-Uni et la Belgique (excluant les visites en France). Au nombre total de 34, ces visites témoignent d'une priorité accordée d'abord aux questions économiques avec 15 visites, ensuite au domaine général (politique et diplomatique) avec 7 visites et, enfin, au domaine de l'immigration avec 5 visites. De plus, les ententes conclues entre les gouvernements québécois et italien sont au nombre de trois, dont la première fut signée en 1975, dix ans après l'ouverture de la délégation à Milan. Ce premier accord formel instituait une collaboration dans le domaine des affaires sociales, notamment en rapport à la sécurité au travail. Une entente du même type sera reprise en 1979 sous le premier gouvernement de René Lévesque. Enfin, une dernière entente, de nature générale, est signée par le premier ministre Robert Bourassa en 1988. Cette faible densité des actes peut être expliquée en partie par la forte réticence du gouvernement italien à établir des contacts directs et officiels avec une province canadienne, considérée comme une simple région administrative d'un État souverain[41].

Par contre, les moyens alloués par l'État québécois pour assurer sa représentation en Italie révèlent une image plus détaillée, celle d'un intérêt soutenu et même croissant. Dès l'ouverture du Bureau commercial à Milan au cours de l'année fiscale 1965-1966, les dépenses encourues pour cette représentation québécoise correspondaient à quelque 13% du budget total accordé à l'Europe. Cependant, une fois les relations établies, la part italienne du coût de la présence québécoise en Europe se maintiendra, au cours des années soixante et soixante-dix, autour de 7 à 8%. La représentation québécoise en Italie semble accroître sa part relative avec l'arrivée au pouvoir du Parti québécois. En effet, dans le budget de 1975-1976, le bureau de Milan ne comptait que pour 5,9% des dépenses totales européennes. Dans le budget de 1981-1982, la part était accrue à 8,9% pour atteindre en 1984-1985 quelque 13,9%. En valeur absolue, les dépenses en Italie auront plus que quintuplé lors de cette dernière décennie (1975-1985), alors qu'entre 1965 et 1975 elles n'avaient pas même doublé.

L'examen des effectifs en poste à Milan démontre que, comme dans le cas des dépenses, il y a eu un important accroissement des moyens mis en œuvre dans la deuxième moitié des années soixante-dix. D'un personnel de neuf employés en 1975-1976, Milan est passée à 15 en 1979-1980 et à 20 en 1984-1985. Il semble que le changement de gouvernement en 1985 ait amené une légère baisse dans l'effectif italien — et même européen dans son ensemble — qui sera compensée toutefois en 1988-1989. En termes relatifs, la part italienne de l'effectif québécois en Europe (la France exclue) a varié d'un sommet de 33% en 1970-1971 à un plancher de 15% en 1975-1976, pour se stabiliser à 23-24% pendant les années quatre-vingt.

L'évolution de la nature des activités de représentation québécoise en Italie ressort clairement à l'examen de l'effectif professionnel affecté à Milan et à Rome[42]. En effet, au départ de caractère strictement économique, la présence québécoise se pourvoira, dès l'aube des années soixante-dix, d'un conseiller en immigration[43]. Ce dernier secteur occupera jusqu'à quatre agents en 1978-1979, mais leur nombre se maintiendra généralement autour de trois. Le domaine économique et commercial passera donc au second plan avec un minimum de deux conseillers (exception faite de 1978-1979). Plus récemment, soit à partir de 1987-1988, il semble que l'immigration ait revêtu encore plus d'importance pour le gouvernement québécois, puisque le nombre de professionnels œuvrant en ce domaine a été porté à quatre. Le secteur économique, pour sa part, s'est même vu privé de représentant de 1986 à 1988[44].

Ce survol rapide de quelques indicateurs dresse un portrait un peu ambivalent des relations du Québec avec l'Italie. D'abord parce que parmi les rares objectifs énoncés à l'égard de ce pays, la plupart sont de nature économique, tandis que la répartition des dépenses et effectifs semble favoriser, du moins à partir du milieu des années soixante-dix, le secteur de l'immigration. La nature des ententes vient toutefois confirmer ce qui ressort de l'examen des objectifs, accordant plus d'importance au domaine de l'économie et du commerce[45].

Cette ambivalence est renforcée par surcroît lorsque l'on consulte les statistiques d'immigration en provenance de l'Italie (pays de dernière résidence) au cours de la période étudiée. En effet, les niveaux d'immigration sont passés d'une moyenne d'environ 4000 par année, au cours des années soixante à une moyenne d'environ 350 par an au cours des années quatre-vingt. De même, en termes relatifs, la part d'immigrants italiens admis au Québec par rapport au total d'immigrants européens a fortement chuté au cours de la période (de 21% durant les années soixante à 6% durant les années quatre-vingt). Ces données porteraient à s'interroger sur la pertinence du choix du gouvernement québécois d'accroître le personnel affecté au domaine de l'immigration dans la représentation italienne, surtout durant les années quatre-vingt, ou sur l'efficacité de l'opération de recrutement à l'étranger.

Une image différente est projetée en ce qui concerne le commerce. En effet, les données sur les exportations québécoises vers l'Italie nous permettent de constater que la part italienne des exportations québécoises vers l'Europe (la France incluse) s'est maintenue tout au long de la période et s'est même accrue pour passer de 7% dans les dernières années de la décennie soixante à 12% au milieu des années soixante-dix. Cette part s'est par contre réduite au cours des années quatre-vingt et comptait pour quelque 8 % en 1990.

La République fédérale d'Allemagne (RFA)

Comme nous l'avons mentionné dans les pages précédentes, les relations du Québec avec l'Europe (la France exceptée) se sont développées dans une relative harmonie avec les autorités fédérales canadiennes. Mis à part quelques «accrocs», quant à l'établissement de relations avec la Belgique, des crises ponctuelles avec les autorités italiennes ou même britanniques, l'ensemble de l'expérience européenne peut être décrite comme «tranquille». De ce point de vue, les relations du Québec avec l'Allemagne sont un modèle. En effet, au cours des quelque vingt années de relations, on n'a pu relever de «moments critiques» ou même d'événements extraordinaires. Les couvertures médiatiques se sont limitées à relater les différentes visites de premiers ministres et ministres québécois et les différents ouvrages spécialisés sur les relations internationales du Québec ne traitent de l'Allemagne qu'en termes généraux. Cela dit, et comme nous le constaterons, il y a tout de même eu au cours des années des périodes plus intenses que d'autres. Les différents indicateurs utilisés nous permettront par surcroît de qualifier cet intérêt pour la terre allemande et, si possible, de révéler des points d'intérêts appelant à des recherches plus approfondies.

Les relations du Québec avec la République fédérale allemande ne prennent pas naissance en 1970 avec l'ouverture d'un bureau économique à Düsseldorf. En effet, la RFA est déjà un partenaire commercial important du Québec lorsqu'en 1969 on y projette l'ouverture d'une représentation québécoise. En 1968, l'Allemagne fédérale se classait même comme le troisième partenaire commercial du Québec, après le Royaume-Uni et les États-Unis. C'est avec une volonté de diversifier le marché commercial avec l'Allemagne, ainsi que dans le but «d'aller chercher d'autres capitaux[46]» que l'initiative d'y établir un bureau commercial fut lancée.

Les premières mentions de l'Allemagne dans le discours des protagonistes du gouvernement québécois apparaissent sous le mandat

Tableau 4.7

Objectifs par domaine et par mandat — Allemagne

MANDATS	Bertrand		Bourassa 1		Bourassa 2		Lévesque 1		Lévesque 2		Total période	
DOMAINES	Allemagne	Europe	Allemagne	Europe	Allemagne	Europe	Allemagne	Europe	Allemagne	Europe	Allemagne	Europe
politique/diplomatique	4	4		1		6	1	8	1	7		
culture/communication		0		1	1	6		1		3		
économie/commerce/finance	4	6		10	1	16		2	1	27		
éducation/science		0		1		5		2		6		
affaires sociales/travail		0		0		0		0		3		
Général		0	1	4	1	13		8		20		
Total	8	10	1	17	3	46	1	21	2	66	15	160
%	80%	100%	6%	100%	7%	100%	5%	100%	3%	100%	9%	100%

Jean-Jacques Bertrand. Parmi les objectifs énoncés à l'égard de la RFA, au nombre de huit entre le 27 février 1969 et le 24 février 1970, *tous* font aussi mention simultanément d'autres pays. L'Allemagne apparaît alors comme une cible parmi les autres pays européens comportant un certain nombre d'intérêts pour le Québec dont, entre autres, la croissance des liens commerciaux et la coopération en général. L'examen, dans leur ensemble, des objectifs énoncés au cours de toute la période (jusqu'à la fin du deuxième mandat de René Lévesque) confirme le maintien de cette perspective. L'Allemagne est une cible secondaire, tant en ce qui concerne le nombre d'objectifs énoncés à son égard qu'en ce qui a trait à la spécificité de ses interventions[47]. Dans le même sens, nous constatons aussi que les gouvernements qui se sont succédés au cours de la période ont tous tenu à peu près le même discours. Une déclaration du premier ministre Robert Bourassa, lors d'une visite en Allemagne fédérale en 1971, exprime bien la perspective québécoise de ses relations avec l'Allemagne: «L'Allemagne fédérale dispose de capitaux considérables et souffre d'un manque de main-d'œuvre. De notre côté, nous avons d'énormes richesses naturelles et une forte croissance de main-d'œuvre. Nous avons donc besoin d'un grand nombre de capitaux[48].» Ce message, que le premier ministre répétera en France et en Italie, n'est donc pas dirigé uniquement vers la RFA mais plutôt, semble-t-il, vers l'Europe dans son ensemble.

Quant aux actes proprement dits, c'est-à-dire les visites ministérielles et les ententes internationales, ils semblent confirmer le portrait dressé par l'analyse du discours. L'Allemagne se situe généralement en troisième place après le Royaume-Uni et la Belgique comme pays européen le plus visité, comptant quelque 44 visites au cours de la période couvrant le premier mandat de Robert Bourassa jusqu'à son troisième mandat. En valeur relative, cela constitue environ 14% des visites totales recensées en Europe (la France exclue) par des représentants québécois. Il n'y a pas de différence marquée entre les deux premiers mandats libéraux et les gouvernements péquistes qui ont suivi, en ce qui a trait à l'importance relative de l'Allemagne comme lieu de visites ministérielles (entre 16 et 18%). Toutefois, au troisième mandat de Robert Bourassa, seulement 6% des visites recensées en Europe eurent la RFA comme destination. La nature de ces visites est majoritairement du domaine économique ou commercial (27) et en second lieu, du domaine des affaires sociales et du travail

Tableau 4.8

Visites par domaine et par mandat — Allemagne

MANDATS	Bourassa 1		Bourassa 2		Lévesque 1		Lévesque 2		Bourassa 3		Total période	
DOMAINES	Allemagne	Europe	Allemagne	Europe	Allemagne	Europe	Allemagne	Europe	Allemagne	Europe	Allemagne	Europe
politique/ diplomatique		7	1	7		9		11		16		
institutionnel/ organisationnel		3		2	1	6		5		0		
culture/ communication		1		1	1	5	1	6		2		
économie/ commerce/ finance	6	17	4	17	4	15	10	48	3	28		
éducation/ science		1		1		4		6		0		
immigration		2		3		4	1	3		0		
écologie/ environnement		0		0	2	3		0		6		
affaires sociales/ travail		3	2	10	1	2	2	18	1	8		
Général	1	5		1	2	11	1	2		1		
Total	7	39	7	42	11	59	15	99	4	61	44	300
%	18%	100%	17%	100%	19%	100%	15%	100%	7%	100%	15%	100%

(6). Il est aussi intéressant de noter que seulement 7 de celles-ci impliquaient des interlocuteurs allemands au niveau du gouvernement fédéral, les autres visites impliquant habituellement des personnes du milieu des affaires et des organismes non gouvernementaux.

Le faible nombre d'ententes signées entre le Québec et l'Allemagne — 3 au cours de la période — confirme d'ailleurs le caractère informel de ces relations, fondées principalement sur des intérêts d'ordre économique ou commercial. La première entente fut signée en 1980 et se rapportait à l'ouverture d'une école allemande à Montréal. La deuxième est un accord en matière de sécurité sociale et la troisième, enfin, conclue en 1989 avec l'État de Bavière, est de caractère général.

En terme de dépenses par délégation, en Europe — incluant la France — la délégation de Düsseldorf n'a accaparé qu'un peu plus de 10% des montants au cours des ans et ce, sur un ensemble de seulement cinq à six représentations[49]. La plus forte croissance des dépenses s'est produite entre 1975 et 1980, période durant laquelle elles ont plus que triplé, passant de 224 000 dollars à 747 000 dollars. En 1989, la dernière année pour laquelle les données sont disponibles, 859 000$ étaient dépensés à Düsseldorf et représentaient quelque 6% des dépenses totales du Québec en Europe.

Cette tendance à la hausse est confirmée par l'analyse des effectifs de la délégation québécoise à Düsseldorf. En effet, entre 1975 et 1985, l'effectif en poste est passé de 13 à 20. La variation n'est toutefois pas perceptible en valeur relative à l'effectif total en Europe (France exceptée), car de 20,9% en 1975, l'effectif de Düsseldorf ne représentait encore que 21,7% en 1985. L'augmentation significative du personnel en Allemagne s'incrivait donc dans une tendance générale à la hausse de la représentation en Europe et dans le monde. Ce développement sera toutefois renversé avec le nouveau gouvernement de Robert Bourassa, en 1985. En effet, ce dernier opéra dès 1986, une restructuration importante des délégations et bureaux en Europe, et l'effectif en Allemagne passera à 9 en 1986-1987, ne comptant plus que pour 12,2% de l'effectif européen. Ce niveau fut conservé pour le reste de la décennie: en 1989, l'effectif de Düsseldorf comptait pour quelque 13% du personnel des représentations québécoises en Europe.

Un regard sur la fonction des professionnels en poste à Düsseldorf nous permettra d'identifier le ou les secteurs prioritaires d'intervention pour les gouvernements québécois en Allemagne. En effet, avec deux ou trois attachés commerciaux, on peut conclure que, de 1972 à 1975, la vocation de ce bureau est strictement commerciale. Au cours de l'année 1975, s'ajoute un conseiller en coopération et, l'année suivante, viendront s'ajouter des conseillers en tourisme et du personnel de direction. L'intérêt pour l'Allemagne se diversifie donc pendant la deuxième moitié des années soixante-dix, sous le premier mandat du gouvernement du Parti québécois. Toutefois, les compressions importantes apportées au début de la décennie quatre-vingt, à l'ensemble des représentations extérieures du Québec, obligeront les autorités gouvernementales à réduire le champ d'activité en Allemagne. Et ainsi, seul le secteur économique et commercial sera conservé. De nouvelles tentatives de diversification seront mises de l'avant dans les dernières années de pouvoir du Parti québécois mais, dès 1986, sous l'effet de la nouvelle approche du gouvernement de Robert Bourassa, la délégation de Düsseldorf retrouvera sa vocation originelle: l'économie.

En 1988 cependant, probablement sous l'influence des recommandations du rapport Bergeron, qui conclut, entre autres, à la nécessité d'augmenter le statut de la représentation québécoise en Allemagne, les données sur l'effectif professionnel nous permettent de constater un renouveau de l'effort de diversification, notamment par l'ajout de conseillers en matière d'éducation et de tourisme.

À la lumière des données qui viennent d'être exposées, il ressort clairement que la RFA est, et a toujours été avant tout, une cible commerciale pour le Québec. L'importante croissance de la valeur des exportations québécoises par rapport à sa production interne au cours de la période couverte justifie nettement la nature de cet intérêt pour le Québec et les efforts déployés en ce sens. Toutefois, nous constatons qu'entre 1968 et 1990, la part relative des exportations en direction de l'Allemagne a, en réalité, diminué de 15% à 14%, alors que d'autres pays européens ont profité d'un accroissement des exportations québécoises comme, par exemple, les Pays-Bas et la France. Cette baisse fut évidemment la conséquence de la crise économique, mais il demeure que l'Allemagne fédérale fut la plus durement touchée parmi les principaux pays d'exportation et est demeurée à l'arrière-plan, malgré la forte reprise économique qui a suivi[30]. Malgré cette baisse significative, le secteur d'activité économique demeure le domaine privilégié des relations entre le Québec et l'Allemagne: «Les échanges à caractère économique ont constitué les volets centraux des relations avec la République fédérale d'Allemagne depuis une quinzaine d'années[31].»

En résumé, les relations québéco-allemandes peuvent être décrites comme issues d'une volonté constante de la part des différents gouvernements québécois d'accroître et de développer des liens, mais dont les résultats sont tempérés par les conjonctures de l'économie et du commerce mondiaux. En ce qui a trait aux multiples tentatives de diversification telles que l'immigration, le tourisme, etc., elles apparaissent, du moins à l'examen de nos données, comme des actions de nature ponctuelle et ne faisant pas partie d'un plan général à long terme. Il n'en demeure pas moins que les relations du Québec avec l'Allemagne sont et resteront centrales. Cela d'autant plus que, dans le contexte de l'unification allemande et de la libéralisation des marchés d'Europe de l'Est, ce pays, qui déjà jouait un rôle de premier plan au sein de la Communauté européenne, devient en quelque sorte la porte d'entrée de ces nouveaux marchés.

Les autres pays de l'Europe de l'Ouest

En plus des quatre principaux partenaires dont il a été question dans les pages précédentes, c'est avec presque tous les autres pays européens de l'Ouest que le Québec a eu des relations. Dans plusieurs cas, ces relations ont été limitées et discontinues. Mais dans le cas de la Suède, de la Suisse, des Pays-Bas et du Vatican, elles ont été plus denses et plus continues. Qu'est-ce qui a attiré le Québec vers tous ces pays? Globalement, l'Europe de l'Ouest est la région du monde avec laquelle le Québec et le Canada ont les plus grandes affinités et, à l'exception des États-Unis, ont les plus importants intérêts économiques. Les affinités sont de nature culturelle et ethnique. La Francophonie et la latinité semblent avoir fourni au Québec la motivation première pour prendre contact avec la Suisse romande et le Luxembourg ou avec la Grèce, l'Espagne et le Portugal. D'importantes minorités ethniques portugaises et grecques fondent également l'attrait du Québec pour ces pays. Quant au Vatican, il constitue un cas plutôt particulier en tant que centre du catholicisme romain qui est la religion dominante au Québec.

Sous l'angle économique, l'importance des pays européens diffère. Les Pays-Bas représentent surtout un important partenaire commercial, alors que la Suisse apparaît aussi comme une source majeure d'investissements et que les pays scandinaves s'imposent par certaines compétences. Les premiers sont l'un des six membres fondateurs de la

Tableau 4.9

Visites par domaine et par mandat — autres pays d'Europe de l'Ouest

LESAGE	Grèce	St-Siège	Total
politique/diplomatique	1	3	16

BERTRAND	St-Siège	Total
politique/diplomatique	1	3

BOURASSA 1	Autriche	Danemark	Espagne	Finlande	Grèce	Islande	Suède	Suisse	St-Siège	Total Europe*
politique/diplomatique				1					1	7
institutionnel/organisationnel										3
culture/communication						1				1
économique/commerce/finance			1	1	1		1			17
éducation/science										1
immigration					1					2
affaires sociales/travail		1					1			3
aménagement du territoire/urbanisme	1							1		5
sous-total	1	1	1	2	2	1	2	1	1	39

* Incluant Europe de l'Est et URSS.

BOURASSA 2	Espagne	Finlande	Grèce	Pays-Bas	Suède	Suisse	Total Europe
politique/diplomatique				1	1	1	7
institutionnel/organisationnel							2
culture/communication							1
économie/commerce/finance				1		2	17
éducation/science							1
immigration			1				3
affaires sociales/travail	1	1		1	2		10
aménagement du territoire/urbanisme							1
sous-total	1	1	1	3	3	3	42

LEVESQUE 1	Irlande	Luxembourg	Pays-Bas	Portugal	Suède	Suisse	St-Siège	Total Europe
politique/diplomatique							3	9
institutionnel/organisationnel	1							6
culture/communication		1					1	5
économie/commerce/finance			1		1			15
éducation/science			1			3		4
immigration				1		1	1	4
écologie/environnement					1			3
affaires sociales/travail								2
aménagement du territoire/urbanisme			2		2			11
sous-total	1	1	4	1	4	4	5	59

LÉVESQUE 2	Autriche	Danemark	Finlande	Grèce	Irlande	Islande	Norvège	Pays-Bas	Portugal	Suède	Suisse	St-Siège	Total Europe
politique/diplomatique								1			2	4	11
institutionnel/organisationnel													5
culture/communication				1							1	1	6
économie/commerce/finance	2	1	2	1		1	2	2		1	2		48
éducation/science					1						1		6
immigration													3
affaires sociales/travail	4		1					1		2	1		18
aménagement du territoire/urbanisme									1		1		2
sous-total	7	1	3	2	1	1	2	4	1	3	8	5	99

BOURASSA 3	Danemark	Espagne	Luxembourg	Norvège	Pays-Bas	Suède	Suisse	Total
politique/ diplomatique	1						1	16
culture/ communication			1					2
économie/ commerce/ finance		1	1	1	2		3	28
écologie/ environnement					2		2	6
affaires sociales/ travail	1				1	1		8
aménagement du territoire/ urbanisme						1		1
sous-total	2	1	2	1	5	2	6	61

Communauté européenne. Les Pays-Bas sont aussi l'un des partenaires européens majeurs du Canada. De plus, celui-ci a conclu un accord cadre avec la CEE en 1976. La CEE elle-même et ses principaux États membres revêtent donc pour le Québec comme pour le Canada une importance considérable. Viennent ensuite les pays scandinaves et la Suisse. Finalement, l'Espagne, puis la Grèce et le Portugal, en raison des minorités ethniques présentes au Québec, suscitent un certain intérêt.

Les relations du Québec avec les autres pays d'Europe de l'Ouest se sont amorcées dans les années soixante-dix. Cette décennie débute, pour le Canada, par une révision majeure de sa politique étrangère qui s'est traduite par des efforts de développement de ses rapports avec l'Europe. Au même moment, le Québec s'est engagé sur la voie de la diversification de ses relations internationales. Cette diversification l'a conduit à prendre contact avec la plupart des autres pays européens. Au-delà de la diversification, que visait le Québec en établissant des rapports avec ces pays? Les quelques objectifs formulés et surtout les nombreuses visites effectuées nous fournissent des indications d'une inégale précision. Presque tous les pays ont été visités, certains assez souvent, d'autres très peu. Par contre, moins de la moitié des pays ont été la cible de quelques objectifs. Enfin, la plupart sont cosignataires d'une entente.

Les années soixante-dix sont marquées par une extension des relations du Québec dans toutes les directions. Au nord, des contacts sont établis avec la Suède, le Danemark et la Finlande. Au sud, ce sont la Grèce, l'Espagne et le Portugal; alors qu'ailleurs ce sont la Suisse, les Pays-Bas, l'Autriche, le Luxembourg et l'Irlande. Quant au Vatican, des visites y sont faites depuis 1961. Ces contacts sont d'abord et avant tout des visites, car aucune entente n'est conclue avec ces pays au cours de la décennie. Les visites sont aussi nombreuses de la part des représentants du gouvernement Bourassa que de ceux du gouvernement Lévesque, soit une vingtaine, si l'on excepte les visites des années soixante. Au nord, la Suède est l'objet d'une attention continue puisque neuf visites s'y déroulent de 1972 à 1978. Le premier ministre Bourassa s'y rend lui-même en avril 1974, les autres visiteurs étant divers ministres. La Suède apparaît donc comme la cible principale des efforts québécois dans cette région. Entre le nord et le sud, la Suisse et les Pays-Bas sont des destinations fréquentes. Le premier ministre Bourassa se rend dans les deux pays en avril 1974 et il retourne en Suisse en novembre 1974 et octobre 1975. De 1973 à 1979, la Suisse, est l'objet de huit visites alors que, de 1974 à 1979, les Pays-Bas en reçoivent six. Les préoccupations financières et économiques dominent chez les visiteurs québécois en Suisse alors que l'aménagement et le transport occupent une bonne place du côté des Pays-Bas.

L'attention portée à ce dernier pays semble un peu plus grande puisqu'on relève quatre objectifs visant les Pays-Bas. Cependant, il faut noter que les seuls objectifs formulés par le gouvernement québécois au cours de la décennie soixante-dix l'ont tous été au même moment. Lors de l'étude des crédits de son ministère des Affaires intergouvernementales en mai 1975, Gérard D. Lévesque déclare en effet que la direction des relations avec l'Europe poursuivra, entre autres, les objectifs suivants: multiplier les échanges bilatéraux avec les Pays-Bas dans les domaines de la recherche scientifique, de l'économie, de l'éducation et de la culture; élargir les relations actuelles avec l'Autriche et la Suisse; et explorer les voies d'une coopération nouvelle avec l'Espagne et le Portugal[52]. Aucun objectif ne vise les pays du Nord.

Il n'y a non plus aucun objectif relatif à la Grèce, que l'on visite pourtant plus que les autres pays du Sud. En effet, le premier ministre Lesage avait déjà visité la Grèce en octobre 1964 et le premier ministre Bourassa s'y rend en octobre 1975. Les ministres de l'Immigration et du Tourisme y font aussi des visites en 1972 et en 1973. Le Québec entretenant un officier d'immigration en Grèce de 1972 à 1975, cette question a occupé une bonne part dans les relations entre les deux partenaires. Quant à l'Espagne et au Portugal, qui ont été l'objet de quelques objectifs généraux, peu de visites y sont faites. Des ministres vont en Espagne en 1972 et en 1974, mais ce n'est qu'en 1978 qu'un ministre, celui de l'Immigration, se rend au Portugal. Pourtant le Québec est représenté à Lisbonne par un officier d'immigration en 1975.

La décennie suivante se distingue de la précédente par le virage commercial qui est donné aux relations extérieures du Québec. Cette dominante économique se traduit par une relance des rapports avec les pays du Nord et avec l'Autriche, les Pays-Bas, la Suisse et l'Espagne. Il y a cependant un ralentissement du côté de la Grèce et du Portugal. Au nord, la Suède demeure la cible privilégiée du Québec par le nombre des visites qui y sont faites, par les objectifs énoncés, par l'installation du seul bureau du Québec dans la région et par la constance de l'attention. Les visiteurs québécois se rendent assez fréquemment en Suède mais, semble-t-il, plutôt moins après l'établissement du Bureau en 1985. Ces visiteurs représentent les domaines de l'éducation, de la main-d'œuvre, des affaires sociales, des forêts et de la police. La Suède se distingue encore par les objectifs formulés, car c'est le seul pays du Nord envers lequel des objectifs sont énoncés. Toutefois, il n'y a que quatre objectifs et ils se rapportent tous au Bureau de Stockholm qui manifeste l'intérêt économique du Québec dans le développement de ses relations avec la Suède[53]. Ce bureau demeure très modeste, étant constitué de deux professionnels œuvrant dans le domaine économique. Enfin, une entente en matière de sécurité sociale lie les deux partenaires depuis 1988.

La Finlande et le Danemark, pour leur part, sont l'objet d'une attention discontinue. Dans le cas du Danemark, le ministre québécois des Affaires autochtones se rend au Groenland en 1989 pour y discuter de coopération dans divers secteurs et particulièrement entre les populations inuit des deux territoires. L'entente conclue alors comprend quelques bourses d'études offertes par le Québec et la mise sur pied d'un groupe restreint de travail mixte. Par ailleurs, des ententes de sécurité sociale lient également la Finlande et le Danemark au Québec depuis 1988. Négligées pendant la décennie précédente, la Norvège, avec laquelle une entente de sécurité sociale est en vigueur depuis 1988, et l'Islande attirent quelques visiteurs québécois. On aura sans doute remarqué que le Québec a conclu des ententes dites de sécurité sociale avec quatre des pays du Nord. Ces ententes ont été conclues en septembre et octobre 1986 avec la Suède et la Finlande, puis en octobre et novembre 1987 avec la Norvège et le Danemark. Elles sont par contre toutes entrées en vigueur le 1er avril 1988. Destinées à faciliter la mobilité des personnes entre les partenaires, ces ententes traitent toutes des prestations de retraite, des accidents du travail et des prestations de santé[54].

Au centre de l'Europe de l'Ouest, la Suisse et les Pays-Bas demeurent des pôles d'attraction pour les visiteurs québécois qui s'intéressent aussi à l'Autriche pendant la première moitié de la décennie. La Suisse est toujours une destination privilégiée des ministres et même des premiers ministres québécois. René Lévesque visite les cantons de Genève et du Jura en 1983. Ces visites illustrent les efforts, peu fructueux, déployés par le Québec pour établir des rapports avec les cantons francophones. Le résultat le plus tangible paraît être l'entente signée en 1983 avec le canton du Jura, entente très brève en vertu de laquelle les parties «entreprennent de favoriser et d'encourager la coopération dans les domaines de leur compétence[55]». À son tour, le président du canton du Jura s'est rendu à Québec en octobre 1984. Et c'est au moment où il l'accueillait à l'Assemblée nationale que le premier ministre Lévesque a réitéré la volonté de son gouvernement de favoriser le plein épanouissement de ses relations[56] avec le Jura, «partout où il sera concrètement possible de le faire», ainsi que l'approfondissement et l'élargissement de ces relations. Depuis ce moment, il semble y avoir eu peu de développements. L'affinité francophone et la sympathie particulière du Jura pour la volonté d'autonomie du Québec ne semblent donc pas avoir produit les résultats escomptés.

Ce n'est donc pas avec la Suisse francophone que le Québec a le plus de rapport, mais avec la Suisse financière et commerciale, comme l'indique la nature des visites. De même, le premier ministre Bourassa aime bien assister au symposium annuel du Forum économique mondial qui réunit à Davos les dirigeants économiques et politiques de nombreux pays. À la suite de celui de janvier 1987, par exemple, il se rendait à Zurich y rencontrer des industriels et des banquiers. Par ailleurs, la Suisse attire les ministres du Tourisme et de l'Environnement. Enfin, il ne faut pas oublier que la Suisse est le siège de nombreuses organisations internationales qui intéressent le Québec et que certaines visites visent aussi ces organisations.

Comme dans la période précédente, les Pays-Bas sont l'autre pôle d'attraction dans cette région du centre pendant les années quatre-vingt. Les visites y sont fréquentes, assez diversifiées et souvent comprises dans le cadre d'une tournée ou d'une mission dans plusieurs pays. Les préoccupations économiques sont les plus nombreuses, les autres touchant notamment aux affaires sociales et à l'environnement. C'est dans ce dernier domaine d'ailleurs qu'une entente de coopération est signée en 1988. L'attrait commercial des Pays-Bas apparaît encore dans une déclaration du ministre du Commerce extérieur, Bernard Landry, à l'effet que la France, les Pays-Bas et la Grande-Bretagne sont des marchés d'une importance égale pour le Québec[57]. Sur le plan économique, les Pays-Bas sont aussi une source importante d'investissements que sollicitent, par exemple, les ministres des Finances et du Commerce extérieur lors de visites en 1984 et 1988.

Les pays du sud de l'Europe, pour leur part, se distinguent par le fait que le gouvernement québécois énonce quelques objectifs à leur égard, mais les visite très peu. Parmi eux, l'Espagne semble retenir davantage l'attention. Celle-ci se manifeste surtout par des ententes. Par une première entente conclue en décembre 1981 et entrée en vigueur en avril 1982, le gouvernement du Québec et la *Diputacion* de Madrid s'engagent à favoriser la coopération dans tous les domaines de leur compétence. Puis en mars 1983, une entente au contenu identique est arrêtée sous forme d'échange de lettres avec la *Generalitat* de la Catalogne. Peu de temps après, le ministre Jacques-Yvan Morin indiquait, à l'occasion de l'étude des crédits du ministère des Affaires intergouvernementales, que le Québec comptait beaucoup sur la politique de décentralisation en cours en Espagne pour élargir sa coopération avec ce pays. Le Québec désirait, soulignait-il, étendre et raffermir ses relations avec les nouvelles entités régionales dans les domaines économiques et techniques[58]. C'est dans cette perspective que s'est effectuée l'unique visite de la décennie par le ministre de l'Industrie et du Commerce en mars 1988, au cours d'une tournée européenne. Il en est de même pour l'entente signée en octobre 1989 avec la députation régionale de la Cantabrie et portant sur la vente d'animaux vivants et de matériel génétique animal.

Avec la Belgique, à laquelle l'associaient d'ailleurs les propos de Jacques-Yvan Morin en 1983, l'Espagne représente donc un cas où les rapports avec des entités régionales sont plus importants qu'avec le gouvernement central. De plus, ces rapports s'établissant alors que le processus de décentralisation est en cours, les autorités régionales apparaissent plus réceptives aux avances du Québec que les autorités centrales. Les contacts minimaux du début des années soixante-dix contrastent avec cette activité, même limitée, des années quatre-vingt et avec la continuité qu'annonce l'énoncé de politique de 1991, en soulignant l'attrait que représente le développement économique accéléré de l'Espagne, de même que les entreprises culturelles espagnoles et en misant sur la participation du Québec à l'Exposition universelle de Séville de 1992 pour donner une nouvelle impulsion aux relations avec l'Espagne[59].

Les relations avec le Portugal s'annonçaient aussi un peu plus suivies qu'elles ne l'ont été en réalité. C'est par l'immigration que les deux pays ont été surtout en contact. Le courant d'immigration du Portugal, et surtout des Açores, vers le Québec, a amené ce dernier à établir un service d'immigration propre au sein de l'Ambassade canadienne à Lisbonne. Le Québec y a posté un officier dès 1975. De même, c'est le ministre responsable de l'Immigration qui effectue les deux seules visites officielles au Portugal en 1978 et en 1982, et c'est dans le but de faciliter la mobilité des personnes entre les deux pays qu'une entente est mise au point en 1981 relativement à diverses prestations de sécurité sociale. Enfin, le Portugal suscite l'énoncé d'objectifs nombreux et divers à l'occasion de la visite au Québec de son président de la République au mois d'avril 1984. Mais, à l'exception de l'entente de sécurité sociale de 1990 qui complétait celle de 1981, il n'y eut plus rien par la suite, ni aucune mention dans les énoncés de politique de 1985 et de 1991.

La Grèce, de son côté, qui avait déjà accueilli deux premiers ministres québécois, apparaît également délaissée au milieu de la décennie. Succédant aux questions d'immigration qui avaient dominé la décennie précédente, ce sont davantage des préoccupations culturelles et économiques qui accompagnent les ministres québécois en Grèce en 1982 et 1984. Toutefois, c'est pour faciliter la mobilité des personnes qu'une entente intervient en juin 1981 relativement aux prestations de sécurité sociale. Cette entente est renouvelée sous forme d'une entente complémentaire en septembre 1984. Pourtant la visite du premier ministre Papandréou au Québec, en mars 1983, avait donné l'occasion au premier ministre Lévesque de souhaiter le développement des rapports avec la Grèce en matière sociale, culturelle et économique. À part l'entente complémentaire de 1984, on ne relève, dans ce cas-ci non plus, aucun développement ultérieur.

En somme, le Québec entretient de bons et constants rapports, parmi les autres pays européens de l'Ouest. Il le fait principalement dans les domaines de l'économie, des affaires sociales (surtout dans le cas de la Suède), de l'aménagement du territoire et de l'environnement. Mais les relations avec les cantons suisses francophones demeurent extrêmement faibles. En deuxième lieu, les rapports sont discontinus et assez peu significatifs avec l'Espagne, la Grèce et le Portugal. Toutefois, l'Espagne et ses régions autonomes laissent peut-être entrevoir de meilleures perspectives. Dans le cas des autres pays, les rapports ont vraiment été de nature épisodique, les visites, en particulier, s'insérant assez souvent dans le cadre de tournées européennes. Enfin, il y a la CEE en tant que telle. Le gouvernement québécois a dit de temps à autre qu'il s'y intéressait. Mais les quelque six objectifs relatifs à la Communauté européenne sont formulés d'une manière bien générale. C'est uniquement en 1982 qu'est précisée la volonté québécoise de participer davantage aux consultations à niveau élevé entre le Canada et la CEE[60] Il y eut aussi sept visites auprès des instances de la CEE dont trois par le Premier ministre en 1974, 1980 et 1992. Et, en 1988, un échange de lettres est intervenu, entre le ministre de l'Énergie et des Ressources du Québec et le vice-président de la Commission de la CEE, relatif à une étude de faisabilité dans le domaine de l'énergie. C'est donc par le canal canadien que se font essentiellement les rapports entre le Québec et la CEE.

Quels bénéfices le Québec a-t-il retirés de ces initiatives et de ces relations diverses? Puisque les préoccupations économiques ont été très importantes, examinons l'indicateur fourni par la valeur des exportations québécoises. De 1969 à 1990, selon le tableau 4.10, les exportations québécoises ont progressé, mais dans des proportions variables. Les cas les plus intéressants sont ceux où le commerce est plus important. Parmi ces derniers, les Pays-Bas, sont l'un des trois principaux partenaires commerciaux du Québec et du Canada en Europe de l'Ouest. De 1969-1972 à 1987-1990, la part des Pays-Bas dans l'ensemble des exportations québécoises vers l'Europe, passe de 8-10% à 12-19% et, pour le Canada, de 8-9% à 9-10%. Dans le cas de la Norvège, les proportions vont de 2% à 6%, avec une baisse à 1% en 1990 pour le Québec, et de 5% à 3-4% pour le Canada. Dans la catégorie des autres pays européens, on remarque la Suisse et l'Espagne avec lesquels les pourcentages oscillent autour de 2-3 % pour le Québec et pour le Canada[61]. Le Québec semble donc obtenir de meilleurs résultats que le Canada auprès des Pays-Bas et de la Norvège. Il entretient d'assez bons et constants rapports avec les premiers, mais très peu avec la Norvège jusqu'ici.

De plus, en raison des efforts particuliers déployés en matière d'immigration, il apparaît pertinent de considérer les statistiques d'immigration. Comme le montre le tableau 4.11, si l'on observe seulement les autres pays européens de l'Ouest, les immigrants les plus nombreux en 1963 viennent de la Grèce. L'affectation d'un officier québécois d'immigration dans ce pays en 1972 semble donc justifiée. Cependant, cet officier entre en fonction au moment où le nombre d'immigrants grecs décroît et il continuera à décroître. Ce poste ne fut plus occupé après 1975. L'immigration grecque au Canada a connu une décroissance semblable. Cependant le Québec retient une part plutôt déclinante des immigrants grecs au Canada[62]. En seconde place, en 1963, venait le Portugal. C'est en 1975 qu'un premier officier québécois d'immigration y fut posté, mais ce n'est que depuis 1980 que le poste est occupé de façon continue. Dans ce cas, le nombre d'immigrants a fluctué, les nombres des années quatre-vingt étant cependant plus petits que ceux des deux décennies précédentes. Mais le Portugal occupe la première place en 1990. Pour sa part, l'immigration portugaise au Canada subit une évolution similaire. La troisième source importante d'immigration demeure la Suisse d'où peuvent venir en particulier des immigrants francophones. L'immigration suisse tend à diminuer au Canada et au Québec. Toutefois le Québec semble attirer une proportion moindre des immigrants suisses au Canada au cours des dernières années. L'exemple du Portugal semble montrer que les efforts du Québec ont porté fruit, si on le compare aux autres cas et à celui du Canada.

Dans les autres domaines, l'évaluation des résultats obtenus n'apparaît pas aisée. Qu'en est-il, entre autres, des ententes de sécurité sociale destinées à faciliter la mobilité des personnes entre le Québec et le Portugal, la Grèce, le Danemark, la Norvège, la Finlande, la Suède, le Luxembourg[63]? Dans le cas des plus anciennes, celles avec le Portugal et la Grèce, quelque cinquante et soixante-dix nouvelles demandes de pension respectivement ont été traitées en moyenne annuellement par la partie québécoise au cours des années quatre-vingt. Les ententes avec les autres pays étant récentes, peu de dossiers ont été traités jusqu'à maintenant[64]. Quels échanges ont suscité les ententes avec les régions espagnoles et le Jura? Quels autres bénéfices le Québec retire-t-il de ses rapports avec les Pays-Bas, la Suisse et la Suède?

L'Europe de l'Est

À l'inverse des pays européens de l'Ouest, ceux de l'Est n'ont été généralement l'objet que de contacts épisodiques avec le Québec. C'est au moment de l'Exposition universelle de Montréal en 1967 que se sont établis les premiers contacts, principalement au niveau des fonctionnaires, entre le Québec et la Tchécoslovaquie. Ces contacts furent d'abord d'ordre culturel, comme ce fut aussi le cas par la suite avec l'Urss, la Pologne, la Roumanie et la Bulgarie. Mais le désir de développer des liens économiques était aussi présent, des échanges commerciaux existant avec la plupart de ces pays. Ces liens économiques sont cependant sensibles au climat politique. Ainsi le Printemps de

Prague de 1968 et ses suites ont brisé l'élan des rapports amorcés avec le Québec. De même, en 1980-1981, le gouvernement québécois a pris position en faveur des demandes du peuple polonais, et a facilité l'accueil des réfugiés polonais tout en suspendant son programme de bourses universitaires avec la Pologne. Les rapports avec ce pays, qui était à la fin des années soixante-dix un important partenaire commercial du Québec en Europe de l'Est, ne reprendront qu'au début des années quatre-vingt-dix[65]. Enfin, le gel, en 1980, des relations du Canada avec l'Urss, à la suite de l'invasion de l'Afghanistan, a aussi contraint les initiatives québécoises.

Dans le cas de l'Urss, les rapports du Québec se sont établis par l'intermédiaire de la Commission de coopération scientifique et culturelle Canada-Urss établie par l'accord de 1971. On note aussi à cette époque une visite du ministre québécois de la Voirie et des Travaux publics en Urss en juin 1971 et en Russie en novembre 1972. Le premier ministre Bourassa exprime même, en décembre 1972, l'intention de son gouvernement d'ouvrir une délégation commerciale à Moscou, intention qui n'est toujours pas concrétisée. De plus, en 1975, le ministre Gérard D. Lévesque mentionnait parmi les objectifs de son ministère celui «d'amorcer une coopération avec l'Urss[66]». Mais, en partie à cause de l'affaire afghane, ce n'est qu'en août 1982 que des développements ultérieurs apparaissent, alors qu'une mission de hauts fonctionnaires québécois se rend en République de Russie pour discuter de problèmes énergétiques et agricoles en milieu froid. Cette mission est suivie de la visite de deux ministres, celui des Relations avec les citoyens en 1984 et celui de la Culture en 1985. Ces divers contacts ont par la suite conduit à la signature, en 1987, d'un protocole de coopération avec la Russie en matière scientifique, technique et culturelle pour le développement du Nord. Ce protocole a été renouvelé et élargi au-delà des affaires nordiques et de façon à inclure l'économie en 1988, à la suite de visites réciproques de ministres russe et québécois. Finalement, c'est à l'aube d'une ère nouvelle, remplie alors de promesses mais aussi d'incertitudes, que le ministre québécois de l'Industrie, du Commerce et de la Technologie se rend en Urss et en Russie en juillet 1990. Mais déjà, c'est ailleurs que semble se fixer l'attention du Québec, principalement en Tchécoslovaquie et en Hongrie.

Les relations avec la Tchécoslovaquie, qui avaient été «gelées» par le «Printemps de Prague après avoir été activement amorcées à peine un an auparavant sur les plans culturels et économiques[67], se réaniment en juin 1984 par une mission commerciale dirigée par le ministre délégué à la Science et à la Technologie, mission qui visite aussi la Hongrie. Une autre mission, sous la direction du ministre délégué aux Affaires internationales, se rend, en septembre 1988, successivement en Tchécoslovaquie, en Hongrie, en Yougoslavie et en RDA. Avec la visite du ministre des Affaires internationales en Russie en décembre 1988, cette autre mission témoigne d'une offensive québécoise en Europe de l'Est. Ce premier contact avec la RDA restera sans suite particulière, en raison de la réunification allemande. Il en est de même de la Yougoslavie bien que le ministre du Commerce extérieur se soit déjà rendu en Croatie et en Slovénie en septembre 1984.

Les changements de régime en Tchécoslovaquie et en Hongrie ont suscité un regain d'intérêt de la part du Québec. Le séjour de Robert Bourassa en Hongrie, en février 1990, est la première visite d'un premier ministre québécois en Europe de l'Est. Cette visite donna lieu à la signature d'une entente de coopération dans les domaines de la science, de la technologie et de la formation. Au cours du même mois, le Québec concluait avec la Tchécoslovaquie une autre entente de coopération en matière économique, culturelle, de formation professionnelle et d'enseignement supérieur. Et dès mai 1990, une mission économique se rendait en Tchécoslovaquie sous la direction du ministre des Affaires internationales. Enfin, en janvier 1991, c'était l'inauguration du Centre de commerce et de la culture du Québec à Prague. L'initiative se poursuivait également du côté de la Hongrie où le Québec envoyait le ministre des Affaires internationales en mars 1991 et la ministre déléguée aux Finances en mars 1992.

Par ailleurs, quelques rapports ont été établis avec la Roumanie. Ce fut d'abord la visite du ministre de la Voirie et des Travaux publics, qui se rendait en même temps à Moscou en juin 1971. Il y eut ensuite la déclaration du ministre Gérard D. Lévesque en 1975, à l'effet que le Québec voulait explorer des voies possibles d'échanges avec ce pays[68]. Dans cette ligne, une convention entre le Québec et la Roumanie était conclue en 1984 concernant les essais et inspections des chaudières et appareils sous pression. Le changement de régime a, là aussi, provoqué une relance qui s'est traduite par la visite à caractère économique de la ministre déléguée à la Francophonie en octobre 1990 et par la signature d'une nouvelle entente de coopération économique, en marge du Symposium de Davos de février 1992. Enfin, les premières démarches officielles en direction de la Pologne surviennent en mars 1991, avec la visite du ministre des Affaires internationales et la conclusion d'une entente de coopération industrielle, commerciale, culturelle et d'échanges universitaires.

Si le bilan québécois était faible en Europe de l'Est sous les anciens régimes, les initiatives se multiplient depuis 1990 et même 1988 et les intentions s'affirment davantage dans l'énoncé de politique de 1991. Selon ce dernier le Québec vise en effet l'établissement de relations en matière de commerce, d'industrie, de formation et de coopération scientifique et culturelle, principalement avec la Hongrie, la Tchécoslovaquie, le Pologne et la République de Russie[69]. En 1992, il y a correspondance entre les intentions et les actes. Toutefois, le démembrement de la Tchécoslovaquie ajoute une bonne part d'incertitude et la situation en Roumanie en suscite sans doute encore plus.

Comme nous l'avons souligné, les rapports du Québec avec les pays d'Europe de l'Est sont, pour l'essentiel, très récents. Dans ces conditions, les actions réalisées par le Québec n'ont pas encore produit beaucoup d'effet sur ses échanges avec ces pays. Sur le plan commercial, le Québec vend sur ces marchés depuis de nombreuses années. Mais, à l'exception de l'URSS, de 1969 a 1990, les montants sont relativement modestes et ils fluctuent fréquemment. En conséquence, aucune tendance nette n'apparaît et aucun marché ne tend encore à dominer[70]. Quant aux immigrants reçus[71], les Polonais sont au total les plus nombreux mais ils ne le sont pas constamment. Suivent, dans les mêmes conditions, les Roumains, les Yougoslaves et les Tchécoslovaques. Au Canada, pendant la même période, les principaux groupes étaient les Polonais, les Yougoslaves, les Tchécoslovaques et les Roumains. Ces tendances ne concordent pas avec les relations officielles. Enfin, les ententes conclues sont trop récentes pour observer des résultats significatifs.

Conclusion

Parmi les multiples acteurs de la scène internationale, les pays européens ont sans doute été les partenaires du gouvernement québécois les plus nombreux. Cependant, ils n'ont pas tous eu la même importance. Après une trentaine d'années, on peut identifier les pays avec lesquels le Québec est entré en contact ou a eu des relations plus ou moins suivies, mais il est difficile de dégager une approche cohérente auprès des pays européens autres que la France. Les motifs et les intentions du gouvernement québécois n'apparaissant pas clairement fixés, la politique québécoise semble avoir été guidée parfois par les situations établies et parfois par les opportunités qui se présentaient ou par un simple désir d'exploration.

Cette politique n'est pas dépourvue de continuités. Les rapports avec la Grande-Bretagne, la Belgique, l'Italie et la République fédérale d'Allemagne le montrent bien. C'est à l'égard de ces pays que le Québec a manifesté l'intérêt le plus ancien et le plus durable. Dans le cas de la Grande-Bretagne, la continuité semble assurée, car elle est fondée sur une tradition de rapports privés ou informels de longue date et de préoccupations économiques dominantes. On peut dire qu'il en est de même pour la RFA avec laquelle les relations ont toujours été sereines et dont l'attrait économique persiste. Pour ce qui est de l'Italie, on peut estimer les perspectives de continuité davantage en fonction du grand nombre de québécois de souche italienne. Cette situation contribue à maintenir des rapports économiques importants et des efforts d'immigration soutenus, mais moins fructueux. L'Italie est le seul pays européen où le Québec possède deux représentations permanentes, Milan et Rome, et un aussi grand nombre d'agents d'immigration. Enfin, il y a la Belgique, avec laquelle les premiers rapports ont été plutôt difficiles et limités. Depuis le déblocage du début des années soixante-dix et l'évolution constitutionnelle subséquente de la Belgique, les rapports se sont continuellement développés. Comme pour les autres grands partenaires européens du Québec, les rapports avec la Belgique sont importants dans le domaine économique. Toutefois, dans ce cas-ci, ils le sont autant dans le domaine de la Francophonie. La concentration de l'attention sur la Wallonie paraît donc durable, mais aussi à raffermir dans une situation encore mouvante.

Par contre, les contacts établis avec la plupart des autres pays européens donnent une image de dispersion et ont un caractère épisodique. Les relations se sont résumées à des contacts limités et finalement sans suite. Les représentants du Québec ont de cette façon visité beaucoup de pays. Mais le gouvernement québécois n'a pratiquement pas exprimé ses intentions, sinon de façon très générale, envers ces pays. Dans quelques cas, la Grèce et le Portugal, une continuité a paru un moment être amorcée. Dans d'autres, toutefois, des relations officielles limitées se poursuivent depuis une vingtaine d'années. Il s'agit d'abord des Pays-Bas et de la Suisse qui demeurent pour le Québec des partenaires commerciaux et financiers majeurs et, pour les Pays-Bas, de plus en plus importants. Il y a ensuite la Suède qui a été l'objet de la plus grande attention parmi les pays nordiques. Le Québec y a ouvert une représentation permanente en 1985. Cependant, la Norvège est le principal partenaire commercial dans cette région. Les perspectives sont peut-être plus incertaines de ce côté. Finalement, cette incertitude caractérise aussi les relations avec l'Espagne qui se sont animées depuis le début des années quatre-vingt et que l'énoncé de politique de 1991 place au second rang des priorités. Par ailleurs, les rapports avec les pays de l'Est contribuent plutôt à l'image de dispersion de la politique québécoise. Les possibilités économiques récemment ouvertes à la suite des changements de régime politique sont encore essentiellement incertaines et appelleraient une politique cohérente.

Ces préoccupations économiques sont en quelque sorte une constante du comportement du Québec en Europe. Elles ne constituent pas toujours la priorité du gouvernement québécois, mais elles sont toujours un élément important. Cette importance, pour une économie comme celle du Québec, rend d'autant plus nécessaire une politique bien définie car, jusqu'ici, les résultats obtenus ont été variables et le système économique européen subit des transformations majeures. C'est aussi le cas pour l'immigration que le Québec a assez largement recherchée dans plusieurs pays européens, mais dont la tendance semble être plutôt à la baisse. En raison de la situation démographique du Québec, cette question est d'une grande importance et doit donner lieu à une politique cohérente qui intègre la dimension francophone. La Francophonie européenne, en effet, a aussi cette signification pour le Québec, en plus de la coopération et des échanges qu'elle implique habituellement avec la Belgique et la Wallonie sinon avec le Luxembourg ou les cantons du Jura et de Genève. Les institutions multilatérales ne peuvent être ici que complémentaires à une véritable politique québécoise. Et, au moment où la division entre l'Est et l'Ouest issue de la guerre froide s'estompe et ouvre la voie à l'émergence d'une Europe nouvelle, le Québec doit saisir l'occasion de se donner une politique européenne.

Tableau 4.10

Exportations chargées au Québec par principaux pays de
destination en valeur relative (1969-1990)

Pays	1969	1972	1975	1978	1981	1984	1987	1990
Belgique et Luxembourg	5%	3%	4%	5%	3%	3%	7%	4%
Espagne	4%	2%	2%	3%	2%	1%	2%	3%
France	6%	4%	6%	5%	5%	6%	14%	12%
Italie	7%	8%	12%	7%	7%	5%	7%	8%
Norvège	2%	1%	2%	4%	6%	6%	6%	1%
Pays-Bas	8%	10%	12%	10%	10%	9%	12%	19%
RFA	15%	10%	10%	9%	7%	7%	13%	14%
Royaume-Uni	43%	33%	25%	26%	25%	16%	23%	23%
Suède	1%	1%	1%	1%	1%	1%	2%	2%
Suisse	2%	2%	2%	2%	2%	1%	3%	3%
Turquie	0%	1%	1%	1%	0%	1%	3%	3%
Autres Europe Ouest	4%	3%	1%	2%	3%	0%	6%	7%
Pologne	0%	2%	3%	4%	5%	1%	0%	0%
URSS	0%	16%	13%	17%	20%	36%	1%	2%
Yougoslavie	1%	1%	1%	1%	1%	1%	0%	1%
Autres Europe Est	7%	25%	21%	27%	31%	40%	13%	16%

Graphique 4.1

Exportations totales du Québec et du Canada vers l'Europe
(1969-1990)

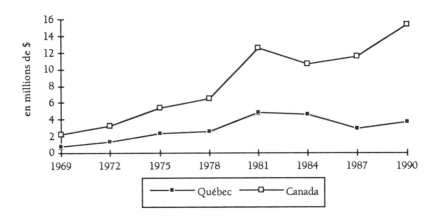

Tableau 4.11

Immigration au Québec par principaux pays de dernière résidence
en valeur absolue et en valeur relative (1963-1990)

Pays	1963(%)	1966(%)	1969(%)	1972(%)	1975(%)	1978(%)	1981(%)	1984(%)	1987(%)	1990(%)
Belgique	578(3)	805(3)	566(4)	236(3)	286(3)	224(5)	434(7)	135(4)	224(4)	264(4)
Espagne	253(1)	642(2)	361(2)	191(2)	246(2)	85(2)	184(3)	117(3)	99(2)	101(1)
France	2884(17)	6144(21)	3550(22)	1653(19)	2922(27)	1267(26)	1546(24)	955(28)	1657(30)	1990(26)
Grèce	2348(14)	2708(9)	2383(15)	1327(15)	1142(10)	435(9)	287(4)	202(6)	285(5)	186(2)
Italie	3995(23)	7019(24)	2227(14)	1000(12)	982(9)	613(13)	518(8)	207(6)	235(4)	204(3)
Pays-Bas	163(1)	334(1)	133(1)	120(1)	47(0)	89(2)	56(1)	34(1)	31(1)	40(1)
Portugal	988(6)	1516(5)	1175(7)	1372(16)	1059(10)	549(11)	606(9)	262(8)	744(13)	1107(15)
RFA	1330(8)	1340(4)	699(4)	322(4)	405(4)	156(3)	131(2)	167(5)	196(3)	117(2)
Royaume-Uni	2957(17)	6304(21)	2756(17)	1260(15)	2586(23)	612(13)	1281(19)	326(9)	350(6)	390(5)
Suisse	466(3)	1338(4)	823(5)	248(3)	460(4)	375(8)	299(5)	99(3)	210(4)	194(3)
Turquie	92(1)	287(1)	181(1)	190(2)	74(1)	45(1)	254(4)	154(4)	138(2)	461(6)
Autres Europe Ouest	495(3)	938(3)	539(3)	240(3)	284(3)	113(2)	78(1)	67(2)	118(2)	102(1)
Pologne	285(2)	186(1)	128(1)	203(2)	108(1)	75(2)	451(7)	394(11)	726(13)	947(13)
RDA	1(0)	1(0)	3(0)							
Roumanie	29(0)	11(0)	18(0)	35(0)	113(1)	86(2)	211(3)	159(5)	329(6)	714(10)
Tchécoslovaquie	6(0)	12(0)	190(1)	38(0)	22(0)	11(0)	68(1)	100(3)	93(2)	214(3)
Yougoslavie	100(1)	111(0)	233(1)	88(1)	157(1)	56(1)	38(1)	15(0)	60(1)	114(2)
Autres Europe Est	120(1)	107(0)	100(0)	85(0)	133(1)	83(1)	135(2)	56(2)	109(2)	365(5)
Total Europe	17089	29802	16062	8608	11026	4875	6577	3450	5604	7513

Tableau 4.12

Immigration au Canada par principaux pays de dernière résidence
en valeur absolue et en valeur relative (1963-1990)

Pays	1963(%)	1966(%)	1969(%)	1972(%)	1975(%)	1978(%)	1981(%)	1984(%)	1987(%)	1990(%)
Belgique	935(1)	1385(1)	1004(1)	447(1)	656(1)	359(1)	648(1)	236(1)	382(1)	355(1)
Espagne	436(1)	1151(1)	879(1)	523(1)	697(1)	289(1)	402(1)	266(1)	216(1)	225(0)
France	3569(5)	7872(5)	5549(6)	2742(5)	3891(5)	1754(6)	2089(5)	1380(7)	2290(6)	2588(5)
Grèce	4759(7)	7174(5)	6937(8)	4016(8)	4062(6)	1474(5)	958(2)	555(3)	771(2)	533(1)
Italie	14427(21)	31625(21)	10383(12)	4608(9)	5078(7)	2976(10)	2043(4)	839(4)	1032(3)	915(2)
Luxembourg	49(0)	48(0)	31(0)	16(0)	19(0)	5(0)	11(0)	2(0)	19(0)	10(0)
Norvège	290(0)	534(0)	341(0)	134(0)	187(0)	80(0)	82(0)	29(0)	80(0)	109(0)
Pays-Bas	1728(3)	3749(3)	2494(3)	1471(3)	1448(2)	1237(4)	1797(4)	545(3)	575(2)	620(1)
Portugal	4000(6)	7930(5)	7182(8)	8737(17)	8547(12)	3086(10)	3290(7)	1342(6)	7300(19)	7917(15)
RFA	6744(10)	9263(6)	5880(7)	2025(4)	3469(5)	1471(5)	2188(5)	1727(8)	1906(5)	1620(3)
Royaume-Uni	24603(36)	63291(43)	31977(36)	18197(35)	34978(48)	11801(39)	21154(46)	5104(24)	8547(23)	8217(16)
Suisse	999(1)	2992(2)	2307(3)	778(2)	1272(2)	801(3)	863(2)	389(2)	633(2)	568(1)
Turquie	173(0)	492(0)	387(0)	506(1)	320(0)	192(1)	838(2)	370(2)	389(1)	762(1)
Autres Europe Ouest	3650(5)	7414(5)	5922(7)	2956(6)	3704(5)	1946(6)	2197(5)	841(4)	1888(5)	1481(3)
Pologne	1482(2)	1678(1)	859(1)	1321(3)	809(1)	753(3)	3850(8)	4499(22)	7036(19)	16579(32)
RDA	12(0)	10(0)	15(0)	10(0)	21(0)	28(0)				
Roumanie	67(0)	18(0)	86(0)	89(0)	274(0)	246(1)	747(2)	840(4)	1550(4)	2784(5)
Tchécoslovaquie	29(0)	85(0)	1754(2)	154(0)	107(0)	136(0)	1079(2)	924(4)	922(2)	1356(3)
Yougoslavie	781(1)	1502(1)	4053(5)	2047(4)	2932(4)	927(3)	743(2)	465(2)	1059(3)	1933(4)
Autres Europe Est	638(1)	741(0)	679(1)	660(1)	623(1)	612(2)	1383(3)	567(3)	1027(3)	3454(7)
Total Europe (100%)	69259	148944	88704	51427	72085	30155	46377	20930	37643	52054

Notes

1. Charles Pentland, «L'option européenne du Canada dans les années 80», *Études internationales*, vol. xiv, n° 1, mars 1983, pp. 39-58.
2. Louise Beaudoin, «Origines et développement du rôle international du Gouvernement du Québec», dans Paul Painchaud, dir., *Le Canada et le Québec sur la scène internationale*, Québec/Montréal, Centre québécois de relations internationales et Montréal, Les Presses de l'Université du Québec, 1977, pp. 443-447. Gérard Hervouet et Hélène Galarneau, *Présence internationale du Québec. Chronique des années 1978-1983*, Québec, Centre québécois de relations internationales, 1984, pp. 23-24.
3. Claude Morin, *L'art de l'impossible. La diplomatie québécoise depuis 1960*, Montréal, Boréal, 1987, pp. 21-106. G. Hervouet et H. Galarneau, *op. cit.*, pp. 13-45. Ministère des Relations internationales, *Le Québec dans le monde ou le défi de l'interdépendance. Énoncé de politique de relations internationales*, 1985, 204 p. Ministère des Affaires internationales, *Le Québec et l'interdépendance. Le monde pour horizon. Éléments d'une politique d'affaires internationales*, 1991, 228 p.
4. André Patry, *Le Québec dans le monde*, Montréal, Leméac, 1980, pp. 69-70, 109-112 et 134. L. Beaudoin, *op. cit.*, pp. 448-460. C. Morin, *op. cit.*, pp. 95-100.
5. G. Hervouet et H. Galarneau, *op. cit.*, p. 240.
6. *Ibid.*, p. 239.
7. A. Patry, *op. cit.*, pp. 71, 112 et 147.
8. *Ibid.*, pp. 70 et 112-113.
9. C. Morin, *op. cit.*, pp. 347-358.
10. G. Hervouet et H. Galarneau, *op. cit.*, pp. 236-238.
11. A. Patry, *op. cit.*, p. 114. G. Hervouet et H. Galarneau, *op. cit.*, p. 237.
12. Gouvernement du Québec, *Le Québec dans le monde. État de la situation*, Québec, Secrétariat permanent des conférences socio-économiques du Québec, 1984, p. 56.
13. Ministère des Relations internationales, *Le Québec dans le monde ou le défi de l'interdépendance*, *op. cit.*, 1985, pp. 150 et 164-165. Ministère des Affaires internationales, *Le Québec et l'interdépendance*, *op. cit.*, 1991, pp. 158-159.
14. Voir les graphiques 3.2 et 3.3 du chapitre 3 pour l'évolution générale des effectifs et des visites. Pour l'ensemble de la période, par exemple, le total des objectifs recensés a été de 297 pour l'Amérique du Nord, de 230 pour la France, de 177 pour l'Europe sans la France, de 87 pour l'Asie, etc. Par contre, pour les ententes, les totaux sont de 57 pour les États-Unis, 49 pour l'Afrique et 38 chacun pour la France et l'Europe sans la France. Enfin, en pourcentage du total des dépenses, les trois principales cibles sont les États-Unis, la France et l'Europe sans la France.
15. Jean Lesage, *Inauguration officielle de l'Agence générale du Québec à Londres*, Londres, 7 mai 1963, p. 1.
16. *Ibid.*, p. 3 et Jean Lesage, *La Chambre de commerce du Canada*, Londres, 9 mai 1963, p. 3.
17. Claude Morin, *Conférence lors de sa visite à Londres*, 8 et 9 mai 1978, pp. 9-13.

18. Voir, par exemple, René Lévesque, *Journal des Débats*, 12 novembre 1980, p. 76. Claude Morin, *Journal des Débats*, 12 novembre 1980, p. 79 et 19 novembre 1980, p. 213.

19. Jacques-Yvan Morin, *Journal des Débats*, 7 juin 1983, p. B-4742.

20. Bernard Landry, *Journal des Débats*, 24 avril 1985, p. cet-1813.

21. Jacques Paquette, *L'incidence politique de la Délégation générale du Québec à Londres*, mémoire de maîtrise, Université Laval, 1981, pp. 38, 47 et 54.

22. Voir à ce sujet Michel David, «L'homme du Québec à Londres se soucie surtout d'économie», *Le Soleil*, 1er février 1987, pp. B1-B2.

23. *Évaluation du réseau de représentation du Québec à l'étranger*. Rapport synthèse présenté par Marcel Bergeron au ministre des Affaires internationales du Québec en octobre 1988. Extraits cités dans Y. Martin et D. Turcotte, *Le Québec dans le monde. Textes et documents I*, pp. 157 et 162.

24. Ministère des Affaires internationales, *Le Québec et l'interdépendance*, *op. cit.*, pp. 154 et 159.

25. Claude Morin, *Conférence...*, *op. cit.*, p. 13.

26. Voir le tableau 4.10.

27. Voir le graphique 4.1.

28. Ministère des Affaires internationales, *Le Québec et l'interdépendance*, *op. cit.*, pp. 154-159.

29. Gérard D. Lévesque, *Journal des Débats*, 8 juin 1972, pp. B-3039-3041.

30. Daniel Gauthier, *Les relations entre le Québec et les deux principales communautés de Belgique*, mémoire de maîtrise, Université de Montréal, 1987, pp. 97-126.

31. Robert Bourassa, *Allocution lors d'un déjeuner offert par le gouvernement belge*, Bruxelles, 23 avril 1974, p. 1.

32. Robert Bourassa, *Allocution en présence de seize personnalités belges*, Bruxelles, 22 avril 1974.

33. Robert Bourassa, *Allocution lors d'un déjeuner...*, *op. cit.*

34. Gérard D. Lévesque, *Allocution à la Chambre de commerce belgo-luxembourgeoise*, Montréal, 30 janvier 1975, pp. 7-11.

35. Une série de réformes constitutionnelles échelonnées de 1970 à 1988 ont d'abord créé trois communautés culturelles et trois régions, puis les ont dotées de compétences de plus en plus étendues aux dépens de l'État central. La réforme en cours d'adoption en 1993 aura pour effet de transformer la Belgique en un État fédéral très décentralisé.

36. Claude Morin, *Journal des Débats*, 10 juin 1981, p. B-1122.

37. Jacques-Yvan Morin, *Journal des Débats*, 7 juin 1983, p. B-4745.

38. *Ibid.*, p. B-4673.

39. Voir le tableau 4.10.

40. Le formalisme du gouvernement italien assurait le respect des règles de la diplomatie et de la souveraineté nationale. Voir A. Patry, *op. cit.*, p. 70.

41. *Ibid.*, pp. 112-113.

42. Le Bureau de Rome fut inauguré officiellement en 1986. Cependant, dès 1982, du personnel en détachement de Milan y travaillait en permanence.

43. Grâce aux modalités comprises dans l'entente fédérale-provinciale Andras-Bienvenue qui permettait au Québec de placer des agents d'immigration dans les

services d'immigration au sein des ambassades canadiennes. Ainsi, dès 1971, le MIQ avait détaché un conseiller en immigration au sein de l'ambassade canadienne à Rome.

44. D'après les listes d'effectifs du ministère, les postes étaient vacants pour cette période.

45. Cette contradiction entre les indicateurs d'objectifs, d'actes et de moyens s'expliquerait par le fait que l'intervention gouvernementale en matière d'économie et de commerce exige moins d'effectifs et de ressources à l'extérieur qu'en ce qui concerne la sélection d'immigrants. En effet, de nombreuses initiatives en matière d'exportation sont développées en sol québécois et ne nécessitent pas d'intervention *permanente* à l'étranger. Toutes les activités de promotion — voyages, expositions, foires, etc. — auxquelles le Québec a participé ne sont donc pas prises en compte dans cette étude.

46. Discours du premier ministre Jean-Jacques Bertrand devant le Club Renaissance le 6 octobre 1969.

47. Dans toutes les parties du discours analysé où l'on identifiait un objectif orienté vers l'Allemagne, il était question d'autres pays ou régions. Par conséquent, aucun objectif retenu ne fut spécifiquement prononcé à l'égard de l'Allemagne.

48. *Le Devoir*, 16 avril 1971, p. 1, cité dans Shiro NODA, *op. cit.*, p. 72.

49. Milan et Rome comptabilisées ensemble.

50. Il faut mentionner qu'une grande partie des exportations québécoises vers l'Allemagne étaient, à cette époque, des produits de première transformation, tels que des minéraux, et de seconde transformation, tels que le papier. L'ouverture des marchés mondiaux ainsi que l'apparition des «nouveaux pays industrialisés» ont fortement réduit la compétitivité du Québec dans ces secteurs. Le Québec n'a pas pu compenser cette perte par des produits de haute technologie ou autres.

51. *Le Québec dans le monde, op. cit.*, p. 82.

52. Gérard D. LÉVESQUE, *Journal des Débats*, 27 mai 1975, p. B-3753.

53. Bernard LANDRY, *Journal des Débats*, 4 avril 1984, pp. Ci 161-162 et 6 avril 1984, p. CET 168. Bernard LANDRY, *Le corps consulaire*, Québec, 30 janvier 1985, p. 8.

54. *Recueil des ententes internationales du Québec 1984-1989*, Québec, Les Publications du Québec, 1990, pp. 477-543.

55. *Recueil des ententes internationales du Québec*, Québec, ministère des Communications, 1984, pp. 170-171.

56. René LÉVESQUE, *Journal des Débats*, 17 octobre 1984, p. 39.

57. Bernard LANDRY, *Journal des Débats*, 24 avril 1985, p. CET-1813.

58. Jacques-Yvan MORIN, *Journal des Débats*, 7 juin 1983, p. B-4673-4674.

59. MINISTÈRE DES AFFAIRES INTERNATIONALES, *Le Québec et l'interdépendance, op. cit.*, 1991, pp. 159-160.

60. Jacques-Yvan MORIN, *Journal des Débats*, 26 mai 1982, p. B-4917.

61. Voir le tableau 4.10 à la fin de ce chapitre.

62. Voir le tableau 4.12 à la fin de ce chapitre.

63. Des ententes de sécurité sociale ont aussi été signées avec Chypre en 1990 et avec Malte en 1991.

64. MINISTÈRE DES COMMUNAUTÉS CULTURELLES ET DE L'IMMIGRATION, *Rapport annuel*, 1983-1984 à 1990-1991.

65. G. Hervouet et H. Galarneau, *op. cit.*, pp. 255-260.

66. Robert Bourassa, *Journal des Débats*, 12 décembre 1972, p. 3106. Gérard D. Lévesque, *Journal des Débats*, 27 mai 1975, p. B-3753.

67. G. Hervouet et H. Galarneau, *op. cit.*, pp. 255-256; A. Patry, *op. cit.*, pp. 114-116.

68. Gérard D. Lévesque, *Journal des Débats*, 27 mai 1975, p. B-3753.

69. Gouvernement du Québec, *Le Québec dans le monde. État de la situation, op. cit.*, 1984, p. 57. Ministère des Affaires internationales, *Le Québec et l'interdépendance, op. cit.*, 1991, p. 154.

70. Voir le tableau 4.10 à la fin de ce chapitre.

71. Voir les tableaux 4.11 et 4.12 à la fin de ce chapitre.

Chapitre 5

———————■———————

Les relations du Québec avec l'Amérique latine*

———————■———————

Gordon MACE**

> *On commence à peine à mesurer l'ampleur des con-séquences que les transformations de la scène inter-nationale vont entraîner dans tous les domaines d'activité.*
> *Le monde pour horizon, «Introduction», p. 1.*

Nous vivons en effet une période de bouleversements profonds qui vont changer la nature et les orientations des rapports internationaux à venir. Un nouvel ordre mondial semble en voie d'être esquissé dont on commence à cerner certains contours, tandis que d'autres sont actuellement plus difficiles à reconnaître[1].

L'apparition de nouveaux acteurs et les changements dans le poids relatif de certains pays modifieront les alliances anciennes et amène-ront des réorientations fondamentales de politique étrangère. La me-nace de conflits régionaux deviendra plus importante que celle de la guerre totale entre grandes puissances, et la paix et la sécurité devront coexister avec d'autres enjeux majeurs dans les domaines de l'écono-mie, de la science et de la technologie, de l'environnement et des transferts de population.

Parmi les concepts, plus ou moins nouveaux, autour desquels semble s'articuler la construction du Nouvel ordre mondial, on retrouve les notions centrales de mondialisation des marchés, d'internationalisation des rapports sociaux et de blocs économiques régionaux[2]. Les phénomènes courants que traduisent ces concepts ont déjà commencé à modifier profondément les rapports internationaux du Canada[3] et du Québec.

À supposer, comme certains le croient[4], que l'on assiste de plus en plus à l'émergence de blocs économiques régionaux, le Canada et le Québec seront amenés à modifier fondamentalement leurs rapports internationaux. Les échecs passés des tentatives canadiennes de diversifier nos échanges internationaux[5] combinés à une compétitivité encore faible des économies canadiennes et québécoises ainsi qu'aux obstacles des arrangements fonctionnels en Europe et en Asie amèneront progressivement le Canada et le Québec à concentrer l'essentiel de leurs échanges extérieurs en Amérique du Nord et, plus largement, dans la grande région des Amériques.

Déjà, près de 80% des exportations du Québec se font vers les États-Unis qui sont responsables par ailleurs d'environ 40% de l'investissement étranger fait au Québec au cours des années quatre-vingt[6]. Cette «dépendance» de l'économie québécoise à l'égard des États-Unis risque de limiter fortement toute action internationale du Québec à venir, à moins que l'on puisse accroître jusqu'à un certain point la marge de manœuvre du Québec par rapport à notre voisin du sud.

Il semble y avoir peu de possibilités que cela se produise par le biais de liens avec des partenaires hors de l'Amérique. Le Québec, de ce point de vue, se retrouve dans une situation semblable à celle du Canada et du Mexique qui n'ont apparemment d'intérêt pour nos voisins européens ou asiatiques que dans la mesure où ils s'intègrent de plus en plus à l'économie américaine[7]. Ce faisant, le Québec, tout comme le Canada et le Mexique, ne deviennent intéressants qu'à la condition de constituer des portes d'entrée sur le marché américain.

Ce qui laisse donc le Canada et le Québec dans une relation quasi exclusive avec les États-Unis où Washington ne sera certainement pas le partenaire mineur. Une façon d'atténuer la position dominante des États-Unis consisterait à prendre appui sur nos partenaires des Amériques et à développer avec eux un ensemble régional où la position de Washington, tout en continuant à être dominante, ne serait pas trop «étouffante». Mais le Québec est-il en bonne position pour prendre le virage incontournable des relations interaméricaines? Sur quelles bases peut-il s'appuyer pour développer des relations avec nos partenaires d'Amérique latine et s'engager, comme vient de le faire enfin Ottawa, «à habiter la maison américaine[8]»?

Le contexte

Si l'État québécois ne s'est intéressé que tardivement à l'Amérique latine, les liens entre la région et la société québécoise existent en revanche depuis plus d'une centaine d'années. Nos premiers contacts avec l'Amérique latine datent en effet de la fin du XIXe siècle par l'entremise essentiellement des missionnaires qui sont allés là faire œuvre d'évangélisation.

Ces hommes d'Église, alors plus catholiques que Québécois, ont été les premiers à sillonner les terres d'Amérique latine et en ont rapporté des récits qui, comme le rappelle fort justement Daniel Gay[9], ont contribué à faire entrer la région dans l'imaginaire québécois. L'exotisme a été et demeure sans doute l'un des éléments importants de cet imaginaire québécois à propos de l'Amérique latine.

Au milieu du XXe siècle, toutefois, un aspect dominant de cet imaginaire a porté sur le rapprochement naturel qui aurait existé entre peuples de langues et de culture apparentées[10]. Cette tendance a pris deux formes. La première, et la plus articulée, a été développée par l'Action française et le mouvement de l'Union des Latins d'Amérique qui ont mis de l'avant la doctrine de la «latinité», selon laquelle les pays latins des Amériques auraient tout intérêt à se regrouper pour contrer l'influence du bloc anglo-saxon et celle d'autres ethnies ou groupes religieux puissants dans les Amériques[11]. La seconde forme, privilégiée entre autres par le Bloc populaire, favorisait plutôt un rapprochement pour des raisons tenant plutôt à la géographie ou aux affinités politiques et culturelles. D'autres enfin, tels André Patry, annonçaient déjà que les seules bases solides pour un tel rapprochement ne pouvaient être qu'économiques[12].

Par la suite, l'Amérique latine continuera à faire sentir sa présence au niveau de la société québécoise par le biais de l'immigration, du séjour d'étudiants latino-américains et de la naissance d'associations culturelles ou d'amitié. Tout cela, cependant, n'entraînera pas d'action immédiate de la part du gouvernement québécois qui ne manifestera que tardivement son intérêt pour l'Amérique latine.

Intérêt tardif que l'on peut peut-être regretter, mais que, néanmoins, l'on peut expliquer assez facilement. Le comportement du gouvernement du Québec a été de fait assez semblable à celui de son homologue fédéral, les deux pouvant s'expliquer à la fois par des raisons d'histoire et de culture.

Avant la proclamation du Statut de Westminster en 1931, c'est la Grande-Bretagne qui gérait les relations extérieures du Canada. Ottawa ne s'impliquait alors que dans les relations Canada/États-Unis et ni le gouvernement fédéral ni celui du Québec n'auraient pu amorcer des relations officielles avec les pays d'Amérique latine.

Au cours des trente années qui ont suivi le Statut de Westminster, le gouvernement canadien s'est peu intéressé à l'Amérique latine, sauf de façon épisodique lorsqu'il y a envoyé une ou deux missions commerciales et lorsqu'il a ouvert des ambassades dans certains pays de la région. Ces décisions avaient alors été prises beaucoup plus dans le contexte de la Seconde Guerre mondiale qu'en rapport avec un intérêt véritable du Canada à l'égard de l'Amérique latine[13]. Par la suite, le gouvernement canadien ne s'est plus véritablement intéressé à la région avant l'épisode cubain, tandis que le gouvernement du Québec, de son côté, s'intéressait alors plus à son automonie gouvernementale par rapport à Ottawa qu'à la question de ses activités internationales dont les principales manifestations, apparemment, consistaient surtout à protéger le marché québécois contre des invasions diverses, dont celle des «œufs communistes» de Pologne. L'origine ethnique des deux peuples fondateurs du Canada explique également qu'à l'époque l'attention d'Ottawa et de Québec se soit plus tournée vers l'Europe que vers toute autre région du monde.

C'est véritablement avec la Révolution tranquille que l'État québécois a commencé à s'ouvrir au monde. Encore une fois, la culture et les traditions ont joué leur rôle pour orienter d'abord l'action internationale du Québec vers la France et le reste de l'Europe sans négliger, géographie et économie obligent, nos voisins américains. Puis est venue l'Afrique pour des raisons liées essentiellement à la Francophonie.

Pour le reste, il ne semble pas que le gouvernement du Québec ait été aussi attentif que son homologue fédéral aux transformations importantes qui commençaient à marquer le système international au cours des années soixante. Ce sont ces transformations qui ont amené le gouvernement canadien à vouloir réorienter sa politique étrangère au début des années soixante-dix[14]. Un élément important de cette réorientation fut la stratégie canadienne de Troisième option par laquelle le gouvernement fédéral désirait favoriser la diversification de nos échanges extérieurs. Si elle visait au départ l'Europe et le Japon, cette stratégie n'en a pas moins favorisé principalement l'Amérique latine devenue, tout au long des années soixante-dix, la région cible des programmes canadiens d'encouragement à la diversification extérieure[15].

À l'encontre des tendances observées au niveau du gouvernement fédéral, le Québec, pour sa part, a tardé à manifester son intérêt pour l'Amérique latine. Comme le montrent les tableaux de la synthèse comparative, l'Amérique latine est devenue une cible de politique extérieure dans le discours officiel du Québec dès le second gouvernement Bourassa (1973-1974), mais c'est en fait sous le premier gouvernement Lévesque (1976-1981) qu'apparaît la véritable ouverture vers la région. C'est à ce moment que les visites ministérielles deviennent plus nombreuses et que le gouvernement québécois commence à accroître ses effectifs en Amérique latine. C'est à cette époque également que l'on assiste à l'ouverture de bureaux du Québec en Haïti (1974) et à Caracas (1979), et à l'ouverture d'une Délégation générale à Mexico (1980). Enfin, c'est en 1978 qu'est mise sur pied la Direction d'Amérique latine et des Caraïbes au ministère des Affaires intergouvernementales. Notons également que trois pays cibles sont alors identifiés pour l'action internationale du Québec en Amérique latine: Haïti comme communauté francophone et source d'immigrants, le Vénézuéla, pays carrefour et producteur de pétrole, ainsi que le Mexique pour les possibilités d'échanges et de coopération[16].

De façon surprenante, le gouvernement du Québec continue à accroître son intérêt pour l'Amérique latine dans la première moitié des années quatre-vingt, comme en fait foi l'augmentation importante des effectifs et du nombre d'ententes, alors même que le Canada et les autres grands pays industrialisés paraissent se désintéresser de la région[17], exception faite de la situation en Amérique centrale. L'Amérique latine était alors au plus fort de sa crise d'endettement et la plupart des indicateurs économiques de la région étaient à la baisse. Dans la plupart des capitales et dans les sièges sociaux des grandes entreprises du monde, l'optimisme des années soixante-dix avait fait place à un grand pessimisme concernant l'avenir de la région latino-américaine. Pourtant, le gouvernement du Québec, lui, continuait à s'activer dans la région à la recherche de bénéfices économiques et autres[18].

Comment expliquer cette situation assez particulière? Nous tenterons d'y revenir plus loin.

À partir du milieu des années quatre-vingt, sous le troisième gouvernement Bourassa (1985-1989), l'on assiste à nouveau à une situation de contre-courant à la défaveur, cette fois, de l'Amérique latine. La plupart des indicateurs de l'activité gouvernementale québécoise à l'égard de l'Amérique latine sont à la baisse, sauf pour ce qui a trait aux ententes internationales. En ce qui concerne les activités du secteur privé, le commerce notamment, on remarque également une diminution des interactions. Ainsi, de 1980 à 1990, la part relative de l'Amérique latine dans les exportations québécoises passe de 5,1 à 2,6%, tandis que sur le plan des importations la chute est encore plus dramatique avec une part relative qui passe de 14,2 à 4,5%[19]. Un peu comme si les décideurs politiques et économiques du Québec déplaçaient leur intérêt de l'Amérique latine vers d'autres régions du monde et en particulier vers l'Asie[20].

Bien sûr, le gouvernement du Québec manifeste toujours sa volonté d'intensifier ses relations avec l'Amérique latine sur la base des «affinités culturelles entre peuples latins». Il annonce même vouloir intensifier ses relations avec le Mexique, le Vénézuéla, la Colombie, le Brésil et le Chili[21]. L'impression générale que l'on conserve toutefois de la période 1985-1990 est celle d'un affaiblissement de l'intérêt du Québec à l'égard de l'Amérique latine.

Pourtant, au cours de la même période, la plupart des grands pays industrialisés, et le Canada en particulier, ont renoué avec la région. De 1984 à 1988, par exemple, les États-Unis ont pratiquement doublé le montant de leurs exportations vers l'Amérique latine, tandis qu'on assistait à un accroissement moins spectaculaire mais tout de même régulier des relations commerciales de la CEE, du Japon et du Canada avec la région[22]. Les États-Unis ont maintenant 80 milliards de dollars en investissements directs dans la région, tandis que les pays de la CEE ont 32 milliards de dollars[23].

Même le Japon, peu présent dans la région jusqu'à il y a quelques années, occupe maintenant une position importante sur le plan des investissements directs à l'étranger avec 32 milliards de dollars concentrés surtout dans les secteurs les plus dynamiques des économies locales, particulièrement au Mexique, au Brésil et au Chili. Ce montant représentait 17% des investissements du Japon à l'étranger pour 1988. Par ailleurs, les banques commerciales japonaises occupent maintenant le deuxième rang pour les prêts à moyen et long termes consentis à l'Amérique latine et le gouvernement japonais a doublé le montant de son aide au développement à la région au cours de la période 1983-1987[24].

Quant au Canada, on remarque également un accroissement notable de l'intérêt pour la région. Depuis 1989, des gestes importants ont été posés par le gouvernement canadien, traduisant la volonté du Canada de jouer dorénavant un rôle important dans la grande région des Amériques[25]. Outre l'adoption d'une nouvelle politique latino-américaine, le Canada est enfin devenu membre de l'OEA, alors qu'au pays même le gouvernement fédéral soutenait la mise sur pied du Forum Canada-Amérique latine chargé d'aider à développer encore plus les liens avec l'Amérique latine.

Si les grands pays du monde s'intéressent à nouveau à une région où les profonds changements de politique économique annoncent des perspectives nettement meilleures, on est surpris de constater que le Québec, apparemment, ait jugé bon d'être moins présent en Amérique latine. Peut-être s'agit-il là d'un intermède passager dans les activités internationales d'un Québec qui devra, tôt ou tard, prendre également sa place dans la grande «maison» des Amériques. Mais avant de voir comment les années quatre-vingt-dix interpellent le Québec à propos de l'Amérique latine, il convient d'examiner plus attentivement le comportement gouvernemental québécois à l'égard de l'Amérique latine au cours des dernières décennies. Ce que nous ferons maintenant en nous intéressant successivement au discours, aux moyens utilisés et aux gestes posés par le gouvernement du Québec à l'égard de cette région.

Le discours à travers les objectifs

Étudier le discours à travers les objectifs, comme il a été indiqué dans le chapitre sur la méthode, comporte à la fois des avantages et des désavantages. Les principaux désavantages tiennent au fait que les objectifs ne rendent compte que d'une partie du discours, celle où l'on retrouve les intentions exprimées explicitement. Nous perdons alors un certain nombre d'éléments liés aux attitudes ou à une appréciation moins explicite de la part de ceux et celles qui font les discours.

L'étude des objectifs fournit, en revanche, un instrument de mesure standardisé permettant de générer une analyse comparative du comportement verbal selon la cible visée et le domaine pris en considération. Nous avons donc privilégié cette forme d'analyse, la jugeant plus avantageuse pour les fins de cette étude qu'une analyse plus flexible du discours québécois en matière de relations internationales.

L'examen général de l'ensemble du discours officiel québécois à propos de l'étranger permet de constater que les décideurs gouvernementaux ne se sont intéressés à l'Amérique latine que très tardivement. En fait, c'est la seule région du monde à propos de laquelle aucun objectif n'a été formulé avant 1973. Et pour l'ensemble de la période couverte par l'étude, l'Amérique latine a été la région la plus négligée sur le plan du discours, exception faite du Moyen-Orient.

Les 41 objectifs énoncés par les divers gouvernements à l'égard de l'Amérique latine ne sont pas distribués équitablement tout au long de la période étudiée. On remarque en effet une évolution en dents de scie avec trois moments forts durant les années 1974-1975, en 1980 et durant la période 1983-1985[26].

Sous le gouvernement Bourassa (1973-1976), c'est essentiellement par le biais de deux interventions du ministre des Affaires intergouvernementales de l'époque, Gérard D. Lévesque, qu'ont été énoncés les objectifs du gouvernement québécois à l'égard de l'Amérique latine. Ces deux interventions, faites en juin 1974 et en mai 1975, s'inscrivaient dans un contexte international caractérisé par deux événements majeurs: le premier choc pétrolier de 1973 et les discussions intenses relatives au Nouvel ordre économique international et concernant l'établissement de nouveaux rapports Nord-Sud dont le point culminant sera la Conférence de Paris de 1975-1977. Sur le plan interne, ces interventions faisaient également suite à l'adoption de la loi accordant au ministère des Affaires intergouvernementales des pouvoirs accrus en matière de coordination des relations internationales du Québec.

Ces premières interventions du gouvernement québécois envers l'Amérique latine avaient naturellement un caractère assez général. Québec indiquait en effet sa volonté d'être plus présent en Amérique latine et d'accroître ses échanges avec la région, plus particulièrement dans le domaine de la coopération. En ce qui concerne les pays cibles, on mentionnait le Brésil, le Vénézuéla pour les approvisionnements pétroliers, le Pérou pour la coopération en matière d'éducation et, bien sûr, Haïti pour des raisons de langue et de culture.

Malgré l'ouverture de deux bureaux et de deux Délégations générales en Amérique latine sous le premier gouvernement Lévesque

(1976-1981), on remarque que la région occupe peu de place dans le discours québécois à cette époque. Les deux seules interventions faites en faveur de l'Amérique latine l'ont été en juin 1980 à la veille de l'inauguration de la Délégation générale du Québec au Mexique. Les quatre objectifs formulés alors sont très généraux et traduisent simplement la volonté du Québec d'être sur place, en particulier au Mexique et au Vénézuéla, pour mieux s'occuper des intérêts du Québec. Ce faible intérêt pour l'Amérique latine dans le discours officiel du Québec durant cette période se comprend assez aisément, dans la mesure où une partie importante de l'attention du gouvernement du Parti québécois était centrée sur la tenue du référendum de 1980. Dans cette perspective, les interlocuteurs les plus importants du Québec ne se trouvaient pas à Mexico, Caracas ou Lima, mais bien à Washington et à Paris.

C'est à partir de mai 1983 que les décideurs québécois reparlent de l'Amérique latine en termes d'objectifs et assez abondamment jusqu'à la fin de 1985. Vingt-neuf objectifs seront alors formulés à l'égard de la région qui indiquent un accroissement notable par rapport à la période précédente, mais qui n'en constituent pas moins seulement 4% des objectifs de politique étrangère québécoise sous le deuxième gouvernement Lévesque (1981-1985). Six interventions seront faites alors concernant l'Amérique latine dont deux par Jacques-Yvan Morin, alors ministre des Affaires intergouvernementales et quatre par Bernard Landry, ministre du Commerce extérieur puis ministre des Relations internationales, dont l'intérêt pour l'Amérique latine était nettement supérieur à celui de tous ses prédécesseurs[27].

Les objectifs de 1983-1985 sont donc plus nombreux que ceux des périodes précédentes et ils sont plus variés en termes de pays visés et de domaines d'activités. Pour J.-Y. Morin, il s'agissait surtout d'approfondir nos rapports avec la région et d'intensifier les relations existantes avec le Mexique et le Vénézuéla par le biais d'un accroissement des budgets et de la mise en place de groupes de travail. On désirait également encourager les sociétés québécoises à participer au développement économique de la région des Caraïbes.

Dans le cas de Bernard Landry, nouveau ministre des Relations internationales depuis 1984, il importait tout d'abord d'étoffer la représentation diplomatique du Québec en Amérique latine en renforçant les délégations de Mexico et Caracas de même qu'en ouvrant un bureau à Bogota. Dans ce dernier cas, les impératifs étaient essentiellement d'ordre économique et technologique dans les secteurs des mines, de l'hydraulique et de l'agriculture plus spécialement[28]. Les pays visés sont surtout la Colombie, le Mexique, le Vénézuéla ainsi que les Caraïbes et l'Amérique centrale, tandis que les secteurs identifiés pour le commerce et la coopération sont les richesses naturelles, l'agro-alimentaire, l'éducation, l'énergie, les équipements urbains et la santé.

Cela dit, le tableau 5.1 nous permet d'obtenir une vue d'ensemble de la répartition des objectifs québécois à l'égard de l'Amérique latine par cible et par domaine d'activité. On y remarque une forte concentration des objectifs dans les domaines politique/diplomatique, économie/commerce/finance et, dans une moindre mesure, éducation/science. Les cibles visées sont surtout les Caraïbes, la Colombie, le Mexique et le Vénézuéla sans que l'on puisse cependant identifier facilement une articulation spécifique domaine/cible pour aucun des pays visés. Fait intéressant, la grille de résultats du codage permet de constater qu'en ce qui concerne la nature des objectifs, 90% des objectifs identifiés pouvaient être classés dans les catégories «créer», «renforcer», «établir». Ce qui explique sans doute le caractère plutôt général du discours officiel québécois à l'égard de l'Amérique latine, mais traduit en revanche la forte volonté d'accroître la présence québécoise dans la région. Une volonté qui, comme nous le verrons plus loin, ne semble pas avoir perduré.

Les moyens que sont les dépenses et les effectifs

De façon générale, plusieurs instruments de mesure peuvent être utilisés lorsque vient le moment d'analyser les moyens que se donne un gouvernement pour agir dans le domaine des relations internationales. Le choix d'un indicateur dépend alors principalement de sa fidélité comme instrument de mesure de l'action gouvernementale et d'une information disponible, uniforme et standardisée que l'on peut obtenir à son égard. Sur ces bases, les deux indicateurs privilégiés ici sont les dépenses consacrées à la représentation québécoise en Amérique latine, en valeur relative et en proportion des dépenses gouvernementales du Québec, ainsi que les effectifs des représentations québécoises à l'étranger.

Au chapitre des dépenses, le graphique 5.1, page 232, permet de constater que le gouvernement québécois n'a commencé à consacrer

Tableau 5.1

Répartition des objectifs par domaine et par cible pour la période 1974-1985

	Amérique latine	Amérique du Sud	Mexique	Amérique centrale	Brésil	Colombie	Pérou	Vénézuela	Caraïbes	Haiti	Total	%
politique diplomatique	2		4	1		2		3			12	29,3%
institutionnel organisationel	1								1		2	4,9%
culture communications										1	1	2,4%
économie commerce	1	1		2	1	3		1	2		11	26,8%
éducation science	2							1		1	4	9,8%
écologie environnement	1								1		2	4,9%
PVD	2										2	4,9%
affaires sociales travail	1								1		2	4,9%
Général	3				1	1					5	12,2%
Total	13	1	4	3	2	6	1	4	6	1	41	
%	31,7%	2,4%	9,8%	7,3%	4,9%	14,6%	2,4%	9,8%	14,6%	2,4%		100%

Graphique 5.1

Répartition des dépenses de représentations à l'étranger
selon trois régions en valeur relative (1975-1989)

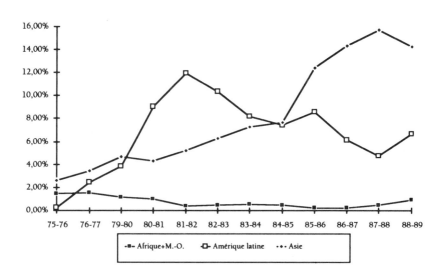

des sommes en Amérique latine qu'en 1975-1976. Les dépenses des représentations dans la région constituaient alors 0,21% de toutes les dépenses engagées au chapitre des représentations, ce qui plaçait à ce moment l'Amérique latine en tout dernier rang des grandes régions du monde.

Par la suite, avec l'ouverture officielle des bureaux et délégations, les dépenses québécoises au chapitre de la représentation diplomatique en Amérique latine vont augmenter constamment, en valeur relative, jusqu'en 1981-1982. Cette année-là, l'Amérique latine se retrouvait à ce chapitre au 4e rang des grandes régions du monde avant l'Afrique, l'Asie et le Moyen-Orient. Il ne faut pas croire cependant que les sommes impliquées étaient considérables puisque le total des dépenses québécoises de représentation à l'étranger pour l'année en cause ne dépassait pas 0,10% de l'ensemble des dépenses du gouvernement du Québec. L'année 1981-1982 représente un sommet pour la valeur relative des dépenses québécoises en Amérique latine pour la période 1975-1985. L'année 1985-1986 montre par ailleurs une reprise des dépenses pour les délégations en Amérique latine entre deux périodes de baisse relative. L'observation significative toutefois est que depuis l'arrivée au pouvoir des Libéraux, le transfert est évident de l'Amérique latine vers l'Asie qui obtient une part relative supérieure à 14% de 1986-1987 à 1988-1989.

La situation des effectifs, quant à elle, suit une évolution assez semblable à celle des dépenses sans être pour autant tout à fait similaire. L'investissement du gouvernement québécois sur ce plan commence en 1975-1976 et un regard sur le graphique 5.2, page suivante, révèle un accroissement constant des effectifs québécois en Amérique latine jusqu'en 1985-1986. Cette année-là, on atteignait un total de 38 effectifs, ce qui plaçait l'Amérique latine derrière les États-Unis, l'Europe et la France, mais tout juste devant l'Asie. Par la suite, un peu comme ce fut le cas pour les dépenses mais en moins prononcé, les effectifs québécois seront légèrement réduits en Amérique latine et accrus en Asie.

Parmi les effectifs réguliers, ce sont surtout les professionnels qui fournissent la mesure de l'intérêt d'un gouvernement pour une région ou un domaine donnés[29]. À cet égard, les employés professionnels ont constitué environ 40% des effectifs réguliers en Amérique latine, ce qui est une proportion plus faible que ce que l'on retrouvait à la même époque en Asie, mais plus forte qu'en France ou aux États-Unis.

En Amérique latine, l'évolution de la courbe des professionnels a suivi celle des effectifs réguliers. De 2 en 1976-1977, les professionnels sont passés à 11 en 1980-1981, puis à 15 en 1985-1986 pour revenir à 11 en 1988-1989. Depuis le début des années quatre-vingt, les professionnels en poste dans la région ont été plus nombreux à travailler dans les secteurs de l'économie et de l'immigration que dans tout autre domaine d'activité[30].

Ainsi, l'analyse des tendances dans les dépenses gouvernementales et dans le nombre d'effectifs québécois en Amérique latine illustre bien la remarque faite au début de ce chapitre à l'égard de l'affaiblissement de l'intérêt du Québec face à cette région dans la deuxième moitié des années quatre-vingt. L'accroissement important des moyens mis en œuvre de 1976 à 1985 a été de courte durée. Si l'énoncé de politiques gouvernementales de 1991 rappelle que nous avons toujours une Délégation générale à Mexico, une délégation à Caracas et à Bogota ainsi qu'un bureau du Québec en Haïti[31], il n'en reste pas moins que ce réseau n'a pas été accru depuis 1985 alors que les effectifs, eux, ont

Graphique 5.2

**Répartition des effectifs dans les représentations
à l'étranger (1975-1989)**

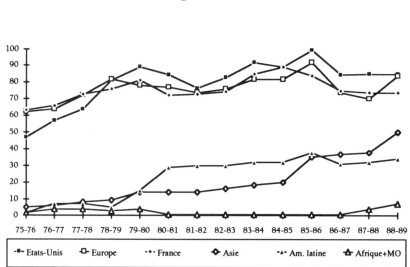

chuté. Reste à voir quelle est la situation sur le plan des gestes posés par les décideurs québécois, afin de déterminer s'il y a eu là similarité ou divergence des tendances par rapport à ce que l'on vient de constater en regard des moyens.

Les actes à travers les visites et les ententes

La troisième partie du comportement global du gouvernement québécois en matière de relations internationales est examinée ici à travers les gestes concrets posés par les décideurs québécois à l'égard de l'Amérique latine. Sur la base de l'information disponible, les deux indicateurs que nous avons privilégiés sont les visites des ministres et premiers ministres, ainsi que la signature d'ententes internationales.

Au chapitre des visites ministérielles, il est tout d'abord intéressant de constater que les gouvernements sous lesquels où il s'est fait le plus de voyages sont les deux gouvernements Lévesque et le troisième gouvernement Bourassa avec des moyennes annuelles respectives de 43,7, 74,7 et 58,5 visites à l'étranger. Les déplacements à l'étranger des ministres des divers gouvernements québécois n'ont cependant jamais privilégié l'Amérique latine puisque cette région, indépendamment des mandats, s'est toujours classée après les États-Unis, l'Europe et la France, l'Asie et l'Afrique. La seule exception est le premier gouvernement Lévesque où les ministres québécois ont plus voyagé en Amérique latine qu'en Afrique et en Asie. Pour compléter le tableau général, on remarque enfin que les deux tiers des visites ministérielles en Amérique latine ont été effectuées par des ministres des gouvernements Lévesque et que, comme dans le cas des dépenses et des effectifs, il y a eu diminution des visites dans la région après 1985.

Les premiers contacts du Québec avec l'Amérique latine, par le biais des déplacements à l'étranger, ont eu lieu, de façon un peu surprenante, en 1972. Trois voyages ont alors amené le ministre St-Pierre au Chili, la ministre Kirkland-Casgrain au Mexique et le ministre Simard en Haïti. Le voyage du ministre Simard, pour des raisons liées à l'industrie et au commerce, annonçait déjà le thème principal des déplacements des ministres québécois en Amérique latine dont les deux tiers seront consacrés à des questions relatives à l'économie et au commerce. Ces voyages paraissent néanmoins surprenants puisqu'aucun lien institutionnel n'existait à l'époque entre le Québec et l'Amérique latine, et dans le mesure où il s'agira des seuls déplacements ministériels en Amérique latine sous les deux premiers mandats de Robert Bourassa.

La deuxième concentration importante de visites ministérielles en Amérique latine est celle de la période 1979-1981. Sept voyages ont alors lieu menant les ministres Claude Morin, Yves Duhaîme, Bernard Landry et Jean Garon au Mexique, au Vénézuéla, à Cuba, en Haïti et en République dominicaine. À l'exception du voyage de M. Landry au Vénézuéla pour l'inauguration de la Délégation du Québec, il s'agissait surtout de missions commerciales avec, dans le cas de M. Garon au Mexique, une prépondérance sur le secteur de l'agro-alimentaire[32].

La période 1983-1985 a également été une période faste pour les déplacements dans la région avec six voyages impliquant dix visites ministérielles[33]. La plupart de ces voyages ont mené le ministre Bernard Landry en mission commerciale en Colombie, au Pérou et en Équateur. Les deux autres voyages ont permis au ministre de l'Enseignement supérieur et de la Science, Yves Bérubé, de se familiariser avec les musées et centres technologiques du Mexique tandis que Gérald Godin s'entretenait de questions d'immigration en Argentine et au Mexique.

Le retour au pouvoir des Libéraux, en 1985, amène une réduction des déplacements en Amérique latine. Seuls deux ministres visiteront la région sous le troisième gouvernement Bourassa. Le ministre des Relations internationales, Gil Rémillard, visitera le Mexique en 1986 pour examiner l'ensemble des dossiers de coopération avec ce pays. Trois ans plus tard, Paul Gobeil, ministre des Affaires internationales, dirigera deux missions commerciales. La première le mènera au Mexique, en Colombie et au Vénézuéla tandis qu'au cours de la seconde, il visitera l'Argentine et le Brésil. C'était alors la première fois qu'un ministre du Québec se rendait dans ce pays qui est pourtant le géant de l'Amérique latine.

Le tableau 5.2 fournit une vue d'ensemble de la répartition des visites ministérielles dans la région par domaine et par pays. On y remarque que, généralement, les déplacements des ministres québécois en Amérique latine ont principalement servi à la promotion de dossiers économiques, ce qui est assez conforme avec l'action canadienne dans la région. Les pays visités ont été surtout le Mexique et les pays du nord de la région des Andes où il est intéressant de constater un certain suivi de l'attention québécoise accordée à la coopération avec ces pays. Il faut déplorer, en revanche, qu'aucun premier ministre du Québec ne se soit rendu en mission officielle en Amérique latine et que les ministres québécois aient ignoré à peu près complètement la région du Cône sud qui est la région la plus dynamique de l'Amérique latine sur le plan des échanges économiques.

Au chapitre des ententes internationales, plusieurs phénomènes intéressants retiennent l'attention, en ce qui a trait au comportement du Québec face à l'Amérique latine. Il faut noter tout d'abord que, tout comme dans le cas de l'Asie, l'action du Québec en Amérique latine tarde à se manifester. En effet, l'on doit attendre 1980 pour assister à la signature de la première entente avec un pays de la région. Cependant, il est intéressant de constater l'inversion de tendance qui se manifeste ici par rapport à ce qui se dégageait de l'analyse des autres indicateurs de l'action internationale du Québec en Amérique latine. Alors qu'en effet la plupart des indicateurs étaient à la baisse après 1985, on remarque un accroissement du nombre d'ententes signées avec les pays de la région qui passent de 9 pour la période 1981-1985 à 13 pour la période 1986-1989. Cela, alors même que le nombre d'ententes internationales du Québec restait sensiblement le même sous le deuxième gouvernement Lévesque et le troisième gouver-

Tableau 5.2

Répartition des visites ministérielles par pays
et par domaine pour l'ensemble de la période 1972-1989

	Politique Diplomatique Général	Institutionnel Organisationnel	Économie Commerce Finance	Éducation Science	Immigration	Total	%
Argentine			1		1	2	6,9%
Brésil			1			1	3,4%
Chili			1			1	3,4%
Colombie			3			3	10,3%
Équateur			1			1	3,4%
Pérou			3			3	10,3%
Vénézuela	1	1	1			3	10,3%
Mexique	1		5	1	1	8	27,6%
Cuba			2			2	6,9%
Haïti	1	1	1			3	10,3%
République Dominicaine	1		1			2	6,9%
Total	4	2	20	1	2	29	
%	13,8%	6,9%	69,0%	3,4%	6,9%		100%

nement Bourassa. Par ailleurs, il vaut la peine de remarquer que l'Amérique latine est la seule région, avec le Moyen-Orient, où tous les accords conclus l'ont été avec des États souverains. Ce qui tranche singulièrement avec la plupart des autres régions où la majorité des ententes sont conclues avec des États non souverains. Enfin, l'Amérique latine se classe au cinquième rang des grandes régions du monde, bien avant l'Asie et le Moyen-Orient, au chapitre des ententes internationales du Québec. Qui plus est, au cours des années quatre-vingt, le Québec a conclu plus d'accords avec les pays d'Amérique latine qu'avec la France, ce qui est tout de même intéressant à noter.

Le tableau 5.3 nous permet d'examiner plus en détail les ententes internationales du Québec avec l'Amérique latine par domaine et par pays. Comme dans le cas de l'Afrique, le grand nombre d'accords dans le domaine éducation/science constitue un résultat qu'il faut interpréter avec circonspection. En effet, toutes ces ententes sauf une sont des accords d'exemption complète ou partielle de droits de scolarité pour les étudiants de ces pays désireux de venir poursuivre leur formation au Québec. L'exemption de droits de scolarité est une mesure intéressante pour de possibles retombées à moyen ou long terme, mais elle ne constitue pas en elle-même un instrument de coopération très puissant. La seule exception à ce chapitre est l'accord de coopération conclu avec le Brésil en janvier 1988.

Le deuxième domaine en importance sur le plan des ententes internationales avec l'Amérique latine est celui de la mobilité des travailleurs. Quatre accords de ce type ont été conclus avec des pays des Caraïbes qui paraissent avoir une relation particulière avec le Québec pour la migration des populations.

Les autres accords significatifs ont été conclus avec le Mexique et le Vénézuéla. Dans le cas du Mexique, deux accords importants ont été conclus dans le secteur de l'agriculture ainsi que dans celui de l'exploitation des forêts. Ces accords résultent directement des visites effectuées dans ce pays par le ministre Garon en février et en juin 1981. Avec le Vénézuéla, le Québec a également signé deux ententes de portée générale. Dans le premier cas, il s'agissait de la toute première entente signée par le Québec avec un pays d'Amérique latine. L'accord, conclu en octobre 1980, impliquait une coopération dans le domaine de l'administration de la justice. Trois ans plus tard, un autre accord de coopération technique sera conclu avec le CORDIPLAN, l'organisme d'État vénézuélien œuvrant dans le domaine de la planification.

Tableau 5.3

Répartition des ententes par pays et par domaine
pour la période 1980-1989

	Politique Diplomatique	Économie Commerce Finance	Éducation Science	Affaires sociales Travail	Mobilité	Total	%
Mexique		3				3	13,0%
Costa Rica			1			1	4,3%
Panama			1			1	4,3%
Argentine			1			1	4,3%
Bolivie			1			1	4,3%
Brésil			2			2	8,7%
Colombie			2			2	8,7%
Équateur			1			1	4,3%
Pérou			1			1	4,3%
Uruguay			1			1	4,3%
Vénézuela			2	1	1	4	17,4%
Barbade	1					1	4,3%
République Dominicaine			1			1	4,3%
Haïti					1	1	4,3%
Jamaïque					1	1	4,3%
Ste-Lucie					1	1	4,3%
Total domaine	1	3	14	1	4	23	
%	4,3%	13,0%	60,9%	4,3%	17,4%		100%

Pris dans son ensemble, le tableau des ententes internationales du Québec avec l'Amérique latine montre donc une arrivée tardive dans la région puisque tous les accords ont été conclus dans les années quatre-vingt. Bien que concentrée dans trois ou quatre domaines seulement, l'activité internationale du Québec à ce chapitre révèle néanmoins quelques tendances intéressantes. On remarque tout d'abord, à la différence des autres indicateurs, une intensification de l'action durant la période 1985-1989 par rapport à la période précédente du début des années quatre-vingt. Ensuite, on note une distribution beaucoup plus large de nos partenaires dans la région puisque le Québec y a des ententes avec 16 pays. Il y aurait peut-être là une base suffisante pour une action québécoise plus intense et plus diversifiée en Amérique latine au cours de l'actuelle décennie.

Une analyse d'ensemble

Une politique internationale, générale ou sectorielle, suppose une consistance et une certaine durée dans la formulation des objectifs et la mise en œuvre des moyens. En ce qui concerne l'Amérique latine, il est loin d'être évident qu'une telle politique ait existé.

Le gouvernement du Québec n'a commencé à s'intéresser à l'Amérique latine que dans les années soixante-dix même si, comme nous l'avons vu plus tôt, des rapports plus anciens existaient entre la région et certains secteurs de la société québécoise. Sous les premiers gouvernements Bourassa, les trois visites ministérielles de 1972 et les huit objectifs énoncés en 1974 et 1975 ne traduisent pas une vision politique précise à l'égard de l'Amérique latine et ne témoignent pas d'un engagement ferme à l'égard de la région. Les objectifs énoncés, d'ordre général, traduisent bien une volonté d'accroître l'action internationale du Québec dans la région, mais aucun appui institutionnel ne vient accompagner la formulation des objectifs. Les visites ministérielles, pour leur part, toutes effectuées à l'hiver et au printemps de 1972, ne permettent pas de dégager une ligne directrice générale sinon la volonté, plus ou moins ferme, d'amorcer des contacts avec la région. La seule constance est le choix des pays cibles où déjà le Mexique et le Vénézuéla apparaissent comme des partenaires privilégiés.

Il faut attendre l'arrivée au pouvoir du premier gouvernement Lévesque pour assister à la véritable institutionnalisation de l'action internationale du Québec en Amérique latine. C'est durant cette période en effet que les vrais jalons sont posés avec la création, au sein du ministère des Affaires intergouvernementales, d'une direction de l'Amérique latine et des Caraïbes et avec l'ouverture d'une Délégation générale au Mexique, d'une délégation au Vénézuéla et de bureaux en Haïti. Néanmoins, l'Amérique latine ne se situera alors jamais plus que dans le troisième des cercles concentriques qu'établira plus tard le ministre Bernard Landry pour guider l'action internationale du Québec[34].

Par ailleurs, le premier gouvernement Lévesque ne réussira guère à préciser l'action du Québec en Amérique latine sur le plan de la formulation des objectifs qui demeureront assez vagues. En revanche, c'est de cette époque que date la première entente internationale du Québec avec l'Amérique latine. De plus, les visites dans la région viendront confirmer que le champ d'action de la politique internationale du Québec en Amérique latine se résume à l'époque au Mexique, au Vénézuéla et à quelques pays des Caraïbes. Pourquoi ces pays plus que d'autres? Les motifs spécifiques n'apparaissent pas dans la documentation consultée, mais on peut penser que le choix du Mexique fut dicté pour des raisons de proximité géographique et de potentiel d'échanges, tandis que le choix du Vénézuéla se comprend aisément compte tenu de son rôle de fournisseur de pétrole et surtout des possibilités d'exportation pour le Québec que permettait d'entrevoir l'accroissement des revenus pétroliers vénézuéliens[35]. Le choix d'Haïti, quant à lui, s'explique par la langue et l'immigration alors que dans le cas de Cuba les facteurs géographique et économique ont certainement joué. En cela, le choix des pays-cibles, exception faite du Brésil, est par ailleurs assez conforme à celui fait à l'époque par le gouvernement canadien.

Mais la véritable poussée dans les relations Québec-Amérique latine est survenue lors du deuxième mandat du premier ministre Lévesque. De nombreux objectifs seront alors formulés qui viendront préciser les secteurs où le Québec désire développer les échanges avec l'Amérique latine. Parmi les secteurs identifiés, on remarque bien sûr les relations commerciales au sens large, mais également les échanges dans les domaines des richesses naturelles, de l'éducation, de l'énergie, de l'agro-alimentaire, de la santé et des équipements urbains. Secteurs pour lesquels le Québec possède naturellement une expertise appréciable.

Cette volonté de développer les échanges sera concrétisée par la signature d'ententes dont les plus significatives se feront avec le Mexique et le Vénézuéla. Les visites ministérielles se font également beaucoup plus nombreuses avec un élargissement du rayon d'action qui permet au Québec de s'implanter plus durablement dans la région des Andes, en particulier en Colombie et au Pérou. L'ouverture, en 1985, du bureau du Québec à Bogota viendra confirmer cette poussée géographique dans les Andes.

La deuxième partie des années quatre-vingt est une époque plutôt décevante dans les relations du Québec avec l'Amérique latine. Un peu comme si, avec l'arrivée au pouvoir des Libéraux, s'était produit un transfert de l'intérêt et des ressources de l'Amérique latine vers l'Asie. On assiste alors en effet à une réduction des effectifs et à une diminution de la valeur relative des dépenses consacrées à la région. L'intérêt du Québec pour l'Amérique latine s'amenuise, alors que les décideurs québécois perçoivent plus précisément, mais avec retard, les effets de la crise de l'endettement dans l'ensemble de l'hémisphère sud du continent. Un intérêt qui s'effiloche également au fur et à mesure, semble-t-il, que nos exportations vers la région diminuent. Le graphique 5.3 montre en effet une tendance à la baisse pour nos exportations vers les trois grandes régions de l'Amérique latine depuis 1981[36].

Malgré tout, l'Amérique latine n'est pas ignorée complètement à partir de 1986. Les signatures d'ententes se font plus nombreuses que sous le gouvernement précédent même si, à part l'accord de janvier 1988 avec le Brésil, la plupart de ces ententes sont d'une portée limitée. Les visites ministérielles sont par ailleurs beaucoup plus rares et beaucoup moins diversifiées puisqu'il s'agit uniquement de missions commerciales, exception faite du voyage de M. Rémillard au Mexique en janvier 1986. Le seul point positif de cette grisaille est toutefois l'amorce apparente d'un intérêt, inexistant auparavant, pour le Brésil.

Au total, l'impression générale que l'on dégage de l'examen de la politique internationale du Québec à l'égard de l'Amérique latine dans la deuxième moitié des années quatre-vingt est cependant celle d'une perte d'intérêt pour une région du monde à laquelle d'autres pays, comme nous l'avons vu, recommencent à s'intéresser. À l'aube des années quatre-vingt, le gouvernement du Québec déclare vouloir continuer à développer ses relations avec l'Amérique latine. Les pays ciblés sont le Mexique, le Vénézuéla, la Colombie, le Brésil et le Chili[37]. On déclare vouloir surveiller étroitement les discussions pour la mise

Graphique 5.3

Évolution des exportations québécoises vers les grandes régions de l'Amérique latine 1975-1987

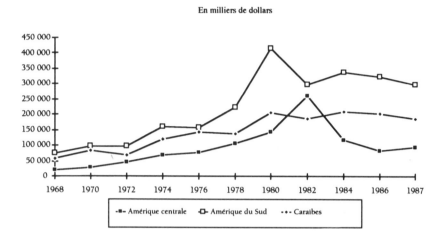

En milliers de dollars

-■- Amérique centrale   -□- Amérique du Sud   ••• Caraïbes

sur pied d'une zone nord-américaine de libre-échange comprenant le Mexique et on semble reconnaître enfin l'importance du Brésil. Le gouvernement annonce également vouloir intensifier l'action commerciale du Québec dans les secteurs de l'agro-alimentaire, des équipements forestiers et de construction, de la géomatique, de la technologie éducative et de communications ainsi que dans les secteurs du tourisme, de l'environnement,de l'énergie et des télécommunications[38]. Ce qui est fort intéressant, mais qui demandera également un accroissement de moyens dont on ne retrouve aucune trace dans l'énoncé de politique gouvernementale. Il faudra donc attendre pour voir jusqu'à quel point le gouvernement du Québec sera capable d'opérer un retournement de tendance par rapport à ce qui a été constaté depuis 1986 au chapitre de ses relations avec l'Amérique latine.

Conclusion

Il est bien certain que l'on ne peut pas exiger du gouvernement du Québec qu'il fasse de l'Amérique latine la région centrale de son activité internationale. Nouvel acteur de la scène internationale pendant les années soixante et soixante-dix, il était normal que le Québec se tourne d'abord et avant tout vers les États-Unis, la France et l'Europe qui pesaient plus que toute autre entité sur le devenir de la société québécoise. Il en sera également de même pour l'avenir.

À l'aube du xxiᵉ siècle, toutefois, le système international a été modifié profondément. Le système bipolaire est en voie de céder la place à une configuration multipolaire où l'équilibre du pouvoir reposera moins sur l'utilisation de la force et la possession d'armes et plus sur l'innovation technologique et les rapports économiques et financiers. De grandes régions économiques et politiques sont en voie de structuration, parmi lesquelles il y a les Amériques dont fait partie le Québec.

Les blocs régionaux feront en sorte que le Québec sera de plus en plus confiné aux Amériques pour une bonne part de son activité internationale. Dans cet ensemble en voie d'émergence, le partenaire obligé sera les États-Unis, mais les partenaires nécessaires seront les pays d'Amérique latine.

Dans ses relations avec les pays d'Amérique latine, le Québec semble plutôt mal parti. Après un déblocage fort intéressant au cours de la période 1977-1985, l'analyse montre que le gouvernement du Québec s'est un peu désintéressé de la région au profit de l'Asie où l'on a vu un mirage de gains économiques potentiels. Pourtant, certaines analyses ont montré que le Canada parvient très difficilement à modifier dans ses relations avec l'Asie un modèle d'échanges où nous demeurons largement exportateur de produits de base et importateur de produits manufacturés[39].

Pendant ce temps, l'Amérique latine a subi de profondes transformations. Les régimes démocratiques y sont devenus la règle et plusieurs gouvernements ont effectué des transformations radicales de politique économique, comme en font foi les exemples plus connus du Mexique, du Chili et de l'Argentine. Le problème de la dette demeure présent, mais il n'a plus l'acuité de la première moitié des années quatre-vingt. En tout cas, il ne fait plus peur aux grands acteurs économiques internationaux. Comme nous l'avons vu au début de ce chapitre, le Japon investit maintenant des sommes importantes en Amérique latine. Les banques américaines, pour leur part, recommencent à prêter aux pays de la région, comme en fait foi l'annonce récente d'un prêt de 100 millions de dollars à la PEMEX, l'entreprise d'État mexicaine chargée de l'exploitation des hydrocarbures. En fait, la reprise est telle en Amérique latine que cinq des six marchés boursiers les plus performants de l'année 1991 étaient situés dans la région. Qui plus est, au cours des 5 dernières années, les rendements obtenus sur ces marchés ont été de 50 à 470 % plus élevés que ceux obtenus sur les marchés américains[40].

Au moment donc où la reprise économique s'amorce en Amérique latine et au moment où les grands pays industrialisés reprennent leurs échanges avec la région, le Québec, lui, regarde ailleurs parce que nos relations commerciales avec la région se sont détériorées depuis quelques années. Ce faisant, les décideurs québécois oublient que la performance commerciale n'est que le résultat d'une relation économique et politique et que ce résultat dépend fondamentalement d'une action de longue haleine faite de présence continue sur place, de projets de coopération et de projets d'investissements qu'il appartient à un gouvernement de favoriser.

Alors même que le Canada, peut-être plus attentif aux grandes transformations du système mondial, vient de prendre la décision stratégique de prendre place enfin dans la grande maison des Amériques, le Québec, lui, continue de regarder ailleurs. Sa politique latino-américaine paraît en suspens, alors même qu'elle devrait être réorientée.

L'action internationale du Québec en Amérique latine ne doit pas tenir compte uniquement de nos relations bilatérales antérieures avec tel ou tel pays, mais elle doit aussi prendre en compte le rôle de ses partenaires dans la dynamique régionale. À cet égard, l'action du Québec devrait être principalement orientée autour de trois pôles géographiques centraux.

Le premier de ces pôles est le Mexique où il existe déjà une délégation générale du Québec. Le Mexique est important non pour une éventuelle percée du Québec en Amérique latine puisque, exception faite du discours et de l'appartenance à divers organismes régionaux, ce pays a peu d'échanges économiques avec le reste de l'Amérique latine sauf, dans une certaine mesure, le Brésil. C'est plutôt comme partenaire nord-américain que le Mexique est important pour le Québec, dans la mesure où l'établissement d'une éventuelle zone de libre-échange nord-américaine obligera le Québec, le Canada et le Mexique à se concerter pour éviter une domination trop forte des États-Unis.

Le deuxième pôle est la Colombie qui n'a pas une politique étrangère aussi éclatante que celle du Vénézuéla et qui demeure affligée par les problèmes de violence civile et de trafic de drogue. Mais la Colombie commence à prendre plus de place en Amérique latine et elle a posé des gestes pour en finir avec le problème de la drogue et la violence politique. Plus important encore, la Colombie possède une économie beaucoup plus diversifiée que celle du Vénézuéla et sa gestion économique a été nettement meilleure puisque la Colombie est l'un des pays les moins endettés de la région. Enfin, la Colombie est beaucoup mieux positionnée dans le réseau d'échanges économiques des Andes que ce n'est le cas pour le Vénézuéla[41]. Tout semble indiquer que dans dix ans la Colombie sera une puissance économique nettement plus grande que le Vénézuéla qui n'a pas su opérer une diversification économique et où la manne pétrolière n'est plus qu'un souvenir.

Et puis, il y a le Brésil où l'on ne comprend toujours pas que le Québec n'y ait pas encore de délégation générale. Le Brésil qui est le géant de l'Amérique du Sud géographiquement et par sa population et dont la politique étrangère intelligente a fait en sorte que le pays se retrouve aujourd'hui au centre d'un réseau d'interactions couvrant l'ensemble de l'Amérique du Sud. Malgré ses problèmes économiques, le Brésil a gagné la lutte d'influence qui l'opposait à l'Argentine et se retrouve maintenant être le pivot de la région économique la plus active d'Amérique latine. Sa domination du Cône sud, avec ou sans le succès du MERCOSUR, fait de ce pays un partenaire incontournable du Québec en Amérique latine[42].

Le gouvernement du Québec vient de commencer à s'intéresser au Brésil. L'énoncé de politique de 1991 en fait un pays cible de l'action internationale du Québec dans la région. Mais les énoncés de politique ne suffisent pas. Le véritable test d'une politique latino-américaine sérieuse du Québec ne sera passé que lorsque sera établie une Délégation générale du Québec au Brésil. C'est là que les choses importantes commenceront pour le Québec en Amérique latine.

Notes

* L'Amérique latine comprend ici l'Amérique du Sud, l'Amérique centrale et le Mexique ainsi que les pays des Caraïbes.

** L'auteur désire remercier Lyne Sauvageau et les assistants de recherche du projet PARIQ pour leur travail de compilation des données et de fabrication des tableaux et graphiques. Il remercie également Louis Bélanger, professionnel de recherche au CQRI, ainsi que André Beaudoin et Denis Gervais du ministère des Affaires internationales du Québec pour leurs précieux commentaires sur une première version de ce texte. Naturellement, seul l'auteur est responsable des erreurs ou faiblesses de ce texte.

1. Joseph FRANKEL, *International Relations in a Changing World*, Toronto, Oxford University Press, 1988. [4ᵉ édition]

2. Mihaly SIMAI, *Global Power Structure, Technology and World Economy*, Londres, Pinter Publishers, 1990, ainsi que Arie SHACKAR et Sture OBERG, dirs, *The World Economy and the Spatial Organization of Power*, Brookfield, Gower Publishing Co., 1990.

3. Fen OSLER HAMPSON et Christopher J. MAULE, dirs, *After the Cold War, Canada Among Nations 1990-91*, Ottawa, Carleton University Press, 1991.

4. Voir, par exemple, Susan STRANGE, *Are Trade Blocs Emerging Now?*, texte préparé au IPSA World Congress, Buenos Aires, juillet 1991 et Diana TUSSIE, *Life After the Uruguay Round: Regionalism as Stumbling Block or Building Block*, texte préparé au IPSA World Congress, Buenos Aires, juillet 1991.

5. En particulier dans le cadre de la stratégie de 3ᵉ option qui a été analysée dans Gordon MACE et Gérard HERVOUET, «Canada's Third Option: A Complete Failure?», *Canadian Public Policy*, vol. XV, n° 4, décembre 1989, pp. 387-404.

6. GOUVERNEMENT DU QUÉBEC, *Le monde pour horizon, éléments d'une politique d'affaires internationales*, Québec, ministère des Affaires internationales, 1991, p. 45. Voir également Gordon MACE et Guy GOSSELIN, «La politique internationale du Québec après l'échec du lac Meech», dans Louis BALTHAZAR, Guy LAFORET et Vincent LEMIEUX, dirs, *Le Québec et la restructuration du Canada, 1980-1992*, Sillery, Septentrion, 1991, p. 230 et ss.

7. Riordan ROETT, dir., *Mexico's External Relations in the 1990s*, Boulder, Lynne Rienner, 1991.

8. «... to find a home in the Americas». Discours du Secrétaire d'État aux Affaires extérieures, Joe Clark, «Canadian Policy Towards Latin America», *Déclarations et Discours*, février 1990.

9. Daniel GAY, «La présence du Québec en Amérique latine», *Politique*, n° 7, hiver 1985, pp. 34-36.

10. *Ibid.*, pp. 37-38.

11. Cette question est abordée dans Iris S. PEDEA, «Pan American Sentiment in French Canada», *International Journal*, vol. III, n° 4, automne 1948, pp. 331-349.

12. André PATRY, *La République d'Haïti comme débouché pour le Canada*, Québec, Université Laval, mémoire présenté à la Faculté des sciences sociales, 1945.

13. Sur cette période des relations du Canada avec l'Amérique latine, voir, en particulier, Gordon MACE, «Les relations du Canada avec l'Amérique latine et les Caraïbes, dans Paul PAINCHAUD, dir., *De Mackenzie King à Pierre Trudeau, Quarante ans de diplomatie canadienne*, Québec, Les Presses de l'Université Laval, 1989, pp. 406-410; D. R. MURRAY, «Canada's First Diplomatic Missions in Latin America», *Journal of Interamerican Studies and World Affairs*, vol. 16, n° 2, mai 1974, p. 154 et ss. ainsi que J. C. M. OGELSBY, *Gringos from the Far North*, Toronto, Macmillan, 1976, chap. 2.

14. GOUVERNEMENT DU CANADA, *Une politique étrangère au service des Canadiens*, Ottawa, Imprimeur de la Reine, 1970.

15. G. MACE et G. HERVOUET, *op. cit.*, pp. 387-404.

16. MINISTÈRE DES AFFAIRES INTERGOUVERNEMENTALES, *Rapport annuel 1979-1980*, Québec, Éditeur officiel du Québec, 1981, p. 45, cité dans D. GAY, *op. cit.*, p. 43.

17. Voir à cet égard les chiffres sur le commerce entre l'Amérique latine et les grands pays industrialisés dans G. W. LANDAU, J. FEO et A. HOSONO, *Latin America at a Crossroads: The Challenge to the Trilateral Countries*, New York, The Trilateral Commission, 1990, p. 11.

18. On ouvre même, en 1985, un nouveau bureau du Québec à Bogota.

19. *Le monde pour horizon, éléments d'une politique d'affaires internationales, op. cit.*, p. 45.

20. La thèse du transfert des activités internationales du Québec de l'Amérique latine vers l'Asie est assez bien illustrée Stephan LaFORCE, *Le traitement accordé par le ministère des Affaires internationales du Québec aux régions Amérique latine/ Caraïbes et Asie/Océanie de 1976 à 1988*, Québec, CQRI, Les Cahiers du CQRI, n° 4, novembre 1990.

21. *Le monde pour horizon, éléments d'une politique d'affaires internationales, op. cit.*, p. 170.

22. G. W. LANDAU *et al.*, *op. cit.*, p. 11.

23. *Ibid.*, p. 15.

24. *Ibid.*, pp. 18-19.

25. Voir à cet égard l'important discours prononcé par Joe Clark à Calgary en 1990. Voir également les commentaires du sous-ministre adjoint, Stanley Gooch, dans M. O. DICKENSON et S. J. RANDALL, dirs, *Canada and Latin America: Issues to the Year 2000 and Beyond*, Calgary, International Centre of the University of Calgary, 1991, pp. 252-255.

26. Rappelons que la période couverte pour ce qui est de l'analyse du discours va de 1960 à 1985.

27. Un intérêt suffisamment important pour amener le ministre à se mettre à l'étude de l'espagnol.

28. La création du bureau de Bogota n'a pas été facile. Les relations Ottawa-Québec n'étaient pas à leur meilleur à la fin du deuxième mandat du PQ et il a fallu réduire la portée du bureau de Bogota pour répondre aux objections du gouvernement fédéral canadien. Le bureau a donc eu une vocation essentiellement commerciale durant plusieurs années, mais on vient dernièrement d'en changer le statut et le Québec possède maintenant une délégation générale en Colombie depuis 1992.

29. Parmi les effectifs réguliers d'une représentation diplomatique, il y a en effet le personnel de soutien technique, souvent recruté sur place, dont la tâche consiste à assurer le fonctionnement régulier d'une délégation ou d'un bureau. Les professionnels en revanche sont affectés à des dossiers spécifiques ou à la gestion de secteurs particuliers. L'ampleur de la présence de professionnels dans une délégation ou dans un bureau du Québec atteste donc à tout le moins de l'importance des activités du Québec dans un pays donné.

30. Ainsi, pour l'année 1988-1989, la délégation générale du Mexique comprenait quatre professionnels dont un affecté à l'immigration, un à l'économie, un à la coopération et un à la direction. À Port-au-Prince, il y a un seul professionnel depuis 1982-1983 travaillant dans le domaine de l'immigration. Toujours en

1988-1989, les deux professionnels de Bogota sont affectés l'un à l'économie et l'autre à la direction, tandis que les deux professionnels de Buenos Aires sont affectés à l'immigration et à l'économie. De 1985 à 1988-1989, les professionnels de la délégation de Caracas sont passés de 5 à 2. Ces deux professionnels sont affectés l'un à l'agriculture et l'autre à la direction.

31. *Le monde pour horizon, éléments d'une politique d'affaires internationales, op. cit.*, p. 127.

32. Le voyage de M. Garon au Mexique en juin 1981 a été la seule visite ministérielle en Amérique latine où l'on a signé des ententes avec le pays hôte.

33. Un voyage menant un ministre dans trois pays est considéré comme donnant lieu à trois visites ministérielles.

34. Voir l'intervention du ministre dans *Journal des Débats*, 32ᵉ législature, 4ᵉ session, nᵒ 4, 4 avril 1984, p. C1-146. L'idée des cercles concentriques sera reprise dans l'énoncé de politique internationale de 1985. Voir GOUVERNEMENT DU QUÉBEC, *Le Québec dans le monde ou le défi de l'interdépendance. Énoncé de politique de relations internationales*, Québec, ministère des Relations internationales, 1985.

35. Les affinités qu'ont pu conserver certains fonctionnaires du ministère des Affaires intergouvernementales avec quelques pays de la région où ils avaient longtemps séjourné auparavant ont également pu influer sur la décision d'ouvrir telle ou telle délégation.

36. Le dernier énoncé de politique internationale du Québec traduit fort bien cette tendance. Au chapitre des exportations, la part relative de l'Amérique latine est passée de 5,1% en 1980 à 2,6% en 1990. Sur le plan des importations, la chute est encore plus brutale avec une part relative de 14,2% en 1980 comparativement à 4,5% en 1990. Voir *Le monde pour horizon, éléments d'une politique d'affaires internationales, op. cit.*, p. 45.

37. *Ibid.*, p. 170.

38. *Id.*

39. Pierre VILLENEUVE, *La diversification structurelle des exportations canadiennes vers la Corée du Sud: un échec*, Québec, mémoire de maîtrise, Université Laval, 1985.

40. Roy CULPEPER, «Playing Third World Markets», *The Globe and Mail*, 21 février 1992.

41. Voir les indices de diversification pour 1980 dans Denis-Clair LAMBERT, *19 Amériques latines, déclins et décollages*, Paris, Economica, 1984, p. 38.

42. À la condition, toutefois, que ce pays parvienne enfin à se discipliner sur le plan de la politique économique et à stabiliser son système politique.

Chapitre 6

———■———

Les relations extérieures du Québec avec l'Afrique et le Moyen-Orient

———■———

Lyne SAUVAGEAU *et Gordon* MACE

P our les pays en voie de développement, les années soixante-dix étaient placées sous le signe de l'espoir. Le choc pétrolier, plongeant le monde dans une crise économique grave, révélait la dépendance des pays industrialisés envers les matières premières produites au Sud. De 1973 à 1980, la place des pays du Tiers monde dans le commerce international s'affirmait année après année. Alors que leur part du commerce s'accroissait de 8,7% par année, celle des pays industrialisés diminuait annuellement de 7,7%[1]. Par ailleurs, l'ONU adoptait en 1974 une déclaration affirmant la nécessité d'abolir le colonialisme économique et reconnaissant la légitimité des revendications des pays en développement. Mais, dans les années quatre-vingt, le discours portant sur le nouvel ordre économique international est remplacé par celui portant sur l'endettement croissant et sur des plans d'«ajustement structurel» imposés par les institutions financières internationales. Exception faite des NPI d'Asie, on admet généralement que les modèles de développement qui promettaient un décollage économique et un rattrapage technologique accéléré ont lamentablement échoué.

La place de l'Afrique et du Moyen-Orient dans le monde

Symbole d'un pouvoir accru du Nord, les transferts financiers (nouveaux prêts moins le service de la dette) Nord-Sud se font depuis 1983 au profit des pays industrialisés. Depuis 1985, 40 milliards de dollars viennent ainsi gonfler les coffres des pays industrialisés, alors qu'en 1980 les pays du Sud profitaient d'un surplus de 50 milliards de dollars. En outre, depuis dix ans, le prix des matières premières ne cesse de décliner. L'indice du cours des produits agricoles sur le marché mondial est passé de 100 en 1980 à 76 en 1987[2]. Quant à celui des hydrocarbures, il subissait une baisse encore plus dramatique, passant de 100 en 1980 à 53 en 1988.

L'Afrique et le Moyen-Orient n'échappent pas à ce bilan pessimiste, bien au contraire. L'Afrique sub-saharienne est sans contredit la région du Tiers monde pour laquelle les scénarios sont les moins réjouissants, tant sur les plans économique que politique. Même si en termes absolus la dette des pays de l'Afrique sub-saharienne semble faible, si on la compare à celle des pays d'Amérique latine, elle demeure néanmoins plus lourde à supporter pour ces premiers. Au Maghreb, la situation économique n'est pas aussi dramatique, mais les problèmes se posent toutefois sur le plan politique. Le sort du Moyen-Orient ne semble guère enviable, malgré quelques notes d'espoir suscitées par les négociations sur la paix entre Israël et les pays arabes.

Aujourd'hui, on ne parle de l'Afrique que pour souligner sa marginalité, son retrait de la compétition économique internationale. De plus, on craint que la fin de la guerre froide ne fasse oublier davantage ce continent si «mal parti» pour reprendre les termes de René Dumont. À sa marginalisation économique s'ajoute ainsi une marginalisation politique.

Ce continent de 500 millions d'habitants, soit environ 14% de la population mondiale, est la région la moins développée de la planète. Plus de la moitié des pays africains sont parmi les pays les moins développés économiquement du globe: 28 des 42 pays[3] les moins avancés sont africains, un tiers de plus qu'il y a dix ans[4]. L'Afrique sub-saharienne attire plus de 34 % de l'aide mondiale[5], mais ne contribue qu'à 4% du PIB mondial et ne participe qu'à 1,9%[6] des exportations mondiales. En 1988, les importations de l'Afrique sub-saharienne avaient diminué d'un tiers par rapport au volume de 1980. Entre 1985 et 1989, l'Afrique noire a vu sa part du commerce mondial passer de

5% à 2%. Pourtant, durant cette même période, il y avait longtemps que le commerce international ne s'était si bien porté. En 1988, le GATT intitulait son rapport *Le commerce international dépasse les espérances* et notait une augmentation du volume des échanges de 9% pour l'année, augmentation continue depuis le début de la décennie. Pour ajouter à ce bilan peu réjouissant, l'Afrique fait peur aux investisseurs. En 1960, l'Afrique attirait 5,5% des investissements mondiaux, alors qu'aujourd'hui cette proportion est ramenée à moins de 2%[7].

Une marginalisation politique se double à cette marginalisation économique. On craint que la fin de la guerre froide ne diminue l'importance politique de l'Afrique. Entre les deux grandes puissances, les dirigeants africains pouvaient toujours marchander leur allégeance. Aujourd'hui, ce marchandage n'est plus possible. Mais ce n'est pas là la conséquence la plus dramatique de l'effondrement du mur de Berlin. L'Afrique redoute de plus en plus une diminution de l'aide destinée aux pays du Tiers monde au profit d'une aide apportée à l'«autre Europe», soudainement accessible. Et il semble que les craintes des Africains soient justifiées pour ce qui est de l'aide venant de la CEE. Comme le rapporte Pierre Haski:

> Un diplomate sénégalais à Bruxelles notait même avec amertume, alors que la décennie touchait à sa fin, que la Communauté européenne avait promis, en quelques mois, l'équivalant de 60 dollars par Polonais et par Hongrois, contre cinq dollars par habitant des pays dits «ACP» (Afrique, Caraïbe, Pacifique) au cours des cinq années précédentes[8]...

De plus, la plupart des pays d'Afrique sub-saharienne restent aux prises avec des régimes de parti unique ou avec des régimes militaires. Toutefois, on note une multiplication des soulèvements populaires pour la démocratie qui a entraîné la mise sur pied de «conférences nationales» un peu partout à travers le continent. On peut douter de la bonne volonté des Mobutu, Houphouët-Boigny, Bongo qui semblaient, à l'aide des conférences nationales, calmer momentanément leurs populations, plutôt que de véritablement accéder à leur volonté de démocratisation. Il demeure un espoir pour les Africains qui voient leurs efforts soutenus par les contraintes imposées de l'extérieur. Les pays industrialisés ne semblent déterminés à accorder leur aide qu'aux pays qui respectent la charte internationale des droits de l'Homme et démontrent leur volonté de démocratiser leurs structures politiques.

Deux notes d'espoir pour l'Afrique sub-saharienne: la Namibie et l'Afrique du Sud. En novembre 1989, la première tenait ses premières élections libres, événement par lequel était mené à terme son processus de décolonisation. L'oua, trente ans plus tard, remplissait ainsi un de ses buts premiers qui était celui d'assurer la décolonisation de tous les États d'Afrique. L'Afrique du Sud, quant à elle, semble sur la voie d'abolir le régime d'Apartheid.

Le Maghreb ne présente pas un portrait économique aussi dramatique que celui de l'Afrique sub-saharienne quoique l'on parle aussi de sa marginalisation sur la scène internationale. Un fait marquant pour l'ensemble régional, la signature du traité de Marrakech le 17 février 1989 qui crée l'Union du Maghreb Arabe (uma). La Mauritanie, le Maroc, la Tunisie, l'Algérie et la Libye ont décidé de mettre leurs différends politiques de côté, notamment au sujet du Sahara occidental, afin de faire face aux nouveaux impératifs économiques mondiaux. Pour le Maghreb, l'uma est le dernier effort afin de réagir à l'échéance européenne de 1992.

En effet, le commerce extérieur du Maghreb est largement dominé par ses échanges avec la cee. Échanges qui se font sur le mode traditionnel des relations Nord-Sud, c'est-à dire que le Maghreb exporte essentiellement des matières premières et des produits agricoles et importe des produits manufacturés. Au Maghreb, on craint que l'Europe autosuffisante ne se referme sur elle-même, laissant peu de place aux produits des pays du sud de la Méditerranée. En 1984, les exportations maghrébines s'acheminaient à 67% vers les pays de la cee, à la fin de la décennie cette proportion était ramenée à 58%. Depuis l'entrée dans la cee de l'Espagne, de la Grèce et du Portugal les produits agricoles maghrébins se heurtent à une concurrence à laquelle ils ne peuvent faire face[9].

À ces difficultés commerciales d'ordre international se greffent des problèmes politiques, économiques et sociaux internes. Confrontés à une démographie en pleine explosion, les pays du Maghreb comptent déjà plus d'un tiers de sans-emploi au sein de leur population active. Pour contrer le chômage, les pays du Maghreb devront pendant les trente prochaines années créer un million d'emplois, ce qui représente un déboursé annuel de 50 millions de dollars américains[10]. De plus, des divergences politiques fondamentales entre les pays et à l'intérieur même des États ont été mises au jour par la guerre du Golfe. La Libye et la Mauritanie se sont à cette occasion rangées du côté de Saddam Hussein; l'Algérie et la Tunisie ont condamné à la fois l'invasion irakienne et l'intervention américaine; et le Maroc a, au contraire, dépêché des troupes «défensives» au Koweit.

La situation du Moyen-Orient sur l'échiquier mondial est différente. Si cette région est secouée par de nombreux conflits, elle n'en
demeure pas moins une zone névralgique pour les pays industrialisés.
Le Moyen-Orient possède 56% des richesses pétrolières mondiales et
dépense le plus *per capita* pour son armement. On note toutefois une
diminution de l'importance économique du Moyen-Orient sur la scène
internationale au cours des années quatre-vingt. Les pays producteurs
de pétrole n'imposent plus leur loi au reste du monde. Dans les années
quatre-vingt, l'OPEP subissait une baisse de la demande pour les
produits pétroliers tandis que son offre augmentait provoquant ainsi
l'effondrement du prix du baril de pétrole et, «la baisse tendancielle
des revenus pétroliers, a vite démontré la fragilité des économies arabes fondées essentiellement sur la mono-production et la mono-
exportation et donc très sensibles aux aléas politiques et économiques
du marché mondial[11].»

Les pays du Moyen-Orient s'inquiètent eux aussi des conséquences
de la fin de la guerre froide. L'Union soviétique avait réduit l'aide
qu'elle apportait aux régimes «socialistes», tels la Syrie et l'Irak, et il
y a fort à parier que les États issus du démantèlement de l'Union, à
l'exception peut-être de la fédération russe, ne s'engageront pas vis-à-
vis de ceux du Moyen-Orient. De plus, les dirigeants arabes voient
d'un mauvais œil les relations entre Moscou et Israël qui favorisent
l'émigration d'un grand nombre de juifs en Palestine. Le fait majeur au
Moyen-Orient pendant cette décennie demeure néanmoins la montée
des intégrismes religieux, qui se superposent aux conflits préexistants
et viennent en compliquer les solutions.

L'Afrique et le Moyen-Orient dans les relations extérieures du Québec

Si la France a été l'acteur international qui a le plus aidé le Québec
dans sa quête d'un statut international, l'Afrique, de son côté, a certainement constitué la région géographique privilégiée des faits d'armes
québécois en ce domaine. Outre les relations bilatérales de coopération, la région africaine a en effet été le lieu de luttes épiques d'une
action multilatérale du Québec, en particulier dans les forums de
l'ACCT et de la Conférence des ministres de l'Éducation.

Les relations du Québec avec le Moyen-Orient n'ont pas la même
saveur. Elles débuteront au milieu des années soixante-dix, et auront

un caractère économique. À cette époque, en pleine crise pétrolière, le Québec cherche à négocier lui-même ses importations de produits pétroliers. Les relations du Québec avec le Moyen-Orient seront marquées par les conflits qui sévissent dans cette région du monde: la guerre civile au Liban met en péril les relations avec ce dernier et avec la Syrie, la révolution iranienne et la guerre Iran-Irak interrompront celles avec ces deux pays.

La conception québécoise de l'Afrique «a longtemps été celle d'un continent lointain, où s'exilaient nos missionnaires pour accomplir une œuvre admirable de développement social et communautaire[12]». Les dirigeants québécois aiment rappeler les «affinités historiques» qui lient le Québec et l'Afrique: 1960, symbole de l'émancipation, de l'éveil de l'Afrique et du Québec. Longtemps, les relations québéco-africaines seront, de ce côté de l'Atlantique, auréolées de romantisme. Les propos de Jean-Marc Léger illustrent bien l'état d'esprit dans lequel le Québec s'ouvre sur le monde francophone:

> Nous avons ainsi découvert — ou redécouvert — qu'il n'y a pas que la France et le Québec à parler français, mais des dizaines d'autres pays et que cet usage d'une langue commune ouvre de vastes perspectives d'échanges et de collaboration. Nous constatons que nous sommes tributaires d'une langue, non pas en voie de régression, mais au contraire en pleine expansion et nous commençons à associer à l'image du petit groupe de 5 millions de francophones submergés par 200 millions d'anglophones nord-américains, celle d'une nation parmi 30 autres, qui forment ensemble une communauté linguistique de plus de 150 millions d'hommes répartis sur 4 continents[13].

Il faut voir les premiers efforts du gouvernement québécois en Afrique francophone non pas comme une politique planifiée, mais comme les initiatives de quelques individus, agissant souvent sans le consentement du Premier ministre lui-même. En effet, le volet relations internationales n'était pas inclus dans le programme du Parti libéral lors des élections de 1960 et Jean Lesage «n'envisageait guère plus que le projet d'attirer les investisseurs étrangers et d'amener les industriels à s'établir dans la province[14]». Et parce que ces relations n'étaient pas planifiées, on y perçoit, au cours de ces années, une double dynamique. D'une part, une volonté de respecter les prérogatives d'Ottawa et, d'autre part, celle d'agir de façon autonome face à la capitale fédérale.

Les premières tentatives de rapprochement entre le Québec et l'Afrique ont lieu en 1961 et sont empreintes de cette ambiguïté. D'une part, des représentants du gouvernement québécois se rendaient à l'Assemblée générale des Nations Unies pour rencontrer les représentants du Maroc, de la Tunisie, et du FNL algérien. Le gouvernement désirait faire connaître le nouveau programme fédéral qui permettait, sous la surveillance de ce dernier, des échanges avec le Québec dans les domaines de l'éducation et de la culture, et incitait ces pays à s'en prévaloir[15]. Seule la Tunisie se montra intéressée. D'autre part, cette même année, à Montpellier, Paul Gérin-Lajoie, alors ministre de l'Éducation, affirmait que le Québec, à l'instar d'Ottawa, entendait tisser des liens de coopération avec le monde francophone en développant ses propres programmes d'aide et en accueillant des universitaires africains. «À la vérité, le ministre n'exprimait pas en ces termes la politique du gouvernement québécois; il traduisait plutôt les aspirations de certaines personnes, Jean-Marc Léger et André Patry entre autres, qui étaient proches de lui et qu'il consultait au chapitre des relations internationales[16]».

À l'exception de bourses accordées à des étudiants gabonais[17] en 1962 pour venir étudier au Québec et d'une offre de dispensaire médical faite au Maroc[18], le premier pays avec lequel le Québec tente une action véritable est la Tunisie. À deux reprises, sous le gouvernement Lesage et ensuite sous celui de Johnson, le Québec sera sur le point de conclure un accord avec ce pays avant d'en être empêché par Ottawa. Pourtant, la Tunisie avait signé avec Ottawa un accord de coopération culturelle et technique en novembre 1964 qui lui donnait le droit de réaliser des projets avec le Québec. Dans le but de développer ses propres programmes de coopération, le ministère de l'Éducation décide, en 1965, d'allouer 300 000 dollars à cette fin[19].

À cette époque, Ottawa craignait que le Québec prenne en main toutes les relations avec le monde francophone[20]. Les incidents s'étaient multipliés renforçant ainsi les craintes d'Ottawa. En 1963, Jean-Marc Léger faisait paraître dans Le Devoir une série d'articles où il proclamait «qu'il était "humiliant, néfaste et à long terme intolérable" que le Québec soit obligé de passer par l'intermédiaire d'Ottawa pour avoir des contacts avec le monde francophone[21]». Lors de son fameux discours devant le corps consulaire de Montréal, Gérin-Lajoie disait qu'Ottawa s'était montré moins soucieux de la dualité canadienne dans sa politique étrangère que dans sa politique intérieure, ce qui n'était pas peu dire selon l'auteur[22].

C'est en 1968 que survient le moment culminant des relations Québec-Afrique. En février, le Québec recevra, à l'aide de la France, une invitation à siéger à la Conférence des ministres de l'Éducation qui se tient à Libreville au Gabon. Le gouvernement fédéral, malgré sa volonté d'y assister maintes fois exprimée auprès du gouvernement gabonais, n'y sera pas invité. Lors de cet événement, le Québec sera accueilli avec les égards normalement réservés à un gouvernement souverain.

Lors de la conférence, le Canada avait envoyé en Afrique francophone une mission, dirigée par Lionel Chevrier, destinée à faire connaître aux Africains les programmes de coopération canadiens.

> Replacée dans son contexte chronologique, cette mission a une signification très précise. Elle est postérieure de six mois au voyage au Québec du général de Gaulle qui a profondément altéré les relations de la France et du Canada. Elle est surtout très exactement contemporaine de la Conférence des ministres de l'Éducation des Pays Francophones de Libreville où a été invité le ministre québécois de l'Éducation, ce qui a valu au Gabon les foudres d'Ottawa. La mission Chevrier se déroule pendant que M. P.E. Trudeau mène sa campagne en affirmant que l'avenir des Francocanadiens est dans un fédéralisme bilingue et biculturel plutôt que dans l'aventure séparatiste[23].

Cette mission donna le véritable coup d'envoi de la coopération canadienne en Afrique francophone. Le gouvernement canadien est sensibilisé au fait francophone africain par des membres «canadiens-français» du cabinet fédéral. En 1961, le parlement fédéral votait une somme de 300 000 dollars destinée à l'Afrique francophone. De 1960 à 1968, les budgets destinés à l'Afrique francophone se sont progressivement accrus, mais ils ne furent dépensés qu'en partie. Les crédits ne seront dépensés pleinement qu'à la fin des années soixante, à la suite de la mission Chevrier[24].

Malgré les nombreuses tentatives du gouvernement québécois, celui-ci ne parvint pas à se faire inviter seul, c'est-à-dire sans Ottawa, à la Conférence des ministres de l'Éducation de l'année suivante à Kinshasa. Le Québec sera intégré à la délégation canadienne. «*At Libreville, Quebec was alone. At Kinshasa, it accepted cochairmanship with Ottawa's appointed representative. At Niamey, Quebec's delegate was subordinate to the federal representative[25].*» Après Libreville, Ottawa deviendra pour les gouvernements africains l'interlocuteur privilégié au Canada, même s'ils ont à quelques reprises exploité la rivalité

Québec-Ottawa[26]. Dorénavant, le Québec interviendra en Afrique sous la tutelle d'Ottawa.

Toutefois, l'intervention du gouvernement fédéral ne suffit pas à elle seule à expliquer ce qu'on pourrait qualifier de sa «victoire» en sol africain. Si la capitale fédérale devient l'interlocutrice privilégiée auprès des dirigeants africains, c'est aussi parce que ces derniers la choississent pour remplir ce rôle.

Une première raison très pragmatique explique ce choix. Les pays africains veulent bénéficier des programmes d'assistance de l'ACDI. En 1968, le gouvernement joua habilement de la politique de la carotte et du bâton: d'une part, la mission Chevrier initia une cinquantaine de projets en Afrique francophone et, d'autre part, le Gabon[27] a vu ses relations diplomatiques rompues avec Ottawa. De plus, le Canada avait clairement exprimé ses positions avant la conférence des ministres de l'Éducation dans une lettre destinée aux pays francophones africains. Cette lettre précisait «que toute invitation mal dirigée sera interprétée comme une ingérence dans les affaires de notre pays. Nous rappelons que, dans un système confédératif, seul le gouvernement central est habilité à recevoir une telle invitation[28]...» Les dirigeants africains ont alors compris que toute tentative de contacter directement le gouvernement provincial entraînerait une détérioration de leurs relations avec le gouvernement fédéral. Le président nigérien Diori Hamani exprimait ainsi en septembre 1969 sa position face au Québec: «si telle ou telle province canadienne veut nous aider nous n'y voyons aucun inconvénient pourvu que cette aide soit coordonnée avec celle du gouvernement fédéral[29]». Il est intéressant de noter que le Québec entretiendra des relations privilégiées avec le Gabon, le seul pays qui ne recevra pas d'aide d'Ottawa à la suite de la mission Chevrier.

Une seconde raison, beaucoup plus politique, nuira à la cause du Québec en Afrique. Même si, dans plusieurs cas, les dirigeants africains sympathisent avec la situation du Québec, ils ne peuvent toutefois appuyer celui-ci dans ses démarches autonomistes face à Ottawa. En effet, plusieurs pays africains sont aux prises avec des problèmes similaires exacerbés par les rivalités ethniques.

En 1963, à Addis Abbeba, les États africains s'étaient donné comme principe l'intangibilité des frontières coloniales, même si ces dernières sont un non-sens historique, géographique, physique, culturel et ethnique. Leur accord au sujet du maintien de telles frontières s'articule autour des conséquences dramatiques que pourrait avoir un redécoupage adéquat de celles-ci. Il importait de réduire les problèmes liés au passage du pouvoir en ne questionnant pas les limites d'exercice de ce pouvoir. L'État artificiellement construit devait devenir le moteur de l'identité nationale en assurant une amélioration des conditions économiques. Les dirigeants «envisageaient de faire naître une nation d'un État fort et omniprésent[30]». Cette tâche s'est révélée difficile, d'autant plus que le colonisateur, dans bien des cas, avait exacerbé les tensions ethniques en favorisant un groupe au détriment des autres lors de la décolonisation.

Dix ans après les indépendances, cette identification nationale autour de l'État est fragile. Les dirigeants ne peuvent se prononcer sur la situation canadienne en appuyant le Québec, car ils ne peuvent prendre parti pour ce qui semble être un dangereux précédent. Tout ce qui peut miner l'unité étatique est perçu dans le contexte africain[31] comme explosif. Hamani exprime ainsi sa position face à la situation canadienne: «Luttant moi-même pour le renforcement de l'unité de mon pays et contre les tentatives sécessionnistes au Nigéria, je ne puis faire le jeu des diviseurs du Canada[32]. Le président Ahidjo exprimait la même idée en janvier 1970. «Le Cameroun est une fédération. Sans prétendre porter de jugement sur ce qui passe au Canada, nous sommes opposés à tout ce qui risque d'affaiblir la fédération, ou même, simplement, à tout ce qui peut porter préjudice à l'unité nationale d'un pays[33].»

                    *   *   *

Les relations avec le Moyen-Orient débuteront dans le milieu des années soixante-dix et ne donneront pas lieu à cette lutte politique sur le partage des compétences entre Ottawa et Québec. En 1974, le gouvernement du Québec entre en contact avec quelques pays du Moyen-Orient. Le Québec sera séduit par des projets de coopération économique avec l'Irak. Un projet de coopération s'étendant sur une période de 10 ans sera conçu. Mais l'Iran aussi se montra intéressée, et le Québec, ne pouvant établir des liens avec les deux pays à la fois, choisira l'Iran. Des projets seront élaborés et Robert Bourassa se rendra à Téhéran en octobre 1975 pour signer un accord de coopération portant sur l'agriculture, les affaires sociales, l'industrie et le commerce, les richesses naturelles, l'éducation et les affaires culturelles. La révolution iranienne mettra fin aux relations Québec-Iran. Le Québec se tournera alors du côté des Irakiens et Hydro-Québec signera en 1982 un contrat avec ces derniers.

Les relations avec la Syrie ont aussi connu une brève existence. En 1974, après être entré en contact avec le gouvernement syrien et avoir envisagé diverses avenues de coopération, il fut convenu d'une coopération en matière touristique. Le Québec devait conseiller le ministère du Tourisme syrien dans la préparation des campagnes publicitaires susceptibles d'attirer les touristes américains et européens[34] Ce projet prit fin avec l'intensification des troubles au Liban.

Israël et le Liban sont les partenaires privilégiés du Québec au Moyen-Orient. En mai 1980 commencera un programme d'échange de conférenciers entre universités québécoises et israéliennes. Ce programme fonctionne toujours actuellement. Le Liban, pays francophone et membre fondateur de l'ACCT, est le plus ancien partenaire du Québec dans la région. La coopération Québec-Liban se fera principalement dans le domaine de l'éducation. Des bourses d'études en médecine seront octroyées à des étudiants libanais et le Québec accueillera de 1978 à 1984 une dizaine d'étudiants chaque année[35].

Afin de tracer un portrait de l'action du gouvernement du Québec en Afrique et au Moyen-Orient, nous utiliserons trois types d'indicateurs. L'analyse des discours prononcés par les dirigeants québécois nous fournira une mesure de l'intérêt du Québec pour ces régions. En second lieu, nous verrons quels ont été les moyens mis en œuvre par le Québec afin d'assurer une présence dans ces régions. Troisièmement, à l'aide des projets conjoints Québec-ACDI, des visites et des ententes, nous aurons une mesure des actes posés par le gouvernement québécois envers ces deux régions.

Les objectifs dans le discours

L'Afrique et le Moyen-Orient accaparent respectivement 3,2% et 1,1% de l'ensemble des objectifs dans les discours des dirigeants québécois de 1960 à 1985. On note dans le cas de l'Afrique une augmentation constante au fil des ans. Nul dans les années soixante, limité dans la décennie suivante, le discours du Québec envers l'Afrique prend un essor considérable sous le deuxième gouvernement Lévesque: 44 des 50 objectifs dans le discours des dirigeants québécois sont énoncés durant ce mandat. Tous les mandats précédents ne comptaient qu'un ou deux objectifs formulés envers l'Afrique, le

Tableau 6.1

Les objectifs dans le discours en Afrique par mandat par pays

	Bertrand	PLQ I	PLQ II	PQ I	PQ II	Total cible
Institutions Afrique		1				1
Afrique			1	1	15	17
Afrique francophone	1	1			2	4
Algérie					17	17
Burkina Faso					1	1
Côte d'Ivoire					1	1
Ghana					1	1
Maroc					1	1
Niger	1					1
Sénégal					4	4
Togo					1	1
Tunisie					1	1
Total	**2**	**2**	**1**	**1**	**44**	**50**

premier mandat du Parti québécois inclu. À prime abord ces chiffres étonnent.

Comment expliquer cette augmentation? L'Afrique n'est pas la seule région qui reçoit de la part des dirigeants québécois un intérêt accru lors du second mandat Lévesque: près de la moitié du total des objectifs de tous les gouvernements, le premier mandat Lévesque inclu, ont été formulés durant ce second mandat. Toutefois, cela n'explique pas totalement le fait que 88% des objectifs concernant l'Afrique aient été énoncés entre 1980 et 1985. Sur le total de 44 objectifs que comprend ce mandat, 29 objectifs ont été prononcés par Jacques-Yvan Morin. Celui-ci a un style oratoire porteur d'objectifs. On remarque aussi que l'Algérie vole la vedette avec 17 des objectifs énoncés durant ce mandat. On voit aussi apparaître des préoccupations économiques absentes auparavant lorsqu'il était question de l'Afrique. L'Afrique et surtout l'Algérie deviennent alors des cibles économiques dans le discours des dirigeants québécois. Cette préoccupation économique fait écho au fait qu'en 1981, l'Algérie devenait le premier partenaire commercial du Québec en Afrique et le 7ᵉ client international de la province. L'augmentation de l'intérêt porté à l'Afrique durant le second mandat Lévesque s'explique donc par le fait que le Québec découvre alors que l'Afrique et surtout que l'Algérie peuvent devenir des partenaires commerciaux intéressants[36].

Avant 1980, les pays auxquels on fait référence sont principalement des pays d'Afrique noire, et à partir du second mandat Lévesque les pays du Maghreb attirent l'attention. Par exemple, on ne mentionne l'Algérie qu'à partir de 1982. L'Algérie devient alors de loin le plus important partenaire commercial du Québec en Afrique et elle occupe le 7ᵉ rang des principaux clients du Québec[37]. L'Algérie est le pays auquel les dirigeants québécois font le plus souvent référence; 17 fois sur un total de 50 soit 34%. La cible Afrique reçoit la même attention. Le Sénégal et l'Afrique francophone suivent avec chacun 4 objectifs. Comme le montre le tableau 6.2, page suivante, les domaines éducation/science (18/50), général (11/50) et économie/commerce/ finance (9/50) sont les plus souvent cités par les dirigeants québécois lorsqu'il s'agit de l'Afrique.

Les relations du Québec avec le Moyen-Orient, par ailleurs, ne progressent pas de la même façon. Celles-ci débutent en 1974 avec les États arabes de la région. On note dans le cas du Moyen-Orient que les actes précèdent le discours, c'est-à-dire que des dirigeants québécois entreront en contact avec ceux du Moyen-Orient avant que de réelles intentions transparaissent dans le discours. En effet, en 1974, le Québec entre en contact avec certains États arabes de la région, mais le discours reste muet à ce sujet. Ce n'est qu'en 1975 que l'intérêt du Québec pour cette région se manifeste dans le discours des dirigeants. Ce fait montre bien comment les relations avec les États arabes de la région ne sont ni planifiées ni vraiment volontaires.

Au Moyen-Orient le discours des gouvernements québécois fait référence à l'économie et aux affaires sociales. Dans cette partie du monde, il semble que les domaines soient liés aux pays. Le domaine économie/commerce/finance est réservé à l'Iran et au Moyen-Orient, les affaires sociales au Liban, et le domaine général à Israël et au Moyen-Orient. Les dirigeants québécois ne font référence qu'à trois pays de la région: Israël, le Liban et l'Iran. On remarque un intérêt du

Tableau 6.2

Les objectifs dans le discours en Afrique par domaine par pays

	Afrique	Institutions Africaines	Ghana	Afrique Française	Algérie	Burkina Faso	Côte d'Ivoire	Maroc	Niger	Sénégal	Togo	Tunisie	Total
politique/ diplomatique	1				1					1			3
institutionnel/ organisationnel	1												1
culture/ communication	1	1											2
économie/ commerce	3				5							1	9
éducation/ sciences	8		1	1	6				1		1		18
écologie/ environnement					1								1
PVD	1			2		1							4
affaires sociales/ travail							1						1
Général	2			1	4			1		3			11
Total	17	1	1	4	17	1	1	1	1	4	1	1	50

Tableau 6.3
Les objectifs dans le discours au Moyen-Orient
par domaine, par mandat, par pays

	Johnson	Bourassa II			Lévesque I		Lévesque II			Total
	Liban	Liban	Iran	Moyen-Orient	Iran	Moyen-Orient	Liban	Israël	Moyen-Orient	
culture/ communication								1		1
économie/ commerce/ finance			1	2	1				2	6
éducation/ science		1								1
immigration	1									1
aide PVD							1			1
affaires sociales/ travail		2					1			3
général				1		1		1	1	4
Total	1	3	1	3	1	1	2	1	4	17

second gouvernement Bourassa pour le Moyen-Orient: cet intérêt est suscité par la crise pétrolière et la visite de Robert Bourassa en Iran. Le second souffle d'intérêt du Québec envers le Moyen-Orient se manifeste lors du second mandat du gouvernement péquiste et s'explique en partie par une plus grande «volubilité» des dirigeants. Ce gouvernement semble accorder une plus grande place aux relations internationales que ses prédécesseurs, comme le démontreront les différents indicateurs. Le Moyen-Orient suit donc la tendance générale dans ce domaine.

La représentation en Afrique et au Moyen-Orient: dépenses et effectifs

L'Afrique demeure à ce jour le seul continent, excepté l'Océanie, où le Québec n'a toujours pas établi de délégation. Cela peut paraître étonnant puisque des dossiers politiques de première importance pour le Québec ont souvent pris racine en Afrique francophone. Actuellement, le Québec est représenté en Afrique à l'intérieur de l'ambassade canadienne à Abidjan, par un conseiller culturel[38].

Le Québec a manifesté le désir d'ouvrir des délégations en Afrique à quatre reprises: à Tunis, à Alger, à Dakar et à Libreville. Les projets de Tunis, d'Alger et de Libreville n'ont jamais véritablement franchi le cap des «bonnes intentions». Le cas de Dakar est plus intéressant puisque motivé par des intérêts politiques. En avril 1977, le Québec fait part de ses intentions d'ouvrir une délégation du Québec à Dakar au président du Sénégal, Léopold Sédar Senghor, le père spirituel de la Francophonie internationale et grand défenseur du Sommet des chefs d'États francophones. On aura deviné les liens entre les deux projets. Le Québec, devant les efforts répétés du gouvernement fédéral d'exclure la participation du Québec à un tel Sommet, voulait faire entendre sa voix auprès des Africains et auprès de Senghor lui-même. Après un premier accord de principe du gouvernement fédéral et une année de négociation, le gouvernement fédéral a fermé le dossier. L'interdiction faite au Québec de participer à un éventuel Sommet francophone était, selon Claude Morin, «le moyen par excellence de contrer définitivement la poussée internationale du Québec[39]».

Le Québec n'a jamais projeté d'établir de délégation au Moyen-Orient. Toutefois, il a été représenté au Moyen-Orient par deux agents d'immigration en poste à Beyrouth. Ces postes ont été abolis en 1980-1981, en raison de la détérioration de la situation au Liban. Le Québec est à nouveau représenté dans la région par deux agents d'immigration à Damas et ce, depuis 1987.

L'Afrique et le Moyen-Orient sont toutes deux des régions peu importantes du point de vue économique pour le Québec alors que les délégations québécoises en général ont essentiellement une vocation économique:

> Prospection des investissements étrangers, transfert technologique et promotion des exportations québécoises. Des délégations comme celles de Tokyo, Düsseldorf, Chicago, Atlanta, Dallas, Boston, Los Angeles et jusqu'à un certain point Bruxelles, ont été implantées en fonction de l'importance potentielle que les régions d'accueil pouvaient présenter pour les relations économiques internationales du Québec.

> L'ouverture de délégations à Caracas et à Mexico à la fin des années soixante-dix se rattache à l'émergence de ces deux pays comme partenaires économiques importants du Québec[40].

Graphique 6.1

Les dépenses des représentations à l'étranger

En milliers de dollars courants

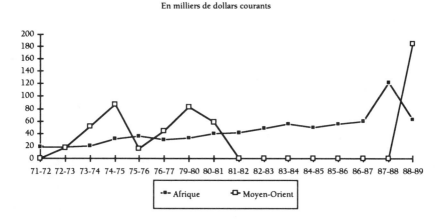

On ne s'étonnera guère alors du peu de ressources humaines et financières consacrées au continent africain.

De façon générale, les dépenses des représentations à l'étranger ont augmenté constamment au cours de la période à l'étude pour atteindre un total de 27,2 millions de dollars en 1988-1989. Cependant, la part relative des dépenses consacrées à l'action internationale du Québec est demeurée relativement stable depuis 1964 avec une moyenne annuelle d'environ 0,10% des dépenses totales du gouvernement.

L'Afrique et le Moyen-Orient ont été les régions les plus négligées par le gouvernement québécois en ce qui a trait aux dépenses des représentations internationales, particulièrement depuis le milieu des années soixante-dix. À ce chapitre, le Québec n'a commencé à s'intéresser à l'Afrique qu'en 1971-1972 avec un engagement de 18 000 dollars. Progressivement, ce montant a augmenté pour parvenir aux alentours de 50 000 dollars et atteindre une pointe de 121 770 dollars en 1987-1988. Cependant, l'Afrique n'a jamais occupé plus que le sixième rang à cet égard parmi les grandes régions du monde depuis l'année 1976-1977. Sa part relative sur ce plan n'a jamais dépassé 1% des dépenses des représentations du Québec à l'étranger et tend à diminuer avec les années.

Pour ce qui est du Moyen-Orient, les seules dépenses consacrées par le Québec à cette région l'ont été au cours de la période 1972-1973 à 1980-1981. D'un montant de 15 000 dollars, les dépenses québécoises ont atteint des pointes de 86 400 dollars en 1974-1975 et de 82 150 dollars en 1979-1980. Depuis l'année 1981-1982, le Québec a cessé toute dépense à l'égard du Moyen-Orient, exception faite d'une reprise tardive en 1988-1989.

La période des dépenses gouvernementales québécoises à l'égard du Moyen-Orient est assez significative des intentions puisqu'elle commence au moment précis de la première hausse des prix pétroliers et se termine, exception faite du brusque soubresaut de l'année 1988-1989, avec la récession mondiale de 1980-1982. Comme plusieurs autres pays, le Québec a ainsi cherché à tirer profit de la manne pétrolière au Moyen-Orient jusqu'à ce qu'on se rende compte que les pays de cette région étaient également frappés par la crise du début des années quatre-vingt[41].

Dans le domaine des ressources humaines affectées aux bureaux et délégations du Québec à l'étranger, on remarque également le caractère marginal des régions Afrique et Moyen-Orient. Sur une période de 25 ans en effet, les effectifs réguliers des représentations québécoises à l'étranger ont été multipliées par 8, tandis que le nombre de poste de professionnels du gouvernement à l'étranger est passé de 17,5 à 134. Or, durant tout ce temps, l'Afrique n'a obtenu qu'un professionnel par année et le Moyen-Orient n'en a jamais eu plus de deux.

Le comportement du Québec en Afrique et au Moyen-Orient

L'analyse du comportement gouvernemental a été réalisée en fonction de trois indicateurs principaux que sont les projets québécois de coopération, les visites ministérielles et les ententes internationales conclues par le gouvernement du Québec. Dans le cas d'un État fédéré ou d'un petit État, il est apparu qu'il s'agissait là des instruments de mesure les plus robustes de l'action internationale de ces entités.

Les projets de coopération

À l'exception de quelques actions ponctuelles faites dans les années soixante, la coopération du gouvernement québécois en Afrique démarrera réellement dans les années soixante-dix. Toutefois, l'action du Québec dans cette région du monde ne porte pas le sceau du gouvernement du Québec. En Afrique, le gouvernement québécois contribue à réaliser des projets de coopération en collaboration avec des organismes québécois, canadiens et internationaux. «Dans chaque cas, l'action du Gouvernement veut être complémentaire à celle d'autres organismes. C'est ainsi que le Ministère a appuyé les initiatives de plusieurs universités québécoises et organismes de coopération comme l'Entraide universitaire mondiale et la SDID.» Le gouvernement québécois collabore régulièrement avec l'Agence canadienne de coopération internationale (ACDI) et le Programme volontaire d'aide au développement agricole (VADA). Il accorde son support aux initiatives des diverses universités québécoises, des instituts et centres de recherche québécois et africains, de l'ENAP, des organisations internationales telles que l'ONU, la FAO, le PNUD, etc. L'action du gouvernement du Québec en Afrique est une action de support plutôt que d'initiative et de mise en œuvre de projets.

Depuis 1971, le gouvernement du Québec agit à titre de maître d'œuvre pour de nombreux projets de l'ACDI situés en Afrique francophone (voir tableau 6.4, page 270). Le Québec recrute, sélectionne et forme les coopérants, experts et enseignants, dans le cadre des projets financés par l'ACDI. Le Québec participe aussi depuis 1974 au programme VADA, programme fédéral-provincial financé à 75% par Ottawa. Dans ce programme, le Québec soumet ses projets de coopération et finance ceux-ci à 25%. Il ne faut pas se méprendre sur le rôle que joue le Québec au sein de ces organisations fédérales: il est avant tout un réservoir de ressources humaines s'exprimant en français pour les projets exécutés dans les pays d'Afrique francophone[42].

En 1982, Myriam Gervais pouvait croire que le rôle de recrutement et de sélection des candidats québécois pour l'ACDI était en régression[43]. À ce moment, les deux derniers projets étaient dans leur phase finale et aucun nouveau projet n'était négocié et n'avait pas vu le jour entre la province et l'agence fédérale entre 1978 et 1987. On ne peut s'empêcher de remarquer qu'aucun projet n'a été négocié entre le Québec et l'ACDI lorsque le Parti québécois était au pouvoir. Entre 1983 et 1985, le Québec a mis sur pied son propre projet de coopération qu'il a financé en totalité. Il s'agit d'un projet de formation d'enseignants au Maroc. La gestion du projet a été confiée à une société paragouvernementale nouvellement créée, la SEREQ. La collaboration Québec-ACDI a redémarré à partir de 1985. De nouveaux projets ont été négociés et sont nés en 1987. Depuis 1990, un nouveau type

Tableau 6.4

Projets de l'ACDI où le Québec agit à titre de maître d'œuvre

Projet	Pays	Période	Description
Projet de développement économique et rural de Rif occidental (DERRO)	Maroc	1970-1976	Aménagement en milieu rural
Projet de centres pédagogiques régionaux (CPR)	Maroc	1975-1983	Formation professionnelle de niveau collégial et universitaire
Collège polytechnique universitaire (CPU)	Bénin	1977-1982	Formation professionnelle de niveau collégial et universitaire
Développement des services de santé de base (DSSB)	Sénégal	1977-1979	Santé communautaire en milieu rural
Service permanent d'inventaire et d'aménagement forestier (SPIAF)	Zaïre	1977-1981	Aménagement forestier
Projet d'hôtellerie	Côte d'Ivoire	1978-1982	Construction d'un hôtel et formation du personnel
Projet d'appui au département d'agriculture et au développement rural (DADR)	Zaïre	1987-1991	Élevage et amélioration des pâturages
Projet d'appui institutionnel et de formation forestière	Rwanda	1987-(oct 1992)	Formation de bacheliers en science (au Québec) et de techniciens forestiers (en Côte d'Ivoire)
Projet d'appui au ministère des travaux publics, urbanisme et habitat	Zaïre	1989-(juin 1992)	Schéma d'aménagement et de développement dans le Kivu

Projets à frais partagés par l'ACDI (75%) et le MAI (25%)

Projet			
Aïn Draham Tabarka	Tunisie	1990-1994	Formation de jeunes agriculteurs
Construction de maisons unifamiliales rurales de Noto	Sénégal	1990-1993	Construction et creusage d'un puits pour l'approvisionnement en eau potable

Projet financé par le Québec géré par la SEREQ

Maroc enseignants	Maroc	1983-1985	Formation de professeurs de niveau universitaire

Source: Direction Afrique-Moyen-Orient

de collaboration s'est développé entre le Québec et l'ACDI. Le Québec, en plus d'assumer son rôle de sélection et de formation des candidats, finance à 25% les projets réalisés conjointement avec l'agence fédérale qui supporte 75% du fardeau financier. Deux projets soumis à ce type de collaboration ont débuté pendant l'année 1990.

Le gouvernement du Québec met à la disposition des gouvernements, des organismes de coopération des universités, des instituts et centres de recherche ses ressources financières, techniques et humaines. Le Québec détache des fonctionnaires spécialisés pour des périodes de courte durée auprès des organismes qui en font la demande. Ainsi, bon an mal an, 10 à 20 fonctionnaires québécois prêtés à l'étranger aident à mettre sur pied des réformes, établissent les structures d'un projet, aident à la mise en place des devis d'enseignement, etc. Le Québec contribue aussi à la réalisation de missions, de colloques et de conférences tant au Québec qu'en Afrique.

Le Québec finance, depuis 1976, l'Association québécoise des organismes de coopération internationale (AQOCI) qui regroupe une trentaine d'organismes privés québécois de coopération. En 1979-1980, le Québec donnait une subvention de 171 000 dollars à l'association pour assurer le fonctionnement de son secrétariat. Aujourd'hui, l'association reçoit du MAI environ 350 000 dollars annuellement.

La majorité des interventions du Québec en Afrique, en collaboration avec ses divers partenaires, se situent au niveau éducatif: formation des cadres, établissement d'écoles spécialisées, mise sur pied de centre de formation technique, échange de conférenciers, de professeurs, accueil de stagiaires et ce, dans divers domaines comme la santé, l'hôtellerie, l'agriculture. En 1984-1985, la Direction Afrique–Moyen-Orient décidait de réorienter son action en se donnant des secteurs d'intervention privilégiés qui sont dorénavant l'agro-alimentaire, la foresterie ainsi que la diffusion culturelle[44].

Les visites

En ce qui concerne les visites ministérielles, le tableau 6.5 montre que généralement la moyenne annuelle des visites a augmenté constamment depuis 1960 pour atteindre un sommet de 74,7 visites par an durant le deuxième gouvernement Lévesque (1981-1985) et retomber ensuite à une moyenne annuelle de 58,5. Bien que l'Afrique n'ait obtenu que 5,1% des visites ministérielles québécoises à l'étranger, la distribution des visites vers cette région par mandat gouvernemental révèle une similarité des tendances pour ce qui est de la distribution par année, puisque plus de 90% des visites en Afrique ont eu lieu de 1973 à 1989. En ce qui a trait au Moyen-Orient, la région la plus négligée sur ce plan, à l'exception de l'Océanie, la similarité des tendances est moins évidente puisque les quatre visites vers cette région ont été réalisées sous les deux premiers gouvernements Bourassa et sous le premier gouvernement Lévesque. Encore une fois, la relation avec le choc pétrolier au Moyen-Orient est assez évidente puisque les ministres québécois n'ont plus visité cette région à partir de 1980.

Enfin, une dernière remarque vaut la peine d'être formulée en ce qui a trait à la distribution des visites ministérielles québécoises par année. En effet, et pour ce qui concerne l'Afrique à tout le moins, la grande majorité des visites ministérielles depuis 1976 ont lieu au tout début ou à la toute fin des mandats gouvernementaux. Dans le premier cas, on comprend qu'un nouveau gouvernement désire prendre contact avec ses interlocuteurs étrangers et lancer, éventuellement, de nouveaux dossiers. Dans le second cas, il se peut que les ministres du Québec aient voulu conclure certains dossiers avant un possible échec électoral. Sinon, y a-t-il lieu d'expliquer les 10 visites de 1975-1976 et les 6 de 1984 comme une façon de se donner du bon temps avant de quitter le pouvoir? La réponse à cette question supposerait une connaissance détaillée du suivi apporté à ces visites; ce que nous permet difficilement l'information disponible. Une comparaison par région pourrait cependant apporter quelques éléments de réponse.

Tableau 6.5

Moyenne des visites ministérielles par année
par mandat pour l'ensemble des régions

	Lesage	Johnson	Bertrand	Bourassa 1	Bourassa 2	Lévesque 1	Lévesque 2	Bourassa 3
Total des visites	34	12	13	101	95	193	330	234
Nombre de mois	70	26	18	40	35	53	53	48
Nombre d'années	5,83	2,17	1,50	3,33	2,92	4,42	4,42	4,00
Moyenne annuelle	5,83	5,54	8,67	30,30	32,57	43,70	74,72	58,50
Visites Afrique	0	1	0	4	13	7	13	14
Visites Moyen-Orient	0	0	0	1	2	1	0	0
% Afrique	0%	8,3%	0 %	4,0%	13,7%	3,6%	3,9%	6,0%
% Moyen-Orient	0%	0%	0%	1,0%	2,1%	0,5%	0%	0%

Outre la distribution annuelle, l'analyse a également permis d'identifier certains éléments d'intérêt concernant le domaine touché par les
visites ministérielles à l'étranger. Le tableau 6.6, page 274, permet tout
d'abord de constater qu'en général les visites des ministres québécois
à l'étranger ont surtout porté sur le domaine économie/commerce/
finance et, dans une moindre mesure, sur les domaines politique/
diplomatique, culture/communication et éducation/science. On remarque également que les régions Afrique et Moyen-Orient se distinguent
par rapport aux tendances générales observées. Ainsi, comme le
montre le tableau 6.7, page 276 les visites ministérielles québécoises
en Afrique ont surtout porté sur le domaine éducation/science, suivi
de loin par les domaines culture/communication et politique/
diplomatique. À l'encontre de la tendance générale, le domaine
économie/commerce/finance ne vient qu'au 4ᵉ rang, ce qui pourrait

Tableau 6.6
Visites par région et par domaine

	Afrique	É.-U.	Amérique latine	Asie	Océanie	Europe Francophone	France	Moyen-Orient	Institution	Total
politique/diplomatique/général	9	47	4	6	0	59	43	2	5	175
institutionnel/organisationnel	1	12	2	0	0	20	10	0	2	47
culture/communication	10	20	0	0	0	15	28	0	6	79
économie/commerce/finance	6	142	20	48	0	131	62	1	18	428
éducation/science	19	5	1	2	0	12	20	0	8	67
immigration	2	2	2	17	0	13	8	1	3	48
écologie/environnement	1	23	0	2	0	9	6	0	3	44
PVD	1	0	0	0	0	0	0	0	1	2
affaires sociales/travail	2	11	0	0	2	41	17	0	11	84
mobilité des québécois	0	0	0	0	0	0	0	0	0	0
aménagement/urbanisme	1	2	0	0	0	21	13	0	1	38
Total	52	264	29	75	2	321	207	4	58	1012
%	5,1	26,1	2,9	7,4	0,2	31,7	20,5	0,4	5,7	

confirmer l'impression que l'Afrique aurait toujours été une cible limitée pour le Québec sur le plan économique. Le tableau 6.6 montre également que la non-conformité de tendances prévaut pour le Moyen-Orient où une seule visite a porté sur le domaine économie/commerce/finance. Cette constatation vient ainsi atténuer l'affirmation faite plus haut à propos de la relation entre les visites québécoises et la richesse pétrolière nouvelle du Moyen-Orient.

En ce qui a trait aux interlocuteurs rencontrés par les ministres québécois, l'étude des données permet d'aboutir à une constatation assez intéressante. Les régions Afrique et Moyen-Orient, tout comme c'est le cas pour la France, sont les seules régions géographiques où la proportion de visites à des représentants d'États souverains constitue plus de la moitié des visites réalisées. Partout ailleurs, les visites les plus nombreuses ont été des visites privées ou des visites réalisées auprès d'organismes non gouvernementaux. Le constat a une certaine importance dans la mesure où il permet d'identifier jusqu'à un certain point les alliés possibles du Québec dans l'hypothèse d'un processus éventuel d'accession à l'indépendance.

Du point de vue des cibles géographiques privilégiées, on notera que le Sénégal a été le principal interlocuteur politique du Québec en Afrique puisqu'il est le seul pays de la région à avoir reçu la visite de premiers ministres québécois. Ce fut le cas de M. Lévesque en mars 1977 et, plus récemment, de M. Bourassa en mai 1989. Ces visites des premiers ministres ont toutes deux un lien avec la Francophonie. Dans le premier cas, René Lévesque, répondant à l'invitation de Senghor, se rendait au Sénégal. Plusieurs sujets ont alors été abordés entre les deux hommes, mais le Québec cherchait surtout à s'assurer l'appui de Dakar sur un éventuel Sommet francophone. Dans le deuxième cas, Robert Bourassa profitait de sa visite à Dakar lors du 3e Sommet des chefs d'États francophones, pour rendre visite à Abdou Diouf, président du pays hôte.

Par ailleurs, on remarquera que les ministres québécois n'ont effectué aucune visite dans les pays africains de langue anglaise. En Afrique centrale, les ministres du Québec ont surtout privilégié le Cameroun et le Gabon, tandis qu'en Afrique de l'Ouest ils ont favorisé le Sénégal et la Côte d'Ivoire. En Afrique du Nord, les visites ministérielles québécoises ont à peu près été également réparties entre le Maroc, la Tunisie et l'Algérie. Dans cette dernière région, toutes les visites ministérielles québécoises, exception faite de la mission commerciale du

Tableau 6.7

Visites en Afrique par domaine et par pays

	Institution Africaine	Algérie	Cameroun	Côte Ivoire	Égypte	Gabon	Maroc	Sénégal	Tunisie	Zaire	Total	%
politique/ diplomatique		1		1		1		5	1		9	17,3%
institutionnel/ organisationnel										1	1	1,9%
culture/ communication		2	1	1	1		1	2	2		10	19,2%
économie/ commerce	1			1	1		1	1	1		6	11,5%
éducation/ science	1	3	2	4		1	2	4	1		19	36,5%
immigration						1				1	2	3,8%
écologie/ environnement			1								1	1,9%
PVD					1						1	1,9%
affaires sociales/ travail									2		2	3,8%
aménagement/ urbanisme						1					1	1,9%
Total	2	6	3	7	2	2	5	12	7	2	52	
%	3,8%	11,5%	5,8%	13,5%	3,8%	3,8%	9,6%	23,1%	13,5%	3,8%		

Tableau 6.8

Visites au Moyen-Orient par mandat par domaine et par pays

	Bourassa I	Bourassa II		PQ I	Total
	Liban	Iraq	Iran	Arabie saoudite	
politique/ diplomatique/ général	1	1			2
économie/ commerce/ finance	1				1
immigration	1				1
Total	1	1	1	1	4

ministre Landry en 1984, ont porté sur la coopération et le développement des échanges dans les domaines de l'éducation, de la culture et des affaires sociales.

Ainsi, l'analyse des visites ministérielles québécoises en Afrique et au Moyen-Orient révèle une assez forte concentration géographique puisque sept pays seulement ont fait l'objet de visites régulières. Les deux régions ont par contre une certaine importance du point de vue des interlocuteurs, compte tenu que plus de la moitié d'entre eux appartenaient à des États souverains. Comme nous l'avons noté antérieurement, il s'agit de la plus forte proportion à cet égard parmi toutes les régions du monde. Dernière remarque générale, à l'encontre de la situation dans les autres régions, l'Afrique et le Moyen-Orient se distinguent par la faible proportion des visites consacrées au secteur de l'économie/commerce/finance.

Les ententes

Sur le plan des accords internationaux, le tableau de la synthèse comparative montre que le Québec a été, d'un point de vue général, particulièrement actif à cet égard depuis le premier mandat du gouvernement Lévesque et tout spécialement dans les années quatre-vingt. En fait, plus de la moitié des ententes internationales signées par le

Québec l'ont été dans le cours de la dernière décennie. Le rapprochement de ce phénomène avec la distribution annuelle des visites ministérielles québécoises permet de constater que le gouvernement du Québec est devenu de plus en plus à l'aise sur la scène internationale et qu'il peut, même dans un cadre fédéral, agir sur le plan international dans le sens de ses intérêts.

L'Afrique a suivi la tendance générale à l'accroissement des accords internationaux du Québec mais le Moyen-Orient a connu une tendance inverse avec aucun accord signé sous le plus récent gouvernement Bourassa. Une des données surprenantes de la synthèse comparative concerne le deuxième rang de l'Afrique parmi les régions identifiées au chapitre des ententes. Nous verrons cependant que le total atteint par l'Afrique est quelque chose d'un peu artificiel. Enfin, il y a lieu de remarquer que la plupart des ententes internationales du Québec ont été conclues avec des États souverains, sauf dans le cas des États-Unis et de la région Europe. Au cours des années quatre-vingt, la plupart des ententes conclues par les gouvernements Lévesque et Bourassa l'ont été dans une proportion d'environ deux tiers avec des États souverains et un tiers avec des États non souverains.

Près des deux tiers des ententes internationales du Québec pour l'ensemble de la période ont été signées dans les domaines éducation/science, économie/commerce/finance et culture/communication.

Comme le montrent les tableaux 6.9 et 6.10, pages 280-281, le profil des ententes avec l'Afrique et le Moyen-Orient respecte la configuration générale puisque 4 des 6 ententes avec le Moyen-Orient concernent le domaine éducation/science tandis que 41 des 49 ententes avec l'Afrique porte sur les secteurs éducation/science, et culture/communication.

La première entente internationale du Québec avec un pays africain date de 1968, alors que le gouvernement Johnson acceptait d'accorder un financement pour le développement de l'université de Butaré au Rwanda. Cet accord lançait un mouvement qui s'accélérera à partir de 1976, pour aboutir à la conclusion de 49 ententes sur une période de 21 ans. Ce total de 49 ententes avec l'Afrique est à prime abord impressionnant puisqu'il s'agit du deuxième total en importance après les États-Unis. Tel que mentionné plus haut, cependant, ce chiffre a quelque chose d'un peu superficiel dans la mesure où 32 des 49 accords portent sur l'exemption de frais de scolarité pour les étudiants africains désireux de venir étudier dans les universités québécoises[45]. Cette forme d'échange n'est évidemment pas à dédaigner puisque, comme l'ont compris plusieurs pays industrialisés, les diplô-més qui retournent dans leur pays d'origine facilitent souvent les liens avec les anciens pays d'accueil, ce qui permet ainsi des bénéfices non négligeables, économiques et autres. Malgré tout, on ne peut pas par-ler dans ce cas d'ententes internationales à caractère transcendant.

Parmi les autres ententes, les plus significatives concernent des accords de coopération culturelle et technique avec le Gabon, l'Algérie, le Maroc, la Tunisie et le Sénégal. D'après les données disponibles, il semble que ce soit surtout les accords avec l'Algérie et la Tunisie qui aient donné lieu à un suivi intensif de la part des gouvernements concernés.

Ainsi, l'analyse des ententes internationales du Québec avec l'Afrique et le Moyen-Orient aboutit encore une fois à la constatation d'une action internationale du Québec assez concentrée. Seulement six accords ont été conclus avec les pays du Moyen-Orient et, parmi les accords avec les pays africains, seulement cinq ou six ont une certaine substance, tous conclus avec les trois pays d'Afrique du Nord plus le Gabon et le Sénégal.

L'image qu'on retire de la coopération internationale du Québec avec l'Afrique en est donc une d'action fort limitée. Il convient toute-fois de rappeler que l'analyse a porté sur l'action officielle du gouver-nement du Québec. La présence du Québec en Afrique, comme le fait remarquer à juste titre Myriam Gervais[46] est toutefois beaucoup plus importante lorsque l'on prend en compte l'action des organismes de coopération non gouvernementaux ainsi que celle des firmes privées particulièrement dans le domaine de l'ingénierie-conseil. Cependant, comme le rappelle également Gervais[47], cette action s'est déroulée pour une bonne part sous l'égide du gouvernement canadien et à l'intérieur de paramètres établis par l'Agence canadienne de développement international.

Vue d'ensemble

Ainsi, l'Afrique et surtout le Moyen-Orient ont constitué des régions marginales dans l'ensemble de l'action internationale du Qué-bec. Cela se vérifie tant pour les objectifs formulés que pour les moyens utilisés et le comportement global du gouvernement québé-cois. Sur le plan des objectifs, le Moyen-Orient a surtout intéressé

Tableau 6.9

Ententes conclues avec l'Afrique par domaine et par pays

	Algérie	Burkina Faso	Côte d'Ivoire	Gabon	Maroc	Rwanda	Sénégal	Tunisie	Zaïre	Autres	Total
politique/diplomatique	1			1				2			4
culture/communication	2		1		2		4				9
économie/commerce					1						1
éducation/science	2	1	2	2	3	1	1	2	2	16	32
aide PVD		1				1					2
mobilité								1			1
Total pays	5	2	3	3	6	2	5	5	2	16	49

Tableau 6.10

Ententes au Moyen-Orient par mandat, par domaine et par pays

	PLQ 2		PQ 1	PQ 2	Total
	Iran	Liban	Liban	Liban	
politique/ diplomatique	1				1
éducation/ science		2		2	4
affaires sociales/ travail			1		1
Total	1	2	1	2	6

économiquement le Québec, ce qui est conforme à la tendance générale du discours québécois à l'égard de l'étranger, tandis qu'en Afrique c'est principalement le domaine de l'éducation et de la science qui a été privilégié par le gouvernement du Québec. Il y a lieu de noter, par ailleurs, que l'aide au développement n'a jamais constitué une priorité dans le discours gouvernemental québécois, tant pour ce qui est de l'Afrique et du Moyen-Orient qu'en ce qui concerne le Tiers monde en général. Si le partage des compétences constitutionnelles au Canada et le caractère limité des ressources financières du Québec peuvent expliquer en bonne partie le phénomène sur le plan général, il est néanmoins surprenant de constater le fait en ce qui a trait à la région africaine. Car la communauté de langue constituait ici un véhicule idéal pour la coopération internationale du Québec, sans compter le capital d'amitié qu'une telle coopération aurait pu faire fructifier et qu'on aurait pu utiliser dans l'affirmation de la personnalité internationale du Québec.

En ce qui a trait aux moyens d'action internationale utilisés par le Québec, on remarque également que l'action gouvernementale a complètement négligé les régions Afrique et Moyen-Orient. Les montants dépensés ont été négligeables et les effectifs sur place dérisoires par comparaison avec ce que l'on a consacré aux autres régions du monde. Cela peut s'expliquer en ce qui concerne le Moyen-Orient, mais encore une fois cela s'explique mal pour ce qui est de l'Afrique, compte tenu du rôle joué par cette région dans le contentieux Canada-Québec à propos de la compétence internationale des provinces.

Si le Moyen-Orient, enfin, demeure négligé au chapitre des actes, on note en revanche un intérêt plus marqué du Québec pour l'Afrique à cet égard. L'Afrique a reçu plus de visites de dignitaires québécois que l'Amérique latine et deux premiers ministres s'y sont rendus. Par ailleurs, et si l'on excepte les États-Unis, c'est avec les pays d'Afrique que le gouvernement du Québec a conclu le plus d'ententes internationales. Il semblerait donc que l'Afrique n'ait pas été négligée lorsque fut venu le temps pour le gouvernement du Québec d'agir sur la scène internationale.

Cependant, les chiffres sont trompeurs. Sur le plan des visites en effet, les déplacements de MM. Lévesque et Bourassa concernaient moins le développement des relations bilatérales que la participation du Québec à l'ACCT et à la tenue des Sommets francophones. Par ailleurs, la façon de compiler les données peut causer certaines distorsions, dans la mesure où un seul voyage ministériel peut donner lieu à plusieurs visites. Ainsi, le voyage du mois d'août 1975 du ministre Phaneuf, responsable du Haut Commissariat à la jeunesse, aux loisirs et aux sports, donne lieu à cinq visites puisqu'il a rencontré ses homologues de cinq pays africains. Il en est ainsi également pour Gil Rémillard en 1986 et Lise Bacon en février 1987 qui utilisent le même voyage pour visiter respectivement cinq et quatre pays africains. Pour ce qui est des ententes, nous avons noté précédemment que 32 des 49 accords conclus par le Québec avec les gouvernements africains portaient sur l'exemption ou le renouvellement d'exemptions de frais de scolarité. Ce qui impliquerait que les deux tiers des ententes internationales du Québec avec l'Afrique auraient un caractère technique plutôt limité.

Ainsi, le portrait global des relations internationales du gouvernement québécois avec l'Afrique et le Moyen-Orient est celui d'un intérêt très limité du Québec pour ces deux régions. Comme nous l'avons vu précédemment, la situation s'explique assez bien dans le cas du Moyen-Orient en raison de facteurs tels l'éloignement géographique, la diversité des cultures et l'absence de liens historiques. Par ailleurs, la richesse pétrolière nouvelle des pays de la région, qui avait suscité l'intérêt du gouvernement du Québec dans les années soixante-dix, s'est estompé dans les années quatre-vingt tandis que le Liban, privilégié par le Québec dans ses relations avec la région, a pratiquement

Tableau 6.11

Immigration au Québec par région de provenance

	1963	1966	1969	1972	1975	1978	1981	1984	1987
Afrique	1478	1751	1478	1278	1835	939	1150	950	2302
Amérique Latine	1475	2034	4168	2879	6701	4011	5397	3928	6138
Asie	432	1551	2376	1972	4530	2000	5361	4027	7018
Amérique du Nord	1913	2289	2656	2832	2492	1189	956	778	896
Europe	17089	29802	16062	8608	11026	4875	6577	3450	5604
Moyen-Orient	623	1375	1131	787	1315	1189	1607	1448	4811
Océanie	207	377	317	163	143	83	66	50	50
Autres	47	19	42	73	0	4	4	10	3
Total	23264	39198	28230	18592	28042	14290	21118	14641	26822

cessé de fonctionner comme État depuis un certain nombre d'années. D'autre part, comme le montre le tableau 6.11, l'immigration au Québec en provenance du Moyen-Orient n'a jamais été très importante ne dépassant pas 10% du total annuel, à l'exception de l'année 1987 où l'on atteint un total de 18%.

Cette augmentation subite s'explique bien sûr par la crise libanaise qui a pratiquement fait tripler le nombre d'immigrants en provenance de ce pays. Mais elle s'explique également par une forte augmentation du nombre d'immigrants venant d'Arabie Saoudite, des Émirats arabes unis, d'Iran, d'Israël et de Syrie. Il serait intéressant de voir l'évolution de cette tendance à la fin des années quatre-vingt qui pourrait modifier l'évolution des courbes générales de l'immigration au Québec si on notait un approfondissement du phénomène. Si tel était le cas, et compte tenu de ce qui se passe dans les autres régions où on note en particulier une baisse constante de la part relative de l'immigration européenne, cela pourrait signifier une modification potentiellement importante de la composition ethnique du Québec en devenir.

La situation est un peu la même dans le cas de l'Afrique, mais ici cela surprend un peu plus. Les indicateurs examinés précédemment ont montré en effet que l'Afrique et l'Afrique francophone en par-

Graphique 6.2

Exportations du Québec par région de destination

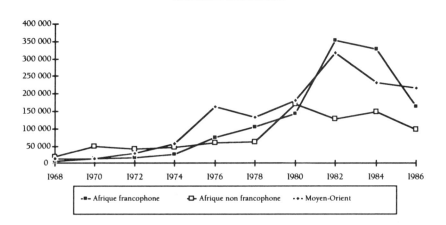

En milliers de dollars courants

ticulier n'ont jamais figuré en tête de liste des régions cibles de l'action internationale du Québec, tant pour la formulation des objectifs qu'en ce qui a trait aux moyens et au comportement gouvernemental. Le tableau 6.11 montre que la part relative de l'Afrique francophone dans l'immigration au Québec n'a jamais dépassé 7%[48], tandis qu'on peut voir que la performance de cette région dans le commerce extérieur québécois la situe au tout dernier rang des grandes régions du monde. Qui plus est, les exportations québécoises vers l'Afrique francophone sont en régression importante depuis 1984.

Si par comparaison l'Afrique francophone n'a jamais été une région très performante sur le plan économique depuis 1960, il n'en reste pas moins qu'elle a joué un rôle important dans l'action internationale du Québec, comme en font foi les épisodes cocasses de la querelle des drapeaux des années soixante et soixante-dix. Comment expliquer alors ce qui apparaît comme un intérêt minime du gouvernement du Québec à l'égard de cette région?

Lorsque le Québec a commencé à s'intéresser à l'Afrique franco-phone à la fin des années soixante, il semblait bien alors que cette région serait appelée à jouer un rôle important dans l'action interna-tionale du gouvernement du Québec. À travers ses contacts avec les pays francophones d'Afrique, le Québec pouvait espérer utiliser là un levier pour l'affirmation de sa personnalité internationale. Mais la mission Chevrier de 1968 amorçait le début d'une action fédérale canadienne destinée à circonscrire les efforts diplomatiques du Québec dans la région. L'inégalité des ressources financières des deux ordres de gouvernement a rapidement fait en sorte que le Québec perde la bataille africaine, malgré quelques succès non négligeables comme sa participation à l'ACCT et aux Sommets francophones.

Certains autres facteurs ont également joué contre le Québec. Une certaine inconsistance de l'action gouvernementale combinée à la présence dominante de la France pouvait difficilement permettre à Québec de faire des gains importants sur le plan de ses relations bilatérales avec ses partenaires africains. Par ailleurs, le secteur privé québécois, toujours peu présent sur la scène internationale exception faite des États-Unis, n'était pas en mesure de soutenir l'effort gouvernemental. Enfin, les gouvernements africains, eux-mêmes extrêmement sensibles à l'égard du maintien des frontières territoriales, pouvaient difficilement soutenir ouvertement l'action politique du Québec, dont on n'ignorait pas au surplus qu'elle découlait plus d'un problème de politique intérieure que d'une véritable volonté d'établir un partenariat durable avec les pays d'Afrique.

Ainsi, le sens fondamental de l'action du Québec en Afrique francophone a consisté, comme ce fut d'ailleurs le cas pour le Canada, à utiliser la région pour des fins de politique intérieure. Le faible intérêt du Québec pour les objectifs d'aide au développement et le caractère toujours limité des échanges commerciaux rendent bien compte de cette réalité. À partir des années quatre-vingt, et plus encore depuis 1984, une sorte de *modus vivendi* s'est établi en fonction duquel tous les interlocuteurs concernés acceptaient dorénavant que le Québec puisse intervenir en Afrique francophone dans les domaines de sa compétence.

Conclusion

Nous sommes maintenant en mesure de faire remarquer que le Moyen-Orient, l'Afrique et l'Afrique francophone n'ont jamais été et ne sont toujours pas des régions importantes dans l'action internationale du Québec. À part le phénomène de l'immigration en provenance du Moyen-Orient et celui de la coopération scientifique et technique avec les pays d'Afrique francophone, il y a tout lieu de croire qu'il en sera ainsi pour l'avenir prévisible.

L'appauvrissement économique relatif de ces deux régions et les possibilités de gains économiques ailleurs dans le monde expliquent en bonne partie cette situation. L'action internationale du Québec a toujours été orientée principalement vers les grands pays industrialisés et les énoncés de politique internationale du Québec rappellent qu'il continuera à en être ainsi[49]. Par ailleurs, les tendances à la régionalisation dans le monde et au continentalisme dans les Amériques pousseront de plus en plus le Québec vers le continent américain et en particulier vers l'Amérique du Nord, sur le plan économique à tout le moins.

Il reste cependant que le Québec se retrouve dans une situation unique d'entité nord-américaine francophone. Il peut ainsi tirer profit du savoir-faire et des technologies nord-américaines pour les développer et les faire fructifier dans un environnement francophone.

C'est à ce titre, fort probablement, que le Québec peut tirer le meilleur profit de ses relations avec l'Afrique francophone. Et c'est dans ce domaine, ainsi que dans celui plus large de la culture et des communications, que devraient s'approfondir les échanges à venir entre le Québec et cette région.

Notes

1. Sophie BESSIS, «La place du Tiers monde dans les échanges commerciaux s'est considérablement réduite», dans Serge CORDELLIER, dir., *Le nouvel état du monde*, Paris, La Découverte, 1990, p. 114.
2. *Ibid.*, p. 115.
3. NATIONS UNIES, *Les pays les moins avancés. Rapport 1989*, New York, 1990, p. VIII.
4. Winrich KÜHNE, «L'Afrique et la fin de la guerre froide: de la nécessité d'un nouveau réalisme», *Études internationales*, vol. XXII, n° 2, juin 1991, p. 300.
5. Marie-Claude SMOUTS, «L'Afrique dans la diplomatie multilatérale», *Études internationales*, vol. VXII, n° 2, juin 1991, p. 273.
6. Luc-Joël GRÉGOIRE, «L'insertion économique internationale de l'Afrique», *Études internationales*, vol. XXII, n° 2, juin 1991, p. 280.
7. W. KUHNE, *op. cit.*, p. 300.
8. Pierre HASKI, «Afrique sub-saharienne. Marginalisation croissante», dans *Le nouvel état du monde. Bilan d'une décennie 1980-1990*, Serge CORDELIER, *op. cit.*, p. 336-338.
9. Saad AMRANI et Najib LAIRINI, «Le Maghreb dans le système régional et international: crises et mutations», *Études internationales*, vol. XXII, n° 2, juin 1991, p. 346.

10. *Jeune Afrique Économie*, n° 139, janvier 1991, p. 86.

11. S. AMRANI et N. LAIRINI, *op. cit.*, p. 343.

12. Notes pour une allocution du ministre Gil Rémillard à la scéance d'ouverture du colloque sur l'entrepreneurship Québec-Afrique, Université Laval, 11 mai 1986, p. 3

13. Cité par Pierre GUILLAUME, «Aide au développement et présence canadienne en Afrique», *Année africaine 1976*, p. 198.

14. Dale C. THOMSON, *Jean Lesage & the Quiet Revolution*, Toronto, McMillan, 1984, p. 114.

15. André PATRY, *Le Québec dans le monde*, Montréal, Leméac, 1980, p. 71.

16. D. C. THOMSON, *op. cit.*, p. 142.

17. Sur l'instigation de Jean-Marc Léger. Voir Yves-Henri NOUAILHAT, «Le Canada et la francophonie dans les années soixante», *Enjeux et puissances. Hommages à Jean-Baptiste Duroselle*, Paris, Publications de la Sorbonne, 1986, p. 219.

18. L'offre a été faite sur l'instigation d'André Patry et demeura sans suite. Voir D. C. THOMSON, *op. cit.*, p. 543.

19. Claude MORIN, *L'art de l'impossible*, Montréal, Boréal Express, 1987, p. 65.

20. Au début des années soixante l'Afrique présente peu d'intérêt pour le Canada. Celui-ci n'entretient que très peu de liens commerciaux avec l'Afrique; celle-ci n'a jamais représenté plus de 2% du total des exportations et des importations canadiennes, exception faite de l'Afrique du Sud, et la situation politique très instable ne laisse présager que peu de perspectives d'investissements. Ses premières relations avec les pays de la région sont plutôt motivées par la guerre froide et l'appartenance du Canada à l'Empire britannique. Concentré d'abord en Afrique anglophone, l'intérêt du Canada pour l'Afrique francophone sera suscité par les actions du Québec dans cette région. De 1960 à 1968, l'Afrique francophone recevra annuellement 300 000 dollars de l'ACDI. En 1973, l'Afrique francophone recevra 1/5 du budget de l'ACDI avec un total de 80 millions de dollars. Voir Robert MATTHEWS, «L'Afrique noire dans la politique étrangère du Canada», *Études internationales*, vol. II, n° 4, décembre 1970, pp. 59-72; P. GUILLAUME, *op. cit.*, p. 180; et Louis SABOURIN, «Canada and Francophone Africa», *Canada and the Third World*, Toronto, Macmillan, 1976, pp.

21. *Le Devoir*, juillet 1963, cité par Y. H. NOUAILHAT, *op.cit*, p. 219.

22. *Le Devoir*, 1ᵉʳ mai 1965, cité par P. GUILLAUME, *op. cit.*, p. 199.

23. P. GUILLAUME, *ibid.*, p. 181.

24. Plusieurs faits expliquent la timide naissance de cette coopération. Le gouvernement fédéral ne semblait pas intéressé par cette partie du monde. L'aide canadienne est accordée aux pays qui en font la demande. Ainsi, l'aide destinée à l'Afrique francophone sera méconnue jusqu'à la mission Chevrier. En outre, la coopération française occupait jalousement le territoire. Voir Y. H. NOUAILHAT, *op. cit.*; et Louis SABOURIN, «Les programmes canadiens de coopération avec les États de l'Afrique», *Études internationales*, décembre 1970, *op. cit.*

25. L. SABOURIN, «Canada and Francophone Africa», *op. cit.*, p. 145.

26. Le Québec et le Gabon ont envisagé d'établir une délégation à Libreville. Le projet sera abandonné lorsque le Canada décidera d'y ouvrir une ambassade. Dans cette histoire, le Gabon aurait utilisé le Québec, sachant bien qu'Ottawa ne pourrait

laisser le Québec s'établir là où lui-même n'avait pas d'ambassade pour superviser les actions du Québec. Entrevue avec le directeur de la direction Afrique–Moyen-Orient.

27. C. Morin, *op. cit.*, p. 123.
28. *Ibid.*, p. 119.
29. Cité par L. Sabourin, «Canada and Francophone Africa», *op. cit.*, p. 41.
30. Dominique Bourjol-Flécher, «Heurs et malheurs de l'"*uti-possidetis*". L'intangibilité des frontières africaines», *Revue juridique et politique. Indépendance et coopération*, vol. xxxv, n° 3, juillet-septembre 1981, p. 816.
31. L'identification nationale se fait en Afrique autour du prestige du dirigeant plutôt qu'autour des institutions nationales. Le président, surtout celui qui a participé à la lutte de libération, se trouve auréolé d'une légitimité due à cette participation: il est le père de la nation. Légitimité que peu de dirigeants ont réussi à transmettre aux institutions.
32. *Le Monde diplomatique*, janvier 1971, p. 9.
33. *Le Monde*, 25 janvier 1970.
34. Gouvernement du Québec, *Rapport annuel 1974-1975*, ministère des Relations intergouvernementales, p. 38.
35. Gouvernement du Québec, *Rapport annuel 1980-1981*, ministère des Relations internationales, *Rapport annuel 1980-1981*, p. 65.
36. C'est à ce moment, en 1983, que le Québec envisagera d'ouvrir une délégation à Alger.
37. Gouvernement du Québec, *Commerce international du Québec*, ministère du Commerce extérieur, édition 1984, p. 12.
38. Les tâches du conseiller québécois consistent à assurer un lien avec des organismes internationaux, à obtenir des informations sur les activités d'organismes régionaux africains et à maintenir des relations avec les ambassades et les missions d'aide. Voir Myriam Gervais, *Contribution à l'étude des relations internationales du Québec: le cas de l'Afrique*, note de recherche n° 26, Montréal, uqam, département de science politique, p. 18.
39. C. Morin, *op. cit.*, p. 375.
40. Voir *Le Québec dans le monde. État de la situation*, p. 5.
41. La correspondance avec le discours est d'ailleurs éloquente à cet égard puisque le tiers des objectifs québécois formulés à l'égard du Moyen-Orient porte sur le domaine économie/commerce.
42. M. Gervais, *op. cit.*, p. 16.
43. *Id.*
44. Gouvernement du Québec, *Rapport annuel 1984-1985*, ministère des Relations internationales, p. 60.
45. Les ententes permettent aux étudiants originaires de ces pays étudiant au Québec de voir leurs coûts d'inscription dans les établissements universitaires réduits au niveau de celui des étudiants québécois. En 1984-1985, on estimait à 2500 le nombre d'étudiants africains qui bénéficiaient de cette exemption de frais de scolarité. En 1988-1989 cette proportion était diminuée à 1600 étudiants. Pour l'année 1988-1989, le gouvernement du Québec estimait les coûts de cette opération à 9 millions de dollars. De plus, le ministère de l'Enseignement supérieur

et de la Science accorde des bourses d'excellence à des étudiants méritants des 2ᵉ et 3ᵉ cycles inscrits dans les universités québécoises. Les étudiants africains bénéficiant de ces bourses verront leur nombre diminuer dans les prochaines années puisque le MAIQ a décidé de mieux répartir géographiquement ses efforts dans ce domaine. Ces bourses d'excellence ou les bourses d'exemption de frais de scolarité représentent le seul véritable effort de coopération québécois envers l'Afrique, et le ministère des Affaires internationales prévoit que cet effort diminuera dorénavant. Ainsi, le nombre de bourses destinées aux Africains sera réduit au profit d'étudiants asiatiques et sud-américains.

46. M. GERVAIS, *op. cit.*, pp. 5-8.

47. *Id.*

48. Dont la très grande majorité provient d'ailleurs des quatre pays d'Afrique du Nord que sont l'Algérie, l'Égypte, le Maroc et la Tunisie.

49. GOUVERNEMENT DU QUÉBEC, *Le Québec dans le monde ou le défi de l'interdépendance,* Québec, Éditeur officiel du Québec, 1984 ; GOUVERNEMENT DU QUÉBEC, *Le Québec et l'interdépendance. Le monde pour horizon,* Québec, Éditeur officiel du Québec, 1991.

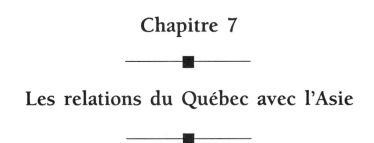

Chapitre 7

Les relations du Québec avec l'Asie

Gérard HERVOUET et Jean PLOURDE

À l'exception d'une présence religieuse canadienne française dans de multiples sociétés asiatiques, et cela depuis le XIXe siècle, la découverte de l'Asie par le gouvernement québécois est un phénomène qui ne remonte qu'au tout début des années soixante. Encore là, il conviendrait de nuancer, puisque ce sont les Japonais qui, en organisant en 1970 la célèbre exposition universelle d'Osaka, forcèrent suffisamment l'attention des Québécois au point qu'ils décidèrent d'y tenir un pavillon. Bien peu se souviennent qu'en juin 1970, Gérard D. Lévesque, alors ministre de l'Industrie et du Commerce et des Affaires intergouvernementales, en dirigeait les cérémonies d'ouverture.

Le pavillon devint le tremplin d'une représentation permanente du gouvernement et la «maison du Québec à Tokyo» était inaugurée en septembre 1973. En décembre 1974, la loi du ministère des Affaires intergouvernementales créait une nouvelle division des tâches et mandats. À la suite de cette loi, le bureau commercial de Tokyo devenait une «délégation» et devait assurer parallèlement au mandat économique resté prioritaire, la mise en œuvre des diverses activités du gouvernement du Québec[1]. Le Québec avait trouvé son point d'appui en Asie, mais il était encore loin d'avoir exprimé sans ambiguïté son intérêt pour ce continent.

La découverte de l'Asie fut lente et heurtée. Curieusement, la croissance régulière du commerce avec l'Asie, par exemple 121,5 millions de dollars d'exportations québécoises avec le Japon en 1974 et 290 millions de dollars en 1978, ne parvenait pas à briser l'indifférence engendrée par l'éloignement géographique et la distance culturelle. Même avec l'arrivée au pouvoir du Parti québécois en 1976, qui devint par la suite très actif dans les relations internationales, le regard du Québec continua à se porter sur les États-Unis et l'Europe. Les choses changèrent quelque peu lorsque le second choc pétrolier de 1979 et la crise économique mondiale accrurent l'intérêt international pour cette Asie prospère qui semblait surmonter avec plus d'aisance que l'Occident les difficultés économiques.

Sur le plan interne canadien, les nouvelles données de l'économie mondiale, mais aussi de l'économie nord-américaine, firent que les milieux d'affaires recherchèrent avec plus d'empressement les marchés extérieurs pour exporter leurs produits. Le Québec emboîta dès lors le pas aux autres provinces canadiennes pour s'insérer dans les multiples réseaux qui se mirent en place à l'époque.

Le rythme des exportations québécoises vers l'Asie orientale est à peu près conforme à celui du Canada. En outre, on observe très clairement une hausse dramatique du total des exportations du Québec vers l'Asie de 300 000 dollars en 1977 à 1 000 000 dollars cinq ans plus tard.

L'effort déployé à la fin des années soixante-dix pourrait être illustré par un seul exemple, celui en avril 1980 de l'envoi d'une délégation de 139 personnes patronnée par la Société Elanco qui se rendit au Japon dans le seul et unique but d'améliorer les techniques de mise en marché de viande porcine[2]. Comme l'ensemble des exportations canadiennes au Japon, les exportations québécoises sont essentiellement constituées de matières premières et le Québec est un importateur de produits finis japonais.

Si bien sûr le Japon a été et demeure le partenaire obligé, le Québec n'a pas manqué de partir lui aussi à la conquête du marché chinois. Les résultats n'ont pas toujours été à la hauteur des attentes et le Québec, comme bien d'autres provinces canadiennes ou d'autres pays, a fait l'expérience des multiples obstacles à contourner pour obtenir des contrats en Chine.

Outre le Japon et la Chine, le gouvernement québécois a cherché à diversifier les lieux de sa présence, mais aussi la nature de ses

Tableau 7.1

Exportations du Québec par pays de destination en milliers de dollars

Pays	1977	1978	1979	1980	1981	1982	1983	1984	1985	1986	1987
Chine	5503	72 622	11 926	23 864	55 579	38 413	151 290	119 195	191 327	155 995	99 577
Corée du Nord	27	0	0	15		10		183	74	9	153
Corée du Sud	14 684	32 931	55 350	43 526	30 558	40 428	62 538	73 222	59 980	94 443	114 519
Hong Kong	6262	14 792	21 055	23 540	29 568	45 065	27 714	28 488	70 767	50 188	52 697
Japon	169 771	293 475	295 740	363 861	297 189	319 762	352 583	265 958	327 344	299 653	339 491
Macao	0	0	0	5	60			39	31	28	86
Taiwan	9433	18 266	15 184	28 888	23 575	20 108	33 155	38 623	41 153	60 132	91 429
Afghanistan	79	825	444	148	91	134	4	69	144		40
Bangladesh	2503	13 481	4897	12 286	8068	23 174	5615	13 064	8779	11 235	98
Inde	16 891	38 667	47 838	71 741	84 494	61 715	55 339	69 468	72 007	76 914	89 365
Népal							645	878	361	410	269
Pakistan	28 228	23 924	28 597	20 357	36 956	40 638	26 113	34 492	32 925	21 411	21 482
Sri Lanka	3180	4648	4060	17 590	21 253	8918	6915	5163	9855	22 957	13 298
Birmanie	19	137	819	994	1299	2138	423	1306	2825	156	662
Indonésie	10 138	23 664	12 572	76 821	21 830	28 010	23 407	14 633	21 386	20 564	20 522
Kampuchea	347	0	546	0						19	21
Malaisie	10763	12 651	19 461	22 918	26 009	42 618	30 863	39 787	86 422	30 925	18 983
Philippines	12 218	23 322	20 421	22 044	20 526	19 477	19 130	21 618	9353	8704	18 937
Singapour	7655	14 373	17 545	31 997	23 143	22 442	22 927	24 588	22 031	30 925	18 983
Thaïlande	8949	17 297	20 088	22 583	21 928	70 056	61 290	27 736	31 205	17 739	22 070
Viêt-nam	1368	125	608	97	163	120	1083	152	15	98	466
Dest. inconnue						220 640	222 674				
Total Asie	308 018	605 200	577 151	783 275	702 289	1 003 866	1 103 708	778 662	987 984	902 505	923 148

Source: Bureau de la statistique du Québec

interventions. À la représentation de Tokyo s'ajoutèrent les bureaux de Singapour, Hong Kong, Bangkok et enfin la Corée du Sud. Le Québec fit aussi des efforts pour attirer les capitaux asiatiques et les immigrants investisseurs, mais aussi pour promouvoir l'excellence de compagnies québécoises dans le domaine des services; ce fut notamment le cas pour Hydro-Québec, Lavallin et SNC.

La grande période de la découverte de l'Asie fut sans conteste celle des années 1983 à 1986; elle culmina avec la tournée du premier ministre René Lévesque au Japon, en Corée, en Chine et à Hong Kong en 1984. Dans ce contexte, le Québec chercha à promouvoir sa spécificité — on dira par la suite son caractère distinct — et trouva parfois sur son chemin le gouvernement fédéral. En fait, en Asie, et cela contrairement à d'autres régions, les heurts entre Québec et Ottawa furent négligeables. Ce furent souvent les interlocuteurs asiatiques qui furent placés dans l'embarras ou dans des situations paralysantes, ne sachant plus exactement à qui ils devaient s'adresser pour traiter de commerce ou d'échanges technologiques.

Les intentions du Québec exprimées par ses objectifs

Ce sont pratiquement 50% des objectifs répertoriés depuis 1960 qui s'expriment lors du second mandat du Parti québécois de mai 1981 à décembre 1985. L'intérêt québécois exprimé dans le discours officiel touche toutes les régions du monde, à l'exception peut-être du Moyen-Orient qui n'attire pas une attention particulièrement soutenue. À l'évidence, l'intérêt pour le développement des affaires économiques et commerciales occupe une place prépondérante avec, sous ce même mandat, un pourcentage d'attention équivalant à plus de 50% de l'ensemble des objectifs recueillis dans ce domaine lors de tous les mandats précédents.

Quant à l'Asie, le nombre d'objectifs identifiés lors de ce second mandat du gouvernement Lévesque représente 88,5% de tous les objectifs formulés pour les années antérieures étudiées. La région asiatique occupe ainsi dans ces années une place inhabituelle et le gouvernement québécois entend arrimer son économie à une région dont la prospérité économique n'en finit plus d'étonner les analystes.

Il serait bien sûr abusif de penser que tout intervint à cette époque puisque dans les années précédentes et lors des mandats antérieurs, tant les premiers gouvernements du premier ministre Bourassa que le premier gouvernement du premier ministre Lévesque, avaient pavé la voie pour favoriser une plus grande visibilité du Québec en Asie. Force est cependant de reconnaître que l'année des Sommets du Québec dans le monde va littéralement faire éclater l'attention accordée aux relations internationales, aux régions du monde et surtout à l'Asie qui n'est alors supplantée que par les deux pôles traditionnels mais non régionaux: les États-Unis et la France.

Le tableau de la répartition des objectifs par cible et par domaine (tableau 7.2, page 296) met particulièrement en relief deux caractéristiques dominantes dans cette politique québécoise en Asie. Premièrement, c'est essentiellement le Japon, puis la Chine, qui sont les cibles essentielles de l'intérêt exprimé. Près de 50% de l'ensemble des objectifs s'adressent à ces deux pays. En fait, si on y ajoute les catégories générales Asie et Asie du Nord-Est, on obtient 65,5% de l'ensemble des objectifs; cette addition est très légitime, car même dans les discours qui n'identifient pas spécifiquement le Japon et la Chine, il est clair que c'est à ces deux pays que l'on se réfère essentiellement.

La deuxième caractéristique est à l'évidence la place importante que revêt tout le domaine des affaires économiques, commerciales et financières. Près de 40% des objectifs appartiennent à ce domaine qui vise aussi très spécifiquement le Japon et la Chine.

Bien entendu le tableau plus précis des objectifs en Asie sous le deuxième mandat du premier ministre Lévesque (tableau 7.3, page 297) reflète ces tendances générales. On peut cependant constater plus particulièrement que 10 objectifs s'inscrivent dans le domaine politique-diplomatique et coïncident (7/10) avec la volonté de s'implanter à Hong Kong et à Singapour. La Chine, à l'époque, recueille le plus d'objectifs, 18 contre 17 pour le Japon, qui visent à promouvoir surtout les intérêts économiques du Québec dans ce marché immense que les fonctionnaires québécois découvrent après les entreprises. L'intérêt pour le Japon tend à la diversification et l'on cherche à quitter le secteur essentiellement économique pour mieux se faire comprendre et développer des liens culturels et éducatifs. On constatera que l'Asie du Sud est très faiblement présente et que les questions d'immigration disparaissent presque totalement du discours.

Tableau 7.2

Répartition des objectifs par cible et par domaine

	Asie	Institution Asie	Asie NE	Chine	Corée du Sud	Hong Kong	Japon	Pakistan	Asie SE	Indonésie	Malaysia	Singapour	Viêt-nam	Asie
politique/ diplomatique	2					4	4					3		13
institutionnel/ organisationnel		1												1
culture/ communication	1		1				3							5
économie/ commerce/ finance	2	1	2	11	1	2	10		1			2		32
éducation/ science				3			4							7
immigration				1									2	3
écologie/ environnement														0
PVD														0
affaires sociales/ travail														0
mobilité des Québécois														0
Général	6			3	2	2	4	1	3	1	1	3		26
Total	11	2	3	18	3	8	25	1	4	1	1	8	2	87

Tableau 7.3

Objectifs par domaine et par mandat

Lévesque 2	Asie	Institution Asie	Asie NE	Chine	Corée du Sud	Hong Kong	Japon	Pakistan	Asie SE	Indonésie	Malaysia	Singapour	Asie
politique/ diplomatique	2					4	1					3	10
institutionnel/ organisationnel		1											1
culture/ communication	1		1				3						5
économie/ commerce/ finance	2	1	2	11	1	2	7		1			2	29
éducation/ science				3			2						5
immigration				1									1
écologie/ environnement													0
PVD													0
affaires sociales/ travail													0
mobilité													0
Général	6			3	2	2	4	1	3	1	1	3	26
Total	11	2	3	18	3	8	17	1	4	1	1	8	77

Du verbe à l'action: les visites ministérielles et les ententes

Depuis son établissement en 1973 la vocation économique de la Délégation du Québec à Tokyo ne se démentira jamais. En 1981, une note interne du ministre précisait ainsi que cette vocation économique comportait trois fonctions:
— La prospection de marché d'exportations pour les produits québécois;
— la recherche d'accords industriels entre firmes québécoises et japonaises;
— la prospection d'investissements susceptibles de favoriser le développement de l'industrie au Québec[3].

Cette orientation économiste se maintiendra au fil des ans et l'on entendra toutefois faire de Tokyo la plaque tournante et le point d'appui pour la promotion d'une présence québécoise en Asie et dans le Pacifique. Six ans plus tard cependant, un petit bureau du Québec sera ouvert à Bangkok, puis un autre à Hong Kong qui sera converti en 1985 en délégation. La justification de Hong Kong s'appuiera sur l'immigration et le programme des immigrants investisseurs et le ministre Bernard Landry décidera de la transformation de ce bureau car, disait-il: «[Hong Kong] est au cœur du *Pacific Rim*, d'une part: cela participe de toute l'activité économique fulgurante et de la croissance qui se passe dans cette partie du monde. D'autre part, cela a aussi comme caractéristique d'être une excellente porte d'entrée [en Asie][4]...»

Dans la foulée, on justifiera également, pour des raisons économiques, l'ouverture d'un bureau à Singapour. Le premier directeur du bureau, Dominique Bonifacio, expliquera en ces termes, en 1985, la nécessité d'une présence québécoise à Singapour:

De 1979 à 1983, le Québec a vu ses exportations vers l'ensemble des pays de l'ANASE augmenter de 75% pour atteindre 157,5 millions de dollars, ce qui représente le quart des exportations canadiennes vers cette région. Ces résultats encourageants démontrent l'intérêt croissant et les efforts des entreprises québécoises les plus dynamiques pour s'établir durablement sur ces marchés en perte de croissance. La présence du Québec au cœur du Sud-Est asiatique sera essentiellement économique et son action se fera selon deux axes: l'un, que l'on peut qualifier de sectoriel et qui concerne Singapour et l'autre, régional, mettra l'accent prioritairement sur la Malaisie, la Thaïlande et l'Indonésie. Les besoins de ces pays en matière d'infrastructures, de mise en valeur des ressources, d'industrie et

Graphique 7.1

Visites ministérielles par cible (1983-1987)

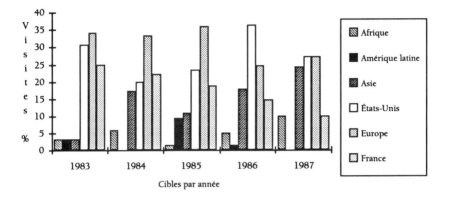

Cibles par année

en formation académique et professionnelle demeurent immenses. Ils nécessiteront des investissements considérables[5].

Devant ce qui apparut être très vite une dispersion des ressources du Québec, le gouvernement chercha à concentrer ses efforts et en 1985 le Japon principalement, mais l'Asie du Nord-Est plus que l'Asie du Sud-Est, devinrent des cibles privilégiées. Cette concentration d'intérêts se traduira très clairement par la multiplication des visites ministérielles dans cette partie de l'Asie.

Malgré une progression régulière entre 1983 et 1987, les visites en Asie connaîtront en quelque sorte leur apogée en 1984 avec la tournée de René Lévesque et en 1987 avec celle du ministre libéral Daniel Johnson (graphique 7.1). En 1984, le premier ministre Lévesque aura été le premier chef du gouvernement québécois à effectuer une tournée officielle en Asie orientale. Trois pays furent visités: le Japon, la Chine et la Corée du Sud, ainsi que la colonie britannique de Hong Kong. Cette visite intervint dans un contexte politique particulier et fit l'objet d'une couverture médiatique assez inattendue. Elle intervint en effet dans une période de transition à Ottawa avec l'arrivée au pouvoir du Parti conservateur et dans une période également où la popularité du Parti québécois était à son plus bas. Le déroulement de la visite prit également une dimension politique curieuse puisque l'on y transporta les querelles fédérales-provinciales devant des auditoires plutôt perplexes.

L'étape japonaise fut notamment marquée par le discours de René Lévesque devant les investisseurs du célèbre Keidanren où il fit valoir qu'il lui appartenait de rectifier la réalité québécoise, réalité quelque peu déformée par d'autres *«non american sources[6]»*. M. Lévesque rencontra le ministre japonais Hikosaburo Okanogi et fut accueilli en Corée du Sud par le président Chun Doo-Hwan. À Hong Kong, le Premier ministre s'entretint avec le gouverneur sir Philip Hadden Cove.

Le voyage en Chine fut particulièrement chargé. M. Lévesque fut reçu par le premier ministre chinois Zhao Ziyang, par le ministre des Ressources hydrauliques Quian Zhenyiang puis par celui de l'Éducation, Dong Chang. D'autres rencontres furent organisées avec des représentants du commerce extérieur chinois et des relations économiques à l'étranger, rencontres qui permirent des contacts nombreux avec les gens d'affaires qui accompagnaient le Premier ministre. Le ministre Landry qualifia toute la tournée de «déblocage important» et la presse québécoise souligna cette promotion des intérêts du Québec dans une région au développement si rapide[7]. À cette occasion, Hydro-Québec revint avec un contrat de 1 million de dollars pour une étude de faisabilité pour la construction d'un barrage hydro-électrique sur un affluent du Yang-Tsé.

Au-delà du caractère symbolique et important de la visite d'un Premier ministre du Québec en Asie, et malgré les controverses habituelles accompagnant l'ouverture de la délégation à Hong Kong, il convient de constater que la visite fut illustrative, non seulement de la tendance observée lors du deuxième mandat du Parti québécois, mais aussi de celle qui suivra avec l'arrivée du gouvernement Bourassa.

En effet, sur les 75 visites ministérielles répertoriées (tableau 7.4), c'est bien le Japon qui sera la destination privilégiée, suivi de Hong Kong et de la Corée du Sud, même si le Québec ne possédait pas de représentation dans ce pays. En d'autres termes, 60% des visites s'effectuent dans ces trois pays et ce pourcentage atteint 70,8% si l'on y ajoute la Chine. L'essentiel (56%) des objectifs de ces visites s'inscrit sous la rubrique économique, mais on notera surtout que 80% des visites effectuées au Japon chercheront à promouvoir les intérêts économiques et financiers du Québec.

Tableau 7.4

Visites ministérielles selon le pays et le domaine (1960-1989)

	Japon	Chine	Corée du Sud	Hong Kong	Inde	Cambodge	Malaysia	Singapour	Thaïlande	Viêt-nam	Total
général/ politique institutionnel/ organisationnel	1	1	1	2							6
											0
culture/ communication											0
économie/ commerce/ finance	21	4	9	8			2	1	3		48
éducation/ science	1	1									2
immigration	2	1	1	3		1	2	1	5	1	17
écologie/ environnement	1	1									2
PVD											0
affaires sociales/ travail mobilité											0
											0
Aménagement du territoire/ urbanisme											0
Total	26	8	11	13	1	1	4	2	8	1	75
%	34,7	10,7	14,7	17,3	1,3	1,3	5,3	2,7	10,7	1,3	100

Tableau 7.5

Visites des domaines autres que «économie, commerce, finance»

Année-cible	1983 (%)	1984 (%)	1985 (%)	1986 (%)	1987 (%)	1988 (%)	Total
Asie	0 (0)	9 (20,5)	1 (3,1)	4 (11,1)	1 (4)	0 (0)	15
États-Unis	12 (25)	5 (11,4)	11 (34,4)	9 (25)	7 (28)	9 (32,1)	53
Europe	22 (45,8)	13 (29,5)	9 (28,1)	13 (36,1)	7 (28)	12 (42,9)	76
France	12 (25)	12 (27,2)	8 (25)	6 (16,7)	3 (12)	6 (21,4)	47
Autres	2 (4,2)	5 (11,4)	3 (9,4)	4 (11,1)	7 (28)	1 (3,6)	22
Total (100%)	**48**	**44**	**32**	**36**	**25**	**28**	**213**

On constatera cette concentration d'intérêts dans le tableau 7.4 des visites ministérielles ventilées par pays et domaine, concentration suivie en second lieu, mais loin derrière, par le domaine de l'immigration avec 22,6% de l'ensemble des visites. En fait, de 1960 à 1989, seulement 27 (36%) des 75 visites s'inscrivent dans une autre rubrique que celle intitulée: «économie, commerce, finance».

Une analyse plus précise pour les années 1983 à 1988, soit la période la plus significative pour les activités du Québec en Asie, souligne comparativement aux autres régions du monde que l'Asie est très peu visitée pour d'autres raisons que celle de l'économie.

Sur les 213 visites répertoriées (tableau 7.5), seulement 15, soit 7%, ont d'autres objectifs et généralement s'inscrivent sous la rubrique «immigration». Mais là encore, la nature de la visite comporte le plus souvent un volet économique. Ainsi par exemple, en octobre 1986, Louise Robic, ministre des Communautés culturelles et de l'Immigration, fidèle à la politique humanitaire traditionnelle du Québec, visite un camp de réfugiés en Thaïlande, puis se rend à Hong Kong pour faire la promotion auprès des milieux d'affaires du nouveau programme québécois favorisant la venue au Québec d'immigrants investisseurs.

Outre les visites officielles en Asie, ce sont les ententes qui viendront matérialiser et sanctionner une volonté politique de rapprocher le Québec et l'Extrême-Orient. Les ententes conclues par le Québec avec l'Asie sont essentiellement intervenues entre 1983 et 1986. En plus de l'entente conclue en 1980 dans le domaine de l'éducation avec la Chine, on peut identifier les ententes au tableau 7.6.

Tableau 7.6

Ententes Québec-Asie (1983-1988)

Dates	Pays	Objet	Cosignataires
10 octobre 1983	Chine	Coopération en matière d'agriculture	Commission pour la science et la technologie du Shanxi
29 février 1984	Chine	Réciprocité en science et technologie	Association chinoise la science et la technologie de Pékin
7 août 1984	Corée du Sud	Entente en matière d'adoption	Social Welfare Society Inc.
8 novembre 1985	Japon	Coopération technique en recherche d'élevage de homards	La préfecture d'Akita et la ville d'Iwaki
1er septembre 1986	Corée du Sud	Droits de scolarité	République de Corée (consul général)
1er septembre 1986	Chine	Droits de scolarité	Ambassadeur de la République populaire de Chine

Source: QUÉBEC, MINISTÈRE DES AFFAIRES INTERGOUVERNEMENTALES, *Recueil des ententes internationales du Québec*, (1984-1989).

Il ressort à l'évidence que plusieurs de ces ententes cherchaient à avoir une forte portée économique et n'étaient pas étrangères à la volonté d'effectuer un virage «économiste» dans les relations internationales du Québec. On se souviendra en effet qu'au début des années quatre-vingt, les liens du Québec et de l'Asie reposaient sur une intention d'aide humanitaire qui s'illustra par la visite fort remarquée à l'époque du ministre de l'Immigration Jacques Couture. Cette visite dans les camps des «boat people» en Thaïlande et en Malaysia coïncidait avec l'intérêt et la compassion de la population du Québec à l'endroit des réfugiés vietnamiens et cambodgiens.

Cependant, avec l'arrivée de Bernard Landry comme ministre des Relations internationales en 1984, poste qu'il cumulait avec celui de ministre du Commerce extérieur, la direction des intentions québécoises devint plus précise. Bernard Landry, en invoquant la rareté des ressources disponibles pour justifier la restriction de son action à une zone limitée et à un secteur précis, précisera ainsi que:

les ressources qui nous sont imparties ne permettent pas [...] de faire plus que l'une ou l'autre des deux choses et encore, de façon timide, j'en conviens. C'est donc au Japon et à la Chine, pour une certaine consolidation des acquis, qu'ira cette année encore plus que l'an dernier, la plus grande part des ressources disponibles[8].

Toutefois, le ministre cherchait à corriger son orientation exclusivement économiste en soulignant à propos du Japon que:

nos relations (tournées vers les finances et le commerce) [...] devraient connaître une certaine mutation au cours de la prochaine année [...] Il est grand temps d'étayer ces relations avec ce que le Japon a de meilleur dans les domaines de la culture, de la science et de la technologie, de l'éducation. La récente nomination d'un conseiller polyvalent à Tokyo est d'ailleurs à cette fin[9].

Des suites seront données à ces intentions puisque l'on cherchera à diversifier quelque peu par des interventions dans les domaines de l'éducation et de la culture, des activités trop étroitement mercantiles. Toutes ces activités demeureront cependant ponctuelles, trop rares et entravées à la fois par des obstacles culturels, linguistiques, mais surtout financiers.

À partir de 1986, les visites ministérielles en Asie prennent une nouvelle orientation. Elles sont souvent qualifiées de «missions commerciales». Le ministre y est alors accompagné surtout de représentants de firmes et d'institutions financières et les missions sont accueillies dans trois ou quatre pays par des décideurs politiques et des chefs d'entreprise avec lesquels il négocie surtout des accords interentreprises. Divers objectifs économiques sont recherchés, mais surtout la formation de consortium ou de sociétés mixtes, par lesquels des entreprises québécoises et étrangères mettent en commun des capitaux dans un même projet, s'associent à des sous-traitants ou à des distributeurs. La tendance très nette est de faire en sorte que le secteur privé prenne la relève des initiatives gouvernementales, contourne lui-même les difficultés à traiter avec les pays d'Orient et fasse appel au gouvernement dans la mesure où celui-ci peut devenir un intermédiaire utile.

Les effectifs et les dépenses

Indicateurs importants pour vérifier l'adéquation entre l'intention exprimée et sa matérialisation, les effectifs comme les moyens doivent toutefois être traités avec une certaine prudence puisque souvent leur croissance spectaculaire signifie plus un rattrapage à partir d'un niveau zéro qu'une consolidation quantitative moins impressionnante, mais plus réelle qualitativement. L'Asie appartient à la première tendance puisqu'en 1974-1975 ses effectifs étaient de deux personnes, alors qu'en 1988-1989, on en dénombrait 50. Pour la même période, la France passait de 61 à 74.

Force est cependant de reconnaître une croissance assez considérable des effectifs totaux, à la fois en poste dans les bureaux au Québec et dans les représentations à l'étranger. L'apparition de l'Asie comme pôle d'attraction des intérêts québécois a, par ailleurs, obligé à des redéfinitions structurelles du ministère des Relations internationales. En 1979, par exemple, six fonctionnaires au Québec avaient pour mandat de gérer tout l'espace Asie-Océanie. En 1989, des nouvelles structures reflétant une évidente spécialisation géographique furent créées: soit la direction «Asie de l'Est» et «Asie du Sud et du Sud-Est». La direction «Asie-Océanie» a été élevée au rang de direction générale.

On constatera de façon évidente une croissance des effectifs réguliers affectés à l'Asie depuis 1983-1984 à 1988-1989 (graphique 7.2, page suivante). La comparaison avec les autres régions qui perdent des effectifs ou demeurent stables ne laisse entrevoir aucune ambiguïté à ce propos.

La croissance des ressources humaines est spectaculaire à plusieurs égards. À la fin de l'année financière 1983-1984, les effectifs affectés aux représentations en Asie ne constituaient que 5,8% du nombre total; en 1989, leur taux se chiffrait à 15%. En nombre absolu, la direction régionale a plus que doublé ses effectifs en cinq ans. Entre 1987 et 1988, malgré une réduction générale des effectifs de l'ordre de 13%, l'Asie connaissait une croissance de 5%.

L'observation, à la fois plus concentrée sur les représentations du Québec en Asie et sur le nombre de professionnels qui y sont affectés, traduit bien sûr cette même tendance, mais laisse entrevoir les priorités par poste et par domaine d'action.

Ainsi, l'augmentation des effectifs est la plus visible dans les délégations du Québec à Tokyo et à Hong Kong. La représentation de Hong Kong, qui était d'abord un bureau d'immigration, est passée en 1984 au rang de Délégation du Québec avec un mandat très nettement économique, visant à attirer les investisseurs et à stimuler les exportations. Ses effectifs qui, avant cette date, ne comptaient que deux employés permanents, ont progressé régulièrement jusqu'à atteindre, à la fin de 1988, le chiffre de onze professionnels provenant majoritai-

Graphique 7.2

Effectifs réguliers*

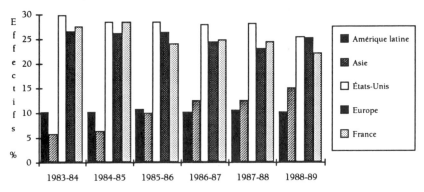

* Il s'agit des professionnels et du personnel de soutien travaillant exclusivement pour l'une ou l'autre des directions géographiques du ministère.

Source: Banque de données du projet PARIQ, CQRI.

rement (sept) du ministère de l'Immigration. Le domaine économique fut représenté par deux nouveaux employés, à partir de 1985. Les domaines autres qu'économiques ont vu, eux aussi, leurs effectifs augmenter de zéro à deux professionnels entre 1983 et 1988.

On constate que la tendance à l'accroissement des ressources se manifeste aussi au bureau économique de Singapour, ouvert depuis 1985 et dont le personnel relève du délégué en poste à Tokyo. Un professionnel provenant d'un ministère à vocation économique s'est en effet ajouté en 1986 à celui déjà embauché l'année précédente. Le même phénomène s'est produit entre 1987 et 1988, au tout nouveau bureau d'immigration de Bangkok.

Seule la Délégation du Québec à Tokyo ne suit pas entièrement le même modèle de croissance. Le nombre d'employés au service de la délégation est passé de cinq à huit entre 1982 et 1988. On remarque que le sommet, se chiffrant à neuf employés, a été atteint en 1985 plutôt qu'en 1988. La croissance des effectifs dans cette délégation a donc subi un plafonnement à compter de 1985.

Par ailleurs, toujours dans les représentations, on assiste à une hausse des ressources humaines dans les principaux secteurs d'activité. Pour étudier cet aspect de la problématique, l'indice sectoriel a été ventilé en trois catégories: les domaines «économie» et «immigra-

Tableau 7.7

Nombre de professionnels en Asie par représentation
et par année entre 1982 et 1988

Représentations		1982-1983	1983-1984	1984-1985	1985-1986	1986-1987	1987-1988	1988-1989
Tokyo	T	5	6	7	9	8	7	8
	É	2	3	3	3	3	3	3
	I	0	0	0	0	0	0	0
Hong Kong	T	2	2	3	7	8	8	11
	É	0	0	0	2	2	2	2
	I	2	2	2	4	4	4	7
Singapour	T	0	0	0	1	2	2	2
	É	0	0	0	1	2	2	2
	I	0	0	0	0	0	0	0
Bangkok	T	0	0	0	0	0	1	2
	É	0	0	0	0	0	0	0
	I	0	0	0	0	0	1	2
Total	T	7	8	10	17	18	18	23
	É	2	3	3	6	7	7	7
	I	2	2	2	4	4	5	9

Légende: T: Total, É: Économie, I: Immigration. É et I sont inclus dans les totaux.

tion», et l'ensemble des autres domaines. Or, on constate qu'entre 1982 et 1988 (tableau 7.7), dans l'ensemble des représentations situées sur le continent, le personnel relié à l'économie triple, et les effectifs attachés à l'immigration quadruplent. Les employés des autres secteurs pris globalement doublent leur nombre.

Au chapitre des dépenses, la courbe croissante suit sans surprise celle de l'augmentation des effectifs. Le Québec dépensait à peine pour l'Asie 2% des budgets alloués aux relations internationales en 1974-1975, et il s'agissait là essentiellement des dépenses de la délégation de Tokyo; en 1988-1989, il consacrait à cette région 14,25% de son budget. Ces surplus de dépenses trouvent marginalement leurs origines dans des financements nouveaux, mais surtout dans des transferts des autres régions du monde en faveur de l'Asie. Depuis dix ans, on observe une relative stabilité des dépenses effectuées aux États-Unis et en Europe et une nette décroissance de celles déboursées pour la France. Le transfert s'est effectué aussi de l'Amérique latine qui culminait en 1981-1982 avec près de 12% des budgets et se retrouve en 1988-1989 avec 6,67%.

Considérations générales à propos de la présence québécoise en Asie

Il est actuellement tentant pour chaque analyste de formuler une critique des performances régionales du Québec. Chacun, au travers du prisme toujours déformant de ses intérêts et de son expertise, peut souligner aisément les insuffisances et les faiblesses d'une action internationale que l'on eût souhaité plus incisive, plus performante. Pourquoi accorder plus d'importance à l'Asie qu'à l'Europe, alors que tout nous rapproche de cette dernière et que l'intérêt pour l'Asie ne se mesure qu'à l'aune des intérêts essentiellement mercantiles?

En fait, il convient de bien préciser ce que souhaitaient les décideurs québécois au début des années soixante-dix. Comme le gouvernement fédéral, comme d'autres provinces canadiennes, ils avaient constaté que le Japon était devenu désormais le deuxième partenaire commercial après les États-Unis. Ils avaient découvert que plusieurs pays de l'Asie du Nord-Est, mais aussi du Sud-Est, enregistraient des performances économiques remarquables. Dans le même temps, l'économie occidentale était affectée par un glissement qui sera aggravé par la deuxième crise pétrolière en 1979. Au-delà du Pacifique, semblait désormais poindre l'espoir et le Québec, comme d'autres, chercha des points d'appui. Les cibles naturelles furent bien sûr le Japon et la Chine.

En gardant à l'esprit cette intention, il est dans une certaine mesure possible de reconnaître que le Québec a réussi à atteindre des buts modestes en assurant une présence là où elle n'avait jamais véritablement existé. Le discours politicien est à cet égard constant, quels que soient les partis au pouvoir. Il souligne le caractère récent de l'action québécoise en Asie, son inexpérience et les multiples obstacles que les meilleures volontés ne parviennent pas à contourner.

Souscrivons, dans un premier temps, à cette argumentation, en faisant aussi valoir que la région Asie-Pacifique est affectée par son immensité et sa diversité. Dès lors que l'on prend conscience de l'espace à couvrir, il est plus rationnel et réconfortant de se satisfaire de deux ou trois pays cibles, même si l'on veut faire entendre qu'il y a projection d'une intention plus vaste par des politiques régionales. L'Asie-Océanie définie par les ministères québécois s'étend dans l'immense triangle délimité par Kaboul, Tokyo et Wellington. Cet espace de compétence virtuelle se réduit en fait à Tokyo, Hong Kong, Shanghai, et plus marginalement à Bangkok, Singapour et Séoul. L'argument toujours formulé est: «L'on fait ce que l'on peut...»

Déjà en 1984, alors qu'un sentiment d'urgence s'illustrait par une multiplication d'objectifs et de gestes dirigés vers l'Extrême-Orient, on pouvait lire dans le document du Sommet dans le monde convoqué à l'époque que:

> ...malgré certains débuts touchant l'environnement, la recherche et la culture, il est certain que le niveau de coopération avec le Japon ne répond pas non plus ni au niveau des échanges, ni aux possibilités d'avenir, ni à la place du Japon dans le monde. Pour ce qui est d'autres États asiatiques, dont la Corée, l'Indonésie et Singapour par exemple, l'activité gouvernementale québécoise ne dispose à date des moyens requis pour se situer à la hauteur des intérêts du Québec, notamment dans les nouveaux pays industrialisés[10].

Il faut reconnaître que l'effort fut poursuivi; nos données précédentes, en particulier celle de la croissance des effectifs et des dépenses, le soulignent. À partir de 1986, le changement de gouvernement, une conjoncture politique qui ramena la mobilisation des ressources vers le continent nord-américain, les négociations de l'Accord de libre-échange, puis le regain d'attention accordé aux questions constitutionnelles canadiennes furent autant de facteurs qui semblèrent alors déplacer les champs d'intérêt.

En 1991 cependant, dans un imposant document publié par le ministère des Affaires internationales, on convient encore que:

> l'Asie représente un pôle majeur dont la puissance financière, technologique et industrielle fait sentir ses effets partout dans le monde. La distance, les différences culturelles et des relations institutionnelles peu développées nécessitent des efforts soutenus pour parvenir à des rapports accrus et mieux équilibrés entre le Québec et les partenaires asiatiques[11].

Plus loin dans ce même document, on reconnaît que le Québec tient compte du rôle grandissant de l'Asie. On s'empresse d'ajouter toutefois que:

> ...les difficultés inhérentes aux différences culturelles et linguistiques et le fait que la présence québécoise en Asie soit relativement récente sont

autant de facteurs qui l'incitent à adopter une stratégie de concentration des efforts dans quelques filières d'intérêt commun[12].

En fait, il conviendrait d'ajouter que la multiplication des fonctionnaires en Asie, comme ailleurs, trouve rapidement ses limites dans la mesure où ces derniers n'ont qu'un rôle d'intermédiaires entre les entrepreneurs québécois et les partenaires asiatiques. Constatant que le bloc asiatique arrive désormais au troisième rang des partenaires commerciaux du Québec, que 23% du total des investissements étrangers au Québec sont aussi asiatiques ou encore que 80% de tous les immigrants investisseurs du Québec proviennent surtout de Hong Kong et de Taïwan, il est tentant de laisser les milieux d'affaires prendre la relève des efforts gouvernementaux.

Cette tendance n'est pas spécifiquement québécoise bien sûr, mais elle se traduit par une économie qui est plus sur la défensive, qui importe plus qu'elle n'exporte et qui enregistre un déficit commercial avec l'Asie de 3,3 milliards de dollars en 1990.

Des stratégies plus ciblées sont certes envisageables, des créations d'alliances industrielles et «une approche intégrée dans quelques filières porteuses, tels le magnésium, les nouveaux matériaux et la biotechnologie[13]» sont aussi souhaitables et réalistes. Il n'en reste pas moins qu'il appartient aux structures politiques de faire la promotion de l'Asie. Au-delà des interventions ponctuelles ou des engouements passagers pour un pays, il importe, par des mécanismes coordonnés et mieux intégrés, de montrer par exemple l'importance de l'immigration asiatique au Québec ou encore le développement spectaculaire du tourisme japonais et la nécessité de mieux préparer, sur le plan culturel et linguistique, ses gens des milieux d'affaires qui partent en Asie très souvent sans bien connaître et comprendre la complexité et de l'imbrication du commerce et de la culture dans ces sociétés avec lesquelles ils veulent traiter.

Faire connaître l'Asie au Québec n'est pas une tâche uniquement gratifiante sur le plan intellectuel, elle serait aussi profitable dans la mesure où, contrairement à la situation actuelle, le gouvernement, les milieux d'affaires et les universités s'entendraient pour promouvoir de véritables programmes de formation. Toute cette concertation, non seulement souhaitable mais indispensable, nécessite en dernière analyse une volonté claire, un engagement ferme des ministres responsables. Elle nécessite surtout un soutien au niveau le plus élevé — soutien symboliquement très important pour les gouvernements des pays asiatiques — s'exprimant par un voyage officiel d'un Premier ministre du Québec en Asie dont la seule et unique visite remonte à près de neuf ans maintenant.

Notes

1. Paul BERNIER, «Le Québec et le Japon», *Forces*, n° 69, 1979, p. 20.
2. Gérard HERVOUET et Hélène GALARNEAU, dirs, *Présence internationale du Québec. Chronique des années 1978-1983*, Québec, Centre québécois de relations internationales, 1984, p. 347.
3. «Les activités de la délégation du Québec à Tokyo, ses fonctions, son rôle et ses réalisations», note interne, Délégation du Québec à Tokyo, 28 mai 1981.
4. Bernard LANDRY, *Journal des Débats*, 32ᵉ législature, 5ᵉ session, n° 9, 18 avril 1985, pp. 61-274.
5. «Le Bureau du Québec à Singapour: une vocation essentiellement économique», *Le Québec dans le monde*, juillet 1985, p. 3.
6. Discours du Premier ministre du Québec, Monsieur René Lévesque au Keidanbren, Tokyo, 1ᵉʳ octobre 1984, p. 5.
7. Voir, entre autres, «Les gens d'affaires qui accompagnent Lévesque en Asie sont enthousiastes», *La Presse*, 5 octobre 1984, p. A-13.
8. Bernard LANDRY, *op. cit.*, p. CI-251.
9. *Id.*
10. *Le Québec dans le monde. État de la situation*, Québec, 1984, p. 57.
11. MINISTÈRE DES AFFAIRES INTERNATIONALES, *Le Québec et l'interdépendance. Le monde pour horizon. Éléments d'une politique d'affaires internationales*, Québec, 1991, p. 162.
12. *Ibid.*, p. 165.
13. *Ibid.*, p. 166.

Chapitre 8

━━━■━━━

De l'économie mondiale
à la Francophonie:
les cibles générales et institutionnelles

━━━■━━━

Ivan BERNIER

C e qui frappe le plus à prime abord, lorsqu'on s'interroge sur les cibles de l'action internationale du Québec depuis le début des années soixante, c'est la place nettement prépondérante qu'occupent les cibles dites «générales et institutionnelles» dans le discours du gouvernement québécois sur sa politique étrangère. Ces dernières, en effet, comptent pour plus du tiers des objectifs de politique étrangère énoncés par les différents gouvernements québécois de 1960 à 1985, soit quelque 564 objectifs sur 1509. Par comparaison, la France, en tant que cible privilégiée de l'action internationale du Québec, est mentionnée à 230 reprises, l'Europe à l'exclusion de la France à 177 reprises et l'Amérique du Nord à 297 reprises. Face à de telles données, le moins que l'on puisse dire est qu'il y a là un phénomène étonnant qui demande des explications.

Mais d'abord, en quoi consistent ces cibles générales et institutionnelles? Pour les fins de cette étude, nous avons regroupé dans cette catégorie des cibles aussi diverses que l'environnement international entendu dans un sens large, l'économie internationale, le système politique international, les organisations internationales gouvernementales, les organisations internationales non gouvernementales, les Nations Unies, l'OTAN, la Francophonie, le Commonwealth, les pays en voie de développement (le Sud) et les pays industrialisés (le Nord). La caractéristique commune de toutes ces cibles est qu'elles ne peuvent être identifiées à un État ou à une région en particulier. Elles renvoient plutôt au système international lui-même, envisagé dans sa dimension économique aussi bien que politique, ou encore à des regroupements d'États, plus ou moins structurés selon le cas, qui intéressent d'une façon ou d'une autre le Québec. Elles expriment, pourrait-on ajouter, une volonté d'affirmation des intérêts québécois sur la scène internationale, parce que le système international lui-même, en constante mutation, ne permet tout simplement plus de demeurer passif. C'est ce qui fera dire au gouvernement du Québec, dans son énoncé de politique d'affaires internationales de 1991, «qu'à travers le monde, des provinces et des régions ont été appelées à s'adapter au nouvel environnement mondial, à modifier leurs approches et à accroître leur présence sur la scène internationale[1]». C'est précisément cette pression du système international, croyons-nous, qui explique en bonne partie la place prépondérante qu'occupent les cibles générales et institutionnelles dans la formulation des objectifs du Québec en matière internationale.

Parmi ces cibles générales et institutionnelles, certaines occupent une place plus importante que d'autres. Elles reviennent, à tout le moins, avec une plus grande régularité dans le discours gouvernemental sur les relations internationales du Québec, ainsi qu'il ressort du tableau 8.1.

Ainsi qu'on peut le constater, c'est l'environnement international, entendu ici dans le sens large de milieu international, qui se situe au premier rang des préoccupations du gouvernement québécois parmi les cibles générales et institutionnelles. Viennent immédiatement ensuite deux autres cibles qui occupent également une place importante, soit la Francophonie et l'économie mondiale, puis, nettement plus loin dans l'ordre des priorités, les pays en voie de développement, le système politique international, les organisations internationales gouvernementales, le Commonwealth, l'ONU, les pays développés et enfin les organisations internationales non gouvernementales.

Cependant, cette présentation hiérarchique des cibles générales et institutionnelles, qui a le mérite de coller au discours gouvernemental, ne doit pas induire en erreur. En effet, il ressort d'un examen plus

Tableau 8.1

Répartition des objectifs par cible et par nature

Cibles générales et institutionnelles

	Environnement international	Économie mondiale	Système international	OIG	OING	ONU	Francophonie	Commonwealth	PVD	Pays Industrialisés	Général/Institutionnelle
politique/diplomatique	14		6	1			1		1		23
institutionnel/organisationnel	5		10	12	2	6	46	4	1		86
culture/communication	23		1	1		1	26				52
économie/commmerce/finance	98	96	6	5		2	14		13	4	238
éducation/science	14			1	2	2	6		9	1	35
immigration	8										8
écolologie/environnement	4		1			1	1				6
PVD	2		2				4		24		33
affaires sociales/travail	5		1	2		3			1		12
mobilité	1										1
général	1		5				45	13	3	3	70
Total	175	96	32	22	4	15	143	17	52	8	564

attentif des domaines d'activité que recoupent chacune de ces cibles, un intérêt particulièrement marqué à l'égard des questions économiques, commerciales et financières. C'est ainsi que l'intérêt pour l'environnement international, la première cible générique par ordre d'importance, se manifeste surtout dans le domaine économique, ce qui ne permet pas de distinguer facilement l'environnement international de la troisième cible générique, par ordre d'importance, qui est l'économie mondiale. En d'autres termes, même lorsque le gouvernement du Québec mentionne l'environnement international comme cible première de sa volonté d'action, plutôt que l'économie mondiale en tant que telle, plus souvent qu'autrement c'est à l'environnement économique international qu'il pense. Si on fait le décompte des énoncés qui parlent de «favoriser les transferts technologiques», «favoriser le commerce extérieur», «favoriser les investissements étrangers», «favoriser la libre circulation des biens et services», «de protéger le marché québécois» ou qui incorporent d'une façon ou d'une autre une préoccupation économique, c'est finalement quelque 238 cibles sur 564 qui tombent dans le domaine «économie, commerce, finance». Cette préoccupation à l'égard des questions économiques est telle que si l'on exclut la Francophonie de l'ensemble des cibles générales et institutionnelles, on peut affirmer, sans trop de craintes de se tromper, que ces dernières se ramènent pour l'essentiel à l'économie mondiale. C'est pourquoi dans les pages qui suivent, nous traiterons des cibles générales et institutionnelles en nous arrêtant plus longuement sur les deux plus importantes, soit l'économie mondiale et la Francophonie, mais sans oublier pour autant deux autres cibles qui occupent aussi une certaine place dans le discours gouvernemental, soit les organisations internationales et les pays en voie de développement.

Il est par ailleurs une autre caractéristique des cibles générales et institutionnelles dont il nous faut faire état, avant d'en entreprendre l'étude concrète. Dans la mesure où elles ne visent pas un ou des États en particulier, en effet, ces cibles n'entraînent généralement pas des actions nombreuses à l'étranger. Tout au plus peut-on faire état, ainsi qu'on le verra plus loin, de quelques visites à des organisations internationales et d'un nombre relativement restreint d'ententes signées avec ces dernières. En revanche, on constate qu'au sein même du gouvernement québécois, et singulièrement au sein du ministère des Affaires internationales, des ressources de plus en plus importantes ont été assignées au fil des ans à la réalisation des objectifs qui s'y trouvent associés.

L'économie mondiale

Dès le début des années soixante, sous Jean Lesage, l'économie sera placée en tête de liste des préoccupations du gouvernement québécois sur la scène internationale. S'agissant plus particulièrement des cibles générales et institutionnelles, de loin les plus nombreuses, pas moins de 26 des 40 objectifs identifiés pendant le mandat Lesage concerneront ce domaine. Cette préoccupation pour l'économie perdra un peu de son importance sous Daniel Johnson et Jean-Jacques Bertrand, ces derniers se montrant davantage intéressés par les questions de communication et de culture sur le plan des cibles générales et institutionnelles. Mais la préoccupation économique fera un retour en force par la suite pendant le premier mandat de Robert Bourassa, en représentant alors pas moins de 50% des cibles générales et institutionnelles, nettement plus nombreuses par ailleurs. L'intérêt porté à l'économie diminuera quelque peu au cours du premier mandat de René Lévesque, marqué par la campagne référendaire[2], mais il augmentera substantiellement sous son second mandat (représentant à nouveau plus de 50% des cibles générales et institutionnelles) pour se voir enfin confirmé, mais à un niveau légèrement inférieur, lors du retour au pouvoir de Robert Bourassa en 1985. Si l'on fait exception des années 1965 à 1970, qui recoupent les mandats Johnson et Bertrand, on peut donc dire que l'économie a effectivement été presque continuellement au centre du discours des chefs d'État québécois et des ministres responsables des relations internationales, en ce qui concerne les cibles générales et institutionnelles.

Mais de Jean Lesage à René Lévesque, quelque chose va changer graduellement et fondamentalement dans la façon d'énoncer le rapport du Québec à l'économie internationale. Sous Lesage, le monde économique extérieur est d'abord vu comme un vaste réservoir de capitaux. Le langage utilisé pour décrire les objectifs du gouvernement québécois a trait, d'abord et avant tout, à la promotion des investissements; rarement est-il question d'augmenter les échanges entre le Québec et l'extérieur[3]. Sous Daniel Johnson et Jean-Jacques Bertrand, il sera à peine question d'investissement et jamais de commerce. Le premier mandat de Robert Bourassa (1970-1973) place à nouveau la recherche des investissements au premier plan des préoccupations économiques du gouvernement sur la scène internationale. Le développement de la Baie-James, après tout, exige un financement important — de l'ordre de 5 à 6 milliards de dollars au dire de Noda[4] — ce qui implique un recours impératif aux investissements internationaux. Malgré tout, il n'est que rarement question, pendant ce premier mandat, des échanges commerciaux du Québec avec l'étranger.

Un début de changement s'opère sous le second mandat de Robert Bourassa (1973-1976). La promotion des investissements conserve toujours la première place dans l'énoncé des objectifs internationaux du Québec en matière économique, mais elle est suivie d'assez près cette fois par un autre objectif qui est le développement des échanges commerciaux avec l'étranger. L'apparition de ce nouvel objectif semble correspondre à une prise de conscience au sein du gouvernement de l'importance des grandes négociations commerciales sur le devenir économique du Québec. Déjà depuis le début des années soixante-dix effectivement, le ministère de l'Industrie et du Commerce s'était doté d'une Direction des relations économiques internationales qui avait pour mission, entre autres, de suivre l'évolution de l'économie internationale et de structurer l'intervention gouvernementale dans le domaine de la politique commerciale, en vue des négociations du Tokyo Round. Le ministère des Affaires intergouvernementales, pour sa part, commence timidement à s'intéresser à la question vers 1974, et en 1975 il aura un observateur en poste à Genève pour suivre l'évolution des négociations du Tokyo Round. C'était le début d'un développement qui allait graduellement prendre de l'ampleur.

Dès le premier mandat de René Lévesque (1976-1981), les préoccupations commerciales l'emportent sur les préoccupations reliées aux investissements dans l'énoncé des cibles générales et institutionnelles du gouvernement québécois. On s'intéresse toujours au développement des exportations, mais de plus en plus aussi au GATT et à d'autres organismes internationaux comme la Communauté économique européenne. En 1978, Claude Morin, alors ministre des Affaires intergouvernementales, écrira:

> ...nous participons activement à la mise en œuvre de l'accord-cadre Canada-CEE et suivons de près les négociations en cours à Genève. Les enjeux de cette négociation sont majeurs pour l'avenir de l'économie mondiale. Inutile de dire qu'ils le sont autant sinon davantage pour nous[5].

Mais la véritable ampleur de la transformation apparaît vraiment lors du second mandat de René Lévesque (1981-1985), alors que les énoncés sur la volonté gouvernementale de développer les échanges commerciaux avec l'étranger sont pratiquement dix fois plus nombreux que ceux relatifs à la volonté d'accroître les investissements[6]. Cette augmentation marquée de l'intérêt pour le commerce international dans le discours du gouvernement québécois ne surprend pas lorsqu'on sait qu'en 1983 le gouvernement du Québec créait un véritable ministère du Commerce extérieur, en prenant appui sur ce qui, au ministère de l'Industrie et du Commerce, avait d'abord été un simple service des relations extérieures, pour ensuite devenir la Direction des services internationaux et enfin l'Office québécois du commerce extérieur. Il était pratiquement inévitable, dans de telles circonstances, d'assister à une multiplication des références au développement du commerce extérieur. Toutefois, ces transformations dans l'appareil gouvernemental ne font qu'amplifier l'intérêt existant du gouvernement québécois pour le commerce international en général et la politique commerciale en particulier. Ce sont les pressions du système commercial international, d'une part, et les attentes du secteur privé québécois, d'autre part, qui sont à la source de cet intérêt, et par conséquent à l'origine des transformations administratives en question. Sur le plan des cibles générales et institutionnelles, cela aboutira assez rapidement à la reconnaissance d'un nouveau champ d'intervention, celui de la politique commerciale, et au développement accéléré d'un ancien champ d'intervention, celui de la promotion du commerce extérieur.

En effet, à peine les négociations de l'Uruguay Round étaient-elles terminées que de nouveaux besoins se faisaient sentir, comme celui de sauvegarder les intérêts du Québec mis en cause dans des conflits commerciaux à l'étranger (Affaire du bois d'œuvre), ou encore celui d'élaborer une position québécoise face à de nouvelles initiatives fédérales en matière de politique commerciale. C'est à la nouvelle Direction de la politique commerciale du ministère du Commerce extérieur, qui hérita à cet égard de certaines responsabilités de la direction des relations économiques internationales du ministère de l'Industrie et du commerce[7], que fut assignée la responsabilité de structurer l'intervention québécoise dans ce domaine. Celle-ci devait rapidement être impliquée par ailleurs dans la préparation de l'énoncé de politique que le ministre des Relations internationales et du Commerce extérieur, Bernard Landry, déposait à l'Assemblée nationale le 6 juin 1985, énoncé dans lequel le Québec se prononçait officiellement pour la première fois en faveur du libre-échange Canada-États-Unis[8].

L'arrivée au pouvoir du gouvernement libéral de Robert Bourassa à la fin de 1985 coïncida avec une série de développements qui ne firent qu'accentuer l'importance des questions de politique commerciale dans le fonctionnement du ministère du Commerce extérieur. En 1986, la Direction de la politique commerciale se retrouva simultanément impliquée dans les négociations de l'Uruguay Round et dans celles du libre-échange avec les États-Unis. La tâche était telle, qu'au début de 1988 la direction se transforma en Direction générale de la politique commerciale avec une Direction des relations commerciales avec l'Amérique du Nord et une Direction des relations commerciales intercontinentales. Le personnel affecté aux questions de politique commerciale doubla alors: en plus du directeur général, on se retrouva avec deux directeurs, 15 professionnels, 6 secrétaires et un technicien. Le regroupement du ministère du Commerce extérieur avec celui des Relations internationales en 1988, pour créer un nouveau ministère des Affaires internationales, ne remit pas en cause ce développement, bien au contraire. En fait, avec l'entrée en vigueur de l'*Accord de libre-échange entre le Canada et les États-Unis* le 1er janvier 1989, la défense des intérêts du Québec aux États-Unis en vint à accaparer de plus en plus de temps et de ressources financières. Enfin, au tournant des années quatre-vingt-dix, le lancement des négociations en vue d'un accord nord-américain de libre-échange contribua à nouveau à donner un rôle de premier plan à la Direction générale de la politique commerciale.

Un aspect intéressant du travail de cette direction à cette époque est la publication de quatre documents visant à informer le public en général des grands enjeux et des résultats des négociations commerciales dans lesquelles le Québec avait été ou se trouvait impliqué. Un premier document, paru en 1987, traitait de la libéralisation des échanges avec les États-Unis dans une perspective québécoise[9]. En 1990, un second document, décrivant cette fois le contenu et les conséquences pour le Québec des négociations commerciales multilatérales de l'Uruguay Round, paraissait[10]. En mai 1992, le ministère des Affaires internationales faisait paraître un troisième document d'information intitulé *La libéralisation des échanges commerciaux entre le Canada, les États-Unis et le Mexique — Les enjeux dans une perspective québécoise*[11]. Enfin, au début de 1993, un quatrième document paraissait sous le titre *Le Québec et l'Accord de libre-échange nord-américain*; il présentait une analyse assez détaillée du contenu, envisagée dans une perspective québécoise, de l'accord en question[12]. Toutes ces publications mettent bien en évidence un des rôles important de cette Direction générale et qui est le suivi et l'analyse des développements qui surviennent dans le régime international de réglementation des échanges.

Pendant toute cette période, on assiste donc à une première transformation importante du champ d'intérêt du gouvernement québécois en ce qui concerne les cibles générales et institutionnelles à caractère économique. Au-delà des objectifs traditionnels en matière de promotion des investissements internationaux, un nouveau domaine de préoccupation apparaît, celui de la politique commerciale, qui occupera avec le temps une place de plus en plus importante. Mais lorsque le gouvernement québécois, dans son discours, affirme s'intéresser de plus en plus au commerce international, il ne songe pas uniquement au domaine de la politique commerciale. Il se préoccupe également d'un autre domaine dans lequel il était déjà actif, celui du développement des marchés extérieurs.

L'intervention du gouvernement québécois dans ce dernier domaine remonte au début des années soixante, alors qu'était constitué, à l'intérieur de la direction du Commerce du ministère de l'Industrie et du Commerce, un service des relations extérieures qui devait ensuite devenir la direction des Services internationaux vers la fin de 1968. L'essentiel des interventions en matière de développement du commerce extérieur consistait alors à faciliter la participation des industriels québécois aux expositions et foires internationales, à organiser des missions commerciales à l'étranger pour ces derniers et à accueillir des missions étrangères. Mais dans un contexte d'ouverture croissante des marchés, il devenait pratiquement inévitable que le gouvernement québécois cherche à intervenir beaucoup plus dynamiquement dans ce domaine en vue d'encourager les producteurs québécois de biens et de services à se lancer à l'assaut des marchés extérieurs. Les premiers gestes en ce sens furent posés avec la création de l'Office québécois du commerce extérieur, en 1980, suivie, en 1983, de la création du ministère du Commerce extérieur. En 1985, l'énoncé de politique gouvernementale en matière de relations internationales du ministre Landry faisait clairement état d'une véritable stratégie concernant le développement des marchés extérieurs dans un contexte d'ouverture croissante des marchés.

En effet, des six secteurs d'intervention prioritaires identifiés dans ce document, celui des relations économiques internationales vient en premier lieu et occupe à lui seul pas moins de quarante pages. Il y est déclaré que:

> [le Gouvernement du Québec,] «afin de répondre aux besoins et attentes des milieux d'affaires et jouer le rôle qui est le sien en matière de commerce extérieur, s'est donné comme objectifs prioritaires le développement et la diversification des marchés extérieurs, une meilleure organisation de l'offre québécoise tournée vers l'extérieur et le renforcement de sa structure industrielle par le transfert technologique et l'apport en capitaux étrangers[13].

Divers modes d'intervention et d'appui sont proposés qui consistent pour l'essentiel dans le financement des exportations, la politique commerciale, l'aide au transfert technologique et la prospection de l'investissement étranger et enfin la coopération économique. Ce premier effort de réflexion et de structuration de l'intervention québécoise en matière de développement des marchés extérieurs se poursuivra par la suite et aboutira à une nouvelle série de recommandations dans l'énoncé de politique de 1991.

L'importance du chemin parcouru dans ce domaine depuis le début des années soixante-dix ressort de la présentation particulièrement structurée de ce dernier document. Il y est affirmé dès le départ que les enjeux économiques sont au cœur de l'action internationale et font l'objet d'une concurrence qui s'exerce véritablement à l'échelle mondiale. Ils seront donc au centre des activités internationales du Québec[14]. Un premier constat s'impose: «[l]es politiques internes doivent intégrer la dimension internationale, et la réflexion sur l'évolution du contexte nord-américain et mondial doit servir à la définition de l'ensemble des politiques du gouvernement[15]». Le gouvernement «verra donc à développer sa capacité d'analyse de l'évolution internationale et de son impact sur le Québec de façon à alimenter la concertation entre intervenants privés et publics[16]». L'action internationale visera, quant à elle, le renforcement des grappes industrielles ou le développement des filières où le Québec peut espérer accroître ses avantages comparatifs[17]. Pour ce faire, le gouvernement ciblera davantage ses efforts de prospection des investissements étrangers et facilitera l'acquisition de technologies étrangères par le biais d'accords industriels ou de licence[18]. Il cherchera à accroître le nombre des sociétés exportatrices, favorisant en particulier celles qui exportent des produits à forte valeur ajoutée et sont le plus en mesure d'assurer une présence soutenue sur les marchés étrangers; il soutiendra plus spécialement les actions sur les marchés difficiles, le développement de nouveaux marchés et la mise en place éventuellement d'une grande société de commerce[19]. Le gouvernement cherchera également à accroître la capacité des entreprises de services d'agir à l'étranger et favorisera la complémentarité de leur action avec celles des autres intervenants dans les relations économiques internationales. Enfin, pour assurer l'accès des produits Québécois à l'étranger, le gouvernement continuera à favoriser l'élimination graduelle et ordonnée des obstacles au commerce international, tout en veillant à aménager aux secteurs les plus vulnérables de l'économie québécoise les transitions et adaptations adéquates[20].

Une part importante du travail d'analyse et de synthèse requis pour la formulation des objectifs, des stratégies et des moyens en matière de développement des marchés s'effectue au Québec. Et il en va de même, pour la politique commerciale. Même lorsqu'il s'agit de défendre les intérêts du Québec face à des poursuites pour droits compensateurs aux États-Unis ou ailleurs, c'est d'abord au Québec que le travail se réalise, bien que des conseillers juridiques américains soient aussi régulièrement utilisés. Lorsqu'il est question par ailleurs de faire valoir les intérêts du Québec dans le cadre de négociations commerciales internationales impliquant le Canada, le travail de base s'effectue également au Québec; c'est d'abord là en effet que sont définies les positions québécoises, positions qui sont ensuite discutées avec les représentants fédéraux dans le cadre d'une procédure de consultation maintenant bien établie. Dès lors que le commerce international est envisagé comme une cible générale et institutionnelle, et non dans ses rapports avec un État ou des États en particulier, semble-t-il, les moyens d'action usuels de la diplomatie québécoise — représentations à l'étranger, visites ministérielles et ententes — ne jouent plus le même rôle. Ce qui est exigé, c'est une solide capacité d'analyse de la réalité internationale et de son rapport avec le milieu interne.

C'est ce qui explique que lorsqu'on examine les données relatives aux ententes, on remarque qu'une seule entente sur les douze conclues avec des organismes internationaux entre 1966 et 1989, par opposition à des États particuliers, concerne le domaine de l'économie.

Tableau 8.2

Ententes selon le domaine pour les cibles
OING, ONU et Francophonie

	OING	ONU	Francophonie	Total
institutionnel/ organisationnel	1	1	2	
économie/ commerce/ finance		1	1	
éducation/ science	1	4	2	7
affaires sociales/ travail		1	1	2
Autres				0
Total	2	6	4	12

Mais il s'agit ici d'une entente qui ne concernait pas véritablement le commerce international en tant que tel, mais plutôt le financement et la gestion d'une étude de faisabilité portant sur un projet de transport intercontinental d'énergie sous la forme d'hydrogène du Québec vers l'Europe, conclue avec la Commission des Communautés européennes en 1988[21]. Par ailleurs, aucune, parmi les cinq ententes conclues entre 1990 et 1992 qui ont pour cible une organisation internationale plutôt qu'un État ou une région, ne traite de l'économie, du commerce ou des finances.

Quant aux visites ministérielles à l'étranger, on constate que 58 visites sur les 976 effectuées entre 1961 et 1989 ont eu lieu auprès d'institutions internationales ou de regroupements d'États, ce qui représente un pourcentage d'à peine 6%. Sur ce nombre, à peu près un tiers (18/58) avait trait au domaine de l'économie, du commerce et de la finance. Elles ne débutent véritablement qu'avec le second mandat de Robert Bourassa, pour s'accélérer ensuite sous les deux mandats de René Lévesque et le troisième mandat Bourassa. De ce point de vue, elles semblent bien correspondre au développement de l'intérêt du Québec pour les questions relatives au commerce international à partir du milieu des années soixante-dix. Lorsqu'on examine plus attentivement les destinataires de ces visites, cependant, on constate qu'aucune n'a vraiment eu pour destinataire une organisation internationale œuvrant dans le domaine commercial et financier international. Force est de constater à cet égard que si l'économie internationale est devenue avec le temps une cible générale très importante pour le Québec, cela ne semble pas déboucher pour autant sur des actions directes auprès des organisations internationales concernées. Serait-ce que, dépourvu de compétence en matière de commerce international, le Québec n'a tout simplement pas accès aux institutions internationales spécialisées dans ces domaines? Cette dernière explication, comme on le verra plus loin, n'est pas très éloignée de la réalité.

La Francophonie

La Francophonie, en tant que cible générale de la diplomatie québécoise, se situe au second rang des préoccupations du gouvernement québécois, immédiatement après l'économie internationale entendue au sens large. En effet, parmi les cibles les plus fréquemment mentionnées dans le discours gouvernemental sur les relations internationales du Québec, la Francophonie représente près de 10% de l'ensemble des cibles et pas moins de 25% des cibles générales et institutionnelles. Cela est particulièrement remarquable si l'on tient compte du fait que la Francophonie ne fait vraiment son apparition sur la scène institutionnelle internationale qu'en 1970, avec la création de l'Agence de coopération culturelle et technique (ACCT).

À peine mentionnée, et là encore en termes très généraux, sous le mandat de Jean Lesage, la Francophonie devient vite, sous les gouvernements de Daniel Johnson et de Jean-Jacques Bertrand, un objectif récurrent dans le discours gouvernemental québécois. Lorsque J. J. Bertrand cède le pouvoir aux libéraux de Robert Bourassa, la Francophonie multilatérale est devenue une cible majeure de l'action internationale du Québec.

Un tel développement de l'intérêt à l'égard de la Francophonie multilatérale, pour surprenant qu'il puisse paraître, se comprend malgré tout assez bien dans le contexte politique de la fin des années soixante. C'est en 1968, en effet, à la suite de la participation du Québec à une conférence des ministres africains et malgaches de l'Éducation à Libreville, que s'amorce le débat au sujet de la représentation du Québec aux conférences et organisations internationales regroupant des pays ayant en commun l'usage de la langue française. Dans les deux livres blancs du gouvernement fédéral sur le sujet, de même que dans les documents de travail du gouvernement québécois, la Francophonie fait déjà figure d'enjeu dans ce débat[22]. Des négociations ardues aboutiront éventuellement au compromis qui a autorisé l'entrée du Québec comme gouvernement «participant» à la nouvelle Agence de coopération culturelle et technique[23].

Sous le premier gouvernement de Robert Bourassa, la Francophonie s'estompe quasi totalement au profit notamment de l'économie internationale. Durant les trois années de ce mandat, elle ne sera l'objet que de 22 objectifs, ce qui représente tout de même 17% de l'ensemble. Cette perte relative d'importance s'accentue cependant sous le second gouvernement de Robert Bourassa. La Francophonie n'est la cible que de 16 objectifs, soit à peine 7% de l'ensemble.

Le fait est que durant cette période, le débat Québec-Ottawa sur la question de la participation du Québec à la Francophonie s'estompe très largement, comme s'il avait été réglé grâce à la décision fédérale d'autoriser la participation du Québec à l'Agence de coopération culturelle et technique à titre de gouvernement participant. Le Québec et le Canada sont tous deux activement impliqués alors dans les divers programmes mis de l'avant par l'Agence et ne veulent rien faire qui puisse compromettre la réussite de celle-ci[24]. Mais il ne s'agit là en réalité que d'une trêve. L'idée, chère au président Senghor du Sénégal, d'une Communauté organique francophone va refaire surface en 1975, pour devenir un sujet de discussion dès 1977. Ce qui explique qu'avant même la fin du premier mandat de René Lévesque, en 1981, la Francophonie aura repris une place importante parmi les cibles générales et institutionnelles du gouvernement québécois. En 1980, la controverse est à ce point sérieuse qu'elle empêche la tenue d'une conférence des ministres des Affaires étrangères qui devait se tenir à Dakar fin 1980[25]. Résultat direct de cette résurgence de la tension entre Québec et Ottawa entre 1976 et 1981, 31 objectifs concerneront la Francophonie, ce qui représente 17% de l'ensemble des objectifs énoncés durant cette période.

Sous le second mandat du Parti québécois, on constate curieusement une nouvelle baisse de l'importance de la Francophonie en tant que cible de l'action internationale du Québec. Parmi les quelque 750 objectifs identifiés durant cette période, cette dernière ne revient en effet qu'à 49 reprises, ce qui équivaut à 6,5% de l'ensemble. Ce n'est certes pas que la question de la participation du Québec aux sommets francophones soit réglée, bien au contraire. De 1981 à 1983, en fait, le débat sur cette question ne progressera pratiquement pas, au point qu'en 1983, le projet de tenir un sommet francophone apparaîtra irrémédiablement compromis. Ce n'est qu'après le départ du premier ministre Trudeau et l'arrivée de Brian Mulroney, en 1984, que de véritables espoirs de solutions seront permis[26]. Faut-il voir dans cette impasse la véritable raison de la perte d'importance relative de la Francophonie dans le discours gouvernemental? L'explication est séduisante, mais ne convainc pas entièrement. Cette impasse aurait tout aussi bien pu entraîner un accroissement des revendications québécoises, et partant, des références plus nombreuses à la Francophonie dans le discours gouvernemental québécois. Puisque ce n'est pas le cas, c'est que quelque chose d'autre s'est produit. L'explication, croyons-nous, réside dans l'accroissement marqué des préoccupations relatives à l'économie internationale, ainsi que nous avons pu le constater précédemment.

Mais déjà au moment où s'achève ce second mandat du Parti québécois, deux développements vont contribuer à définir pour plusieurs années la place de la Francophonie dans la politique internationale du Québec. Le premier consiste dans le dépôt, en juin 1985, de l'énoncé de la politique gouvernementale québécoise en matière de relations internationales et qui s'intitule *Le Québec dans le monde ou le défi de l'interdépendance: énoncé de politique de relations internationales*[27]. Les objectifs du Québec en ce qui concerne la Francophonie multilatérale y sont décrits de la façon suivante:

— élargir et approfondir la communauté d'intérêts entre le Québec et la Francophonie, et cela dans tous les domaines;

— favoriser l'utilisation du français comme outil de développement pour l'ensemble de la communauté francophone;

— participer aux institutions francophones dont le développement est significatif pour le Québec;

— développer la coopération bilatérale avec la France et avec la Communauté française de Belgique, mais également avec les autres communautés francophones d'Europe, d'Afrique et des autres continents dans la perspective d'une mise en commun des énergies et ressources disponibles en vue d'affronter les défis communs à tous les francophones;

— apporter son soutien aux principales organisations internationales francophones privées[28].

À la lecture de ce document, on comprend immédiatement que la Francophonie occupe une place importante dans la politique internationale du gouvernement québécois. Mais on se rend compte également qu'elle vient bien après les relations économiques internationales et, pourrait-on ajouter, bien après la France, les États-Unis et l'Europe. Comparée aux quarante pages consacrées aux relations économiques internationales, par exemple, la Francophonie fait quelque peu figure de parent pauvre avec les trois pages qui y sont consacrées. On retrouvera cette relativisation de la place de la Francophonie dans l'énoncé de politiques d'affaires internationales de 1991.

Le second développement consiste dans la signature, à l'automne 1985, d'une entente fixant les modalités de la présence québécoise à la rencontre des chefs d'États et de gouvernements des pays francophones. Les gouvernements canadien et québécois s'entendaient sur un sommet où le Québec se comporterait comme «un observateur intéressé», lorsqu'il serait question de la situation économique et politique internationale et où le Québec se comporterait comme un gouvernement à part entière lorsqu'il serait question de coopération et de développement. Cet accord constituait une première en ce qui concerne la participation directe du Québec à une conférence internationale au sommet[29]. Mais plus important encore, il ouvrait la porte à la convocation d'un premier Sommet à Paris en février 1986, ce qui ne pouvait manquer d'augmenter significativement la visibilité de la Francophonie en tant que cible de l'action internationale du Québec. Paradoxalement, il devait revenir au gouvernement de Robert Bourassa, élu à la toute fin de 1985, de participer à cette première rencontre au sommet des chefs d'État des pays francophones. Inutile de dire que durant les mois qui précédèrent et suivirent immédiatement la tenue de ce sommet, la Francophonie redevint une cible importante de la politique de relations internationales du Québec, ainsi qu'en témoignent les nombreux articles de presse publiés à cette occasion. L'intérêt accordé à cette dernière devait d'ailleurs porter fruit, aussi bien sur le plan politique, où il revint au premier ministre Bourassa de présenter le Rapport général, que sur le plan pratique, ainsi qu'en témoigne par exemple la décision de la Conférence d'appuyer la suggestion québécoise de créer un institut d'énergie des pays de langue française et de nommer le Québec à la tête du réseau de l'Association francophone de l'Énergie[30].

La décision prise lors du Sommet de Paris de tenir un autre sommet à Québec deux ans plus tard contribua à asseoir encore plus solidement l'importance de la Francophonie en tant que cible de l'action internationale du Québec. La mise en œuvre du premier sommet, la préparation du second et enfin le suivi de ce dernier assurèrent à cette cible générale et institutionnelle une importance évidente dans le discours québécois sur les relations internationales jusqu'en 1988. Mais le troisième sommet, tenu à Dakar en 1989, et surtout le quatrième, qui devait se tenir à Kinshasa au Zaïre mais transféré *in extremis* à Paris en 1991, ne jouissaient déjà plus de la même visibilité. Le sujet, il faut le reconnaître, n'était plus nouveau et ne s'inscrivait plus dans un contexte de conflit politique entre le Québec et le Canada. L'entrée en vigueur de l'Accord de libre-échange entre le Canada et les États-Unis, le 1er janvier 1989, suivi en juin 1990 du lancement de nouvelles négociations pour en arriver à un accord de libre-échange nord-américain, achevèrent de reléguer au second plan, assez loin derrière les préoccupations économiques internationales, la Francophonie. Dans le nouvel énoncé de politique d'affaires internationales publié en 1991, intitulé *Le Québec et l'interdépendance — Le monde pour horizon*, la Francophonie est certes présentée encore comme une cible majeure de la politique du Québec sur le plan international; mais le bref paragraphe qui lui est réservé dans la présentation des objectifs au début de l'énoncé[31], et les quelques pages qui lui sont consacrées à la toute fin[32], ne sauraient tromper, même en tenant compte de la publication, deux mois plus tard, d'une annexe consacrée à la Francophonie internationale[33], comme si l'on s'était rendu compte du peu d'importance accordée à celle-ci dans le document initial. Si elle demeure toujours importante, le fait est que la Francophonie semble avoir perdu de son importance par rapport à d'autres cibles, dont en particulier l'économie internationale.

Mais entre le discours et les actes, il y a souvent une certaine distance. Dans le cas présent, les actes tendent à démontrer que la Francophonie demeure encore bien présente dans la politique d'affaires internationales du Québec. Contrairement à l'économie internationale, en effet, qui est perçue d'abord et avant tout comme exerçant une contrainte sur le Québec, la Francophonie dans sa réalité multilatérale se présente en quelque sorte comme un partenaire que le

Québec rend visite et avec lequel il signe des ententes. S'agissant d'abord des visites, 14 des 58 que le Québec rend à des institutions internationales entre 1961 et 1989, soit près de 25%, concernent d'une façon ou d'une autre la Francophonie. Ces visites vont de la participation à des conférences ministérielles (Conférence des ministres francophones de la fonction publique, Conférence des ministres de l'Agriculture des pays d'expression française, Conférence des ministres de la Justice des pays d'expression française, Conférence des ministres des Communications des pays membres de l'ACCT, etc.), aux Jeux de la Francophonie ou encore à des rencontres avec le Secrétaire général de l'ACCT. Entre 1990 et 1992, pas moins de sept nouvelles visites directement en rapport avec la Francophonie sont effectuées, ce qui montre une progression assez importante de celles-ci; elles sont justifiées dans une large mesure, mais non exclusivement, par la préparation et la tenue du quatrième Sommet[34].

En ce qui concerne les ententes, six des dix-neuf conclues avec des institutions internationales entre 1964 et 1991 l'ont été avec des organismes de la Francophonie[35]. Quatre de celles-ci ont été conclues avec l'Agence de coopération culturelle et technique. Elles traitent de sujets aussi divers que la création d'une École hôtelière à Port-au-Prince en Haïti, l'envoi d'experts à la République des Seychelles, la coopération en matière de télé-université et enfin d'un programme de bourses de stages de perfectionnement. Une cinquième entente a été conclue avec la Conférence des ministres de la Jeunesse et des Sports des pays d'expression française et porte sur les droits de scolarité. Une sixième enfin, conclue avec l'Institut de l'Énergie des pays ayant en commun l'usage du français, traite en particulier de sciences et technologie, de cultures et de communications. Dans l'ensemble, en matière d'ententes comme en matière de visites, on constate donc une régularité dans les actes posés qui témoigne de la vitalité fondamentale de la Francophonie.

Enfin, au-delà des visites et des ententes, il y a surtout l'implication considérable du Québec dans le fonctionnement concret des structures mises en place. Le bilan de la contribution du Québec à la Francophonie présenté en avril 1991 à l'Assemblée nationale par le ministre délégué à la Francophonie est concluant à cet égard[36]. Il y est question, entre autres, du Consortium international francophone de formation à distance, mis de l'avant par la Télé-université du Québec; de la première conférence des ministres francophones de l'Environnement à Tunis, dont le proposeur était le Québec; de tv5, fortement soutenue par le Québec; des programmes de radio rurales et de centres de lecture et d'animation culturelles, également mis de l'avant par le Québec; et du Forum francophone des affaires, organisé une première fois lors du Sommet francophone de Québec. Et comme on pouvait s'y attendre, le travail efficace du secrétaire général de l'ACCT, Jean-Louis Roy, fut souligné. Un tel niveau d'implication est difficilement concevable sans un engagement à long terme à l'égard de la Francophonie, ce qui tend à rassurer quant à la place de cette dernière dans la politique d'affaires internationales du gouvernement québécois.

Les organisations internationales et les pays en voie de développement

Depuis son accession à titre de gouvernement participant à l'Agence de coopération culturelle et technique, le Québec a régulièrement exprimé le désir de participer à un titre ou un autre à la vie de diverses organisations internationales œuvrant dans des domaines en rapport avec ses intérêts et ses compétences. L'objectif, manifestement, n'est pas prioritaire. Si on laisse de côté les institutions reliées à la Francophonie, on dénombre pour l'ensemble de la période allant de 1961 à 1989 quelque 15 cibles organisationnelles rattachées au système de l'ONU et 22 autres rattachées à diverses autres organisations internationales[37]. Fait intéressant, cet objectif est mentionné surtout lors du second mandat de Robert Bourassa (17 fois) et du second mandat de René Lévesque (13 fois). Dans l'énoncé de politique de 1985, il reçoit, chose surprenante, une attention au moins égale à celle accordée à la Francophonie. La liste des organisations auxquelles le Québec souhaite participer est particulièrement intéressante. Elle inclut l'Organisation de coopération et de développement économique (OCDE), l'Organisation des Nations Unies pour l'éducation, la science et la culture (UNESCO), l'Organisation de l'alimentation et de l'agriculture (FAO), l'Organisation internationale du travail (OIT), l'Organisation mondiale de la santé (OMS), l'Accord général sur les tarifs douaniers et le commerce (GATT), et le Haut Commissariat des Nations Unies pour les réfugiés et enfin le Conseil économique et social de l'ONU. L'énoncé de politique de 1991, quant à lui, s'attache peu aux organisations internationales. Dans les quelques paragraphes qui leur sont accordés, il est dit simplement que le gouvernement «recherchera une participation suivie aux réunions et aux programmes des organisations dont les activités touchent aux champs de ses compétences», qu'il cherchera «à renforcer ses rapports fonctionnels avec les organisations internationales» et qu'il «encouragera, par une politique de sollicitation et d'accueil l'établissement d'oIG et d'oING au Québec[38]». Le moins que l'on puisse dire est que les organisations internationales n'ont plus, dans l'énoncé de 1991, l'importance qu'elles avaient dans l'énoncé de 1985. Faut-il s'en étonner? En fait, non. Très peu d'organisations internationales, comme on l'a déjà mentionné précédemment, ont fait place jusqu'à maintenant à une participation directe des entités gouvernementales non souveraines. Le cas de l'Agence de coopération culturelle et technique peut être considéré à cet égard comme atypique. Mais cela ne veut surtout pas dire que des liens fonctionnels avec de telles organisations ne peuvent pas être établis.

Il est même assez surprenant de constater le nombre relativement important de visites qui ont été faites par des représentants québécois auprès de ces organisations, et surtout le nombre d'ententes qui ont été conclues avec celles-ci. Pour ce qui est des visites, on en dénombre entre 1961 et 1989 pas moins de 58, incluant les institutions rattachées à la Francophonie. Si on soustrait ces dernières, on obtient 44 visites, ce qui demeure un nombre remarquable. Il est également intéressant de constater, que ces visites à des institutions internationales ont eu tendance à augmenter depuis le milieu des années soixante-dix. Alors qu'elles ne comptaient que pour 8 des 196 visites ministérielles effectuées de 1970 à 1976, leur nombre absolu grimpe à 12 durant le premier mandat du Parti québécois (sur 193), à 20 durant le second (sur 329) et redescendent à 17 (sur 235) pour la période couverte par le mandat libéral de 1985-1989.

Les principaux domaines couverts par ces visites se partageaient surtout entre l'économie, le commerce et la finance, les affaires sociales et le travail, l'éducation et la science et la culture et les communications.

En ce qui concerne les ententes conclues avec des organisations internationales, leur nombre pour la période s'étendant de 1964 à 1991 s'élève à 19, dont il faut soustraire les 4 signées avec l'ACCT ainsi que celles signées avec l'Institut de l'énergie des pays ayant en commun l'usage du français et la Conférence des ministres des sports des pays d'expression française (CONFEGES). La majorité des 13 ententes qui restent ont été conclues avec des institutions relevant de l'ONU. Deux ont pour partenaire l'Organisation internationale du travail (oit), deux autres l'Organisation de l'aviation civile internationale (oaci), une l'unesco, une l'Organisation des Nations Unies pour l'alimentation et l'agriculture (fao), une l'Organisation mondiale de la santé (oms), et quatre autres l'onu en tant que telle. Les deux ententes conclues avec des organismes ne relevant pas du système de l'onu avaient pour partenaire la Commission des Communautés européennes et le Comité intergouvernemental pour les migrations européennes. Les principaux domaines couverts dans ces ententes sont ceux de l'éducation et des sciences, de la culture et des communications, et enfin des affaires sociales.

Par ailleurs, certains des objectifs du Québec concernant les organisations internationales, ont pu être réalisé sans trop de difficultés, dans la mesure où ils n'impliquaient pas une participation directe du Québec à ces organisations. Il en est ainsi, par exemple, de l'incorporation de fonctionnaires québécois au sein de la représentation canadienne lors de réunions techniques d'organisations telles que l'ocde, du détachement de fonctionnaires québécois auprès d'organisations internationales telles que la Banque mondiale ou le Programme des Nations Unies pour le Développement, ou encore de la politique d'accueil du Québec à l'égard des établissements internationaux.

Dans l'ensemble donc, bien que le Québec ait vu ses attentes du début des années quatre-vingt plutôt déçues, le fait demeure qu'il a réussi à établir des contacts assez nombreux avec plusieurs organisations internationales dans divers domaines relevant de sa compétence. L'énoncé de politique d'affaires internationales de 1991, de ce point de vue, reflète assez bien le nouveau pragmatisme qui semble s'être imposé graduellement depuis 1985 environ.

Une autre cible générale dont il faut maintenant faire état consiste dans ce regroupement artificiel d'États désigné communément sous le nom de pays en voie de développement. Cette cible est mentionnée à 52 reprises pour la période 1961-1985. Fait intéressant, cette référence aux pays en voie de développement dans le discours gouvernemental intervient à une exception près exclusivement sous les deux mandats Lévesque. Plus précisément, il faudrait dire qu'elle est mentionnée seulement à cinq reprises sous le premier mandat Lévesque, mais revient pas moins de 46 fois lors de son second mandat.

Comment expliquer cet engouement subit? La réponse n'est pas évidente. Si l'on regarde d'abord à quel objectif précis correspond cette

Tableau 8.3
Répartition des objectifs selon la cible
et par la nature de l'action envisagée

NATURE DE L'ÉNONCÉ:	n°	Environnement international	Économie mondiale	Système international	OIG	OING	ONU	Francophonie	Commonwealth	PVD (Sud)	Pays Industrialisés (Nord)	Général/ Institutionnel
renforcer, établir des liens politiques et diplomatiques	1	14	2	7				2				25
participer au développement du droit international et à sa réglementation	2			3	5		2	2				12
participer aux activités et au développement des o. i.	3			9	16	4	10	52	4		2	97
promouvoir la paix	4	1		2						1		4
promouvoir les droits et libertés	5	3										3
améliorer la qualité de l'environnement	6	2		1								3
améliorer la qualité de la vie et les services sociaux	7											0
améliorer les conditions de travail	8	2										2
favoriser la connaissance du Québec à l'étranger et vice versa	9	15	1						1		1	18
favoriser les échanges culturels	10	2						3				5
favoriser le développement du français	11	3						4				7

	#											Total
favoriser les échanges scientifiques	12	2											2
favoriser les échanges éducationnels et de jeunes	13	4								4	1		11
favoriser l'immigration	14	6											6
favoriser la mobilité des ressortissants	15	1											1
apporter une aide aux pays en voie de développement	16	2		2	1			2		31			38
contribuer à la réduction des écarts de développement	17							2		1			3
favoriser les transferts technologiques	18	5	2					5		2			14
favoriser le commerce extérieur	19	38	30							3			71
favoriser les investissements étrangers	20	16	47	2									65
favoriser les investissements québécois à l'étranger	21	1	1										2
favoriser la libre circulation des biens et services	22	2	9										11
protéger le marché québécois	23	1	2										3
accroître le tourisme	24	5											5
participer au développement des communications internationales	25	2						2					4
créer, établir, maintenir, resserrer des liens, des relations, des échanges d'une manière générale	26	48	2	6			3	66	13	9	5		152
Total		175	96	32	22	4	15	143	17	52	8		564

cible, on constate que dans une nette majorité des cas, il est question tout simplement «d'apporter une aide aux pays en voie de développement».

Mais cela ne nous explique pas pourquoi, entre 1981 et 1985, un tel besoin d'apporter une aide aux pays en voie de développement s'est fait sentir. L'énoncé de politique de relations internationales du Québec de 1985, réalisé par le Parti québécois, permet de mieux comprendre la nature exacte de cet objectif, mais sans répondre pour autant à la question du pourquoi. Dans une section distincte consacrée aux pays en voie de développement, le gouvernement du Québec «réaffirme sa volonté d'être un acteur modeste mais responsable face à la réalité du sous-développement et adhère à la démarche internationale d'une recherche de solutions fondées sur un dialogue réel et positif entre pays riches et pays pauvres[39]». Il déclare par la même occasion vouloir mettre en place ses propres outils d'intervention auprès des pays en voie de développement et, compte tenu de l'expertise acquise par les intervenants privés dans les régions d'intervention, il dit vouloir les associer à la recherche de solutions collectives aux problèmes de sous-développement. Mais ces justifications de bon aloi ne convainquent pas entièrement. De fait, lorsqu'on consulte l'énoncé de 1991, afin de savoir quelle place y est faite aux pays en voie de développement, on constate que ceux-ci n'y font simplement plus l'objet d'un développement particulier. Tout au plus y est-il question, à l'occasion, de l'expertise que le Québec pourrait apporter aux pays en voie de développement ou des marchés potentiels qu'ils représentent, ou encore de la formation avancée offerte par le Québec aux étudiants provenant des pays en voie de développement[40].

Pour en savoir davantage, il faut nécessairement chercher quels types d'actes ont été posés en fonction de cet objectif. Or, la première difficulté que l'on rencontre à cet égard est que très peu des visites effectuées à l'étranger par des représentants du gouvernement québécois semblent avoir eu comme destinataire un ou des pays en voie de développement en tant que tels, et que de la même façon très peu d'ententes semblent avoir été conclues avec ces derniers. Mais cette contradiction entre le discours et les actes n'est qu'apparente, car les visites et les ententes sont plutôt prises en compte sous le nom du pays qui reçoit la visite ou du pays avec lequel une entente est conclue.

Dès lors que l'on envisage le comportement du Québec à l'égard des pays en voie de développement en fonction de pays particuliers ou de régions, l'explication du grand nombre de références aux pays en voie de développement sous le second mandat Lévesque devient plus claire. C'est plus spécialement durant cette période, en effet, que les visites de représentants québécois en Afrique ont été les plus nombreuses et que la majorité des ententes avec des pays africains en matière d'exonération des frais de scolarité ont été conclues. Or, à cette même époque, la question de la participation du Québec à un éventuel sommet francophone est toujours bloquée et au dire du vice-premier ministre Jacques-Yvan Morin, le Québec se voit refuser le droit de représenter lui-même ses intérêts en Afrique francophone et fait même l'objet d'un boycottage par l'ACDI[41]. De là à voir dans l'intérêt marqué du Québec pour l'aide aux pays en voie de développement une stratégie afin d'obtenir l'appui des pays africains en particulier, il n'y a qu'un pas.

Mais avant de conclure trop rapidement à une action justifiée uniquement par des considérations politiques, il ne faudrait pas perdre de vue les engagements réels du Québec à l'égard des pays en voie de développement, que ce soit sur une base bilatérale, comme dans le cas des ententes concernant l'exonération des droits de scolarité, ou encore sur une base multilatérale, par le biais d'ententes conclues avec divers organismes des Nations Unies ou avec l'Agence de coopération culturelle et technique. Il ne faudrait pas non plus perdre de vue le travail fait en collaboration avec l'Agence canadienne de développement international, lequel n'a jamais complètement cessé. L'aide aux pays en voie de développement, dans le discours gouvernemental des années quatre-vingt, n'est peut-être pas désintéressée sur le plan politique, mais elle n'est pas pour autant un vain mot. Le discours des années quatre-vingt-dix, pour sa part, laisse entrevoir une relation avec les pays en voie de développement beaucoup plus orientée vers les échanges. De l'aide aux pays en voie de développement, il n'en est simplement plus question.

Conclusion

Comme on l'aura constaté, les cibles générales et institutionnelles occupent une place importante dans l'action internationale du Québec. Mais cette importance varie avec les cibles et aussi dans le temps.

L'environnement économique international est devenu manifestement la cible générale la plus importante. Depuis le début des années soixante, en fait, son importance s'est toujours accrue, au point qu'elle dépasse maintenant celle de la France. Or ce développement, remarquable à bien des égards, a eu une double conséquence. D'abord, il a contribué à modifier significativement la perception traditionnelle qu'on se faisait du rôle du ministère en matière économique. Alors qu'on était davantage porté à mettre l'accent sur les contacts avec l'étranger, laissant aux ministères sectoriels la définition des intérêts du Québec, et partant des objectifs à poursuivre sur le plan international, il est maintenant clair que le ministère doit disposer de sa propre capacité d'analyse et de recherche s'il veut effectivement jouer le rôle de coordination et de représentation qui lui est dévolu. Le résultat d'un tel changement est qu'une direction générale comme celle de la politique commerciale, par exemple, travaille essentiellement sur place. Des rencontres nombreuses avec des partenaires canadiens et étrangers certes sont nécessaires; mais le travail d'analyse des données et de définition des positions à prendre se déroule sur place. Même en matière de promotion des exportations, on en est venu à réaliser avec le temps que s'il était essentiel de bien connaître les marchés étrangers et d'y disposer de contacts, cela n'excluait pas, bien au contraire, le travail de fond auprès des producteurs locaux afin de les sensibiliser aux conséquences et possibilités découlant de l'ouverture des marchés. D'où l'importance évidente accordée maintenant à la dimension communication dans le travail du ministère sur le plan économique.

Autre conséquence de l'importance croissante accordée à l'environnement économique international, des cibles telles que les organisations internationales, les pays en voie de développement, et même la Francophonie à certains égards, ont vu leur importance relative diminuer. Il suffit pour s'en convaincre de comparer les deux énoncés de politique internationale de 1985 et de 1991. Même si l'on ne peut parler d'un changement de cap majeur dans les relations internationales du Québec, force est de reconnaître que malgré tout quelque chose a changé. L'internationalisation de l'économie et la mondialisation des marchés sont devenus en quelque sorte les nouveaux leitmotive de l'action internationale du Québec.

Enfin, si la Francophonie demeure encore, parmi les cibles générales et institutionnelles, la seconde en importance, cela est dû à la force d'attraction qu'elle exerce en tant qu'institution internationale ouverte à la participation directe du Québec. Mais son importance dans le discours gouvernemental tend à varier et les dernières années laissent entrevoir, de ce point de vue, une baisse relative de l'importance accordée. Cela est possiblement dû au fait que la Francophonie a maintenant atteint sa vitesse de croisière et ne constitue plus un sujet de préoccupation. Pour les actes, certes, elle fait toujours l'objet d'une activité soutenue. Le danger, cependant, est qu'à trop la tenir pour acquise, le gouvernement du Québec finisse par ne plus s'y intéresser.

Notes

1. GOUVERNEMENT DU QUÉBEC, *Le Québec et l'interdépendance. Le monde pour horizon*, ministère des Affaires internationales, 1991, p. 11.
2. Voir sur ce mandat Shiro NODA, *Les relations internationales du Québec de 1970 à 1980: comparaison des gouvernements Bourassa et Lévesque*, thèse de doctorat non publiée, Université de Montréal, 1988, p. 313 ss.
3. Dix-neuf des quarante objectifs dans le domaine de l'économie internationale parlent d'investissements; une seule fois est-il question d'échanges commerciaux.
4. S. NODA, *op. cit.*, p. 70.
5. Claude MORIN, «La politique extérieure du Québec», *Études internationales*, vol. IX, n° 2, juin 1978, pp. 281, 285.
6. Dans la formulation des énoncés relatifs à l'économie, au commerce et à la finance, il est question à 55 reprises de favoriser le développement des échanges entre le Québec et les pays étrangers et à seulement 7 reprises de favoriser l'accroissement des investissements étrangers. Tableau domaines/échanges.
7. Plus particulièrement des responsabilités que cette dernière avait assumées depuis le début des années soixante-dix en matière de coordination interne et de représentation externe.
8. MINISTÈRE DES RELATIONS INTERNATIONALES, *Le Québec dans le monde ou le défi de l'interdépendance: Énoncé de politique de relations internationales*, juin 1985, 204 p.
9. GOUVERNEMENT DU QUÉBEC, *La libéralisation des échanges avec les États-Unis: une perspective québécoise*, avril 1987, 88 p.
10. MINISTÈRE DES AFFAIRES INTERNATIONALES, *Les négociations commerciales multilatérales de l'Uruguay Round*, mars 1990, 120 p.
11. MINISTÈRE DES AFFAIRES INTERNATIONALES, *La libéralisation des échanges commerciaux entre le Canada, les États-Unis et le Mexique*, 1992, 70 p.
12. MINISTÈRE DES AFFAIRES INTERNATIONALES, *Le Québec et l'Accord de libre-échange nord-américain*, 1993, 96 p.
13. MINISTÈRE DES RELATIONS INTERNATIONALES, *Le Québec dans le monde ou le défi de l'interdépendance*, juin 1985, p. 61.
14. *Ibid.*, p. 23.
15. *Ibid.*, p. 53.
16. *Ibid.*, p. 54.
17. *Id.*
18. *Ibid.*, pp. 55-56.
19. *Ibid.*, p. 57.
20. *Ibid.*, p. 56.

21. Québec, Ministère des Affaires internationales, *Répertoire des ententes internationales du Québec, 1964-1991*, p. 92.

22. Paul Martin, Secrétaire d'État aux Affaires extérieures, Fédéralisme et relations internationales, Ottawa, Imprimeur de la Reine, 1968; Mitchell Sharp, Secrétaire d'État aux Affaires extérieures, Fédéralisme et conférences internationales sur l'éducation, Ottawa, Imprimeur de la Reine, 1968.

23. Sur cet épisode, voir entre autres Claude Morin, *L'art de l'impossible. La diplomatie québécoise depuis 1960*, Montréal, Boréal Express, 1987, pp. 113-176.

24. Pour un point de vue fédéral sur cette période, voir Michel de Goumois, «Le Canada et la Francophonie», *Études Internationales*, vol. v, 1974, p. 355.

25. Voir sur ces événements Jean Tardif, «La Francophonie institutionnelle et le Québec», *Revue québécoise de droit international*, vol. 1, 1984, pp. 1-28; aussi Claude Morin, *op. cit.*, pp. 422-430.

26. Ivan Bernier, «Les sommets francophones et le défi de la modernité: perceptions, intérêts et objectifs des principaux partenaires — Le Canada-Québec», *Les sommets francophones, nouvel instrument de relations internationales*, Québec, Centre québécois de relations internationales, 1987, p. 64.

27. Hélène Galarneau, «Les relations extérieures du Québec», *Études internationales*, vol. xvi, n° 3, septembre 1985, p. 637.

28. *Le Québec dans le monde..., op. cit.*, pp. 138-139.

29. Hélène Galarneau, «Chronique des relations internationales du Québec», *Études internationales*, vol. xvii, n° 1, mars 1986, p. 149.

30. Voir à ce sujet Agence de coopération culturelle et technique, *Agecop-Liaison*, janvier-février 1986.

31. *Le Québec et l'interdépendance..., op. cit.*, p. 21

32. Chapitre 8.2.1.

33. Ministère des Affaires internationales, *L'horizon de la Francophonie internationale, L'engagement du Québec*, 1991.

34. Voir à ce sujet la Chronique des relations internationales du Québec de la revue *Études internationales* pour les mois d'avril 1990, septembre 1990, mars 1991, décembre 1991 et mars 1992.

35. Ministère des Affaires internationales, *Répertoire des ententes internationales du Québec (1964-1991)*, pp. 91-96.

36. Gouvernement du Québec, ministère des Affaires internationales, Cabinet du ministre délégué à la Francophonie, 10 avril, 1991, Communiqué de presse: un bilan positif de la contribution du Québec en Francophonie.

37. Voir le tableau 8.1 à ce sujet.

38. *Le Québec et l'interdépendance..., op. cit.*, p. 181-182.

39. *Le Québec dans le monde..., op. cit.*, p. 137.

40. *Le Québec et l'interdépendance..., op. cit.*, pp. 96, 169, 174

41. Hélène Galarneau, «Chronique des relations internationales du Québec», *Études internationales*, vol. xiii, mars 1982, p. 161.

Conclusion

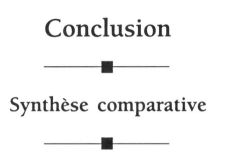

Synthèse comparative

Gordon MACE *et Louis* BÉLANGER*

Lorsque, dans l'évolution des sciences médicales, on a voulu connaître les causes de certaines maladies ou l'effet de médicaments particuliers, il a fallu s'assurer de bien connaître l'organe ou le système affecté. On a dû alors disséquer l'objet et l'étudier sous différents angles pour avoir la connaissance la plus précise possible de son fonctionnement. Alors seulement, il a été possible d'évaluer l'impact de facteurs externes sur l'organe ou le système en question.

On retrouve un procédé analogue dans les sciences sociales. Pour comprendre comment un phénomène de société évolue, comment il reste le même ou se transforme et comment il est influencé par des déterminants d'ordre interne ou externe, il faut au préalable s'assurer de connaître le mieux possible le phénomène en question en cernant du mieux que l'on peut ses différents contours. C'est seulement après avoir tracé cette carte cognitive que l'on peut commencer à expliquer l'évolution d'un phénomène.

C'est exactement ce qu'il a fallu faire dans le cas des relations internationales du Québec. Malgré une littérature déjà substantielle[1], un des problèmes majeurs pour l'analyse est que nous ne possédions pas à ce jour un tableau exhaustif ou une carte précise de ce qu'a été le comportement international du gouvernement du Québec depuis les trente dernières années. Dans ces circonstances, toute explication sur les relations internationales du Québec ne pouvait être que partielle et incomplète.

Le principal préalable pour une bonne analyse passait donc par l'exercice de la description la mieux structurée possible de ce qui a été réalisé depuis trente ans. Au-delà de l'explication, cet exercice avait également l'avantage de fournir une aide utile pour la prise de décision future puisque la cohérence de l'action à venir repose en bonne partie sur la connaissance adéquate de ce qui a été fait dans le passé.

Il était par conséquent normal que ce volume sur les relations internationales du Québec de 1960 à 1989 soit d'abord centré sur la description du comportement gouvernemental. C'est le gouvernement du Québec en effet qui a été le principal intervenant dans les rapports du Québec avec l'extérieur et son rôle à cet égard continuera à être substantiel dans l'avenir. C'est donc son action qu'il convenait surtout de chercher à préciser pour mieux l'expliquer.

Les pages qui précèdent sont assez explicites quant à la typologie proposée pour classifier le comportement externe du gouvernement québécois. Cette typologie nous a permis de décortiquer l'action internationale du Québec selon trois moments centraux de l'action politique. La formulation des priorités a été étudiée à travers l'énoncé des objectifs. Nous avons ensuite cerné les moyens d'action en isolant les ressources budgétaires et humaines utilisées dans la conduite de la politique internationale. Enfin, la gestuelle de la politique extérieure a été étudiée par le biais des visites ministérielles et des ententes conclues à l'étranger. Dans certains cas particuliers, les auteurs ont également introduit des éléments concernant les programmes de coopération.

Dans ce volume, les auteurs ont choisi une présentation qui axe d'abord l'attention sur les cibles géographiques. L'intérêt de procéder par régions géographiques et par pays principaux est évident. Cela permet tout d'abord à la personne qui s'intéresse à une région spécifique, par exemple l'Afrique, d'avoir un portrait complet de cette région pour l'ensemble de la période étudiée. Partant de là, il y a une bonne base pour l'analyse subséquente de l'action internationale du Québec à l'égard de cette région. Ensuite, la présentation par régions facilite la comparaison des relations internationales du Québec selon les grandes régions du monde. Enfin, cela prépare le terrain pour une comparaison ultérieure de l'action internationale des provinces canadiennes et pour une mise en parallèle éventuelle avec le comportement de politique étrangère du gouvernement fédéral.

Cependant, ce type de présentation a sans doute le désavantage de ne pas attirer suffisamment l'attention sur les grandes tendances dans l'évolution du comportement international du Québec. C'est pourquoi il faut maintenant revenir à une présentation qui insiste davantage sur les moments clés du comportement de façon justement à faire ressortir ces grandes tendances. Ce sera là l'objet de la première partie de ce chapitre. L'autre partie, quant à elle, cherchera plutôt à montrer comment la gestuelle extérieure du gouvernement varie en fonction du type d'interlocuteur étranger. On veut ainsi voir comment s'exprime, à même notre mesure de la politique internationale du Québec, la contrainte que lui impose son statut de province. On terminera le chapitre par un court développement esquissant les principaux éléments pour un modèle d'explication qu'il reste à construire et à appliquer au comportement international du Québec. On retrouvera là des éléments pour la suite de l'étude des relations internationales du Québec de même que pour une analyse comparative de l'action internationale des provinces canadiennes.

En guise de bilan...

Lorsqu'on examine les données disponibles pour l'ensemble de la période étudiée, il y a trois points majeurs qui retiennent davantage l'attention en ce qui concerne l'action internationale du Québec. Ce qui frappe tout d'abord, c'est la croissance continue et même exponentielle des activités internationales du Québec d'une décennie à l'autre. Indépendamment des gouvernements en cause et de leurs orientations politiques ou idéologiques, indépendamment de l'état des relations fédérales-provinciales et peu importe les soubresauts sur la scène internationale, tous les gouvernements québécois l'un après l'autre ont dû répondre à la pression constante d'une présence accrue à l'étranger. Cela se vérifie pour tous les indicateurs examinés et cette tendance illustre de façon éclatante le concept d'interdépendance si souvent utilisé de nos jours. L'articulation des différentes parties du monde au système international est devenue telle au cours des dernières décennies qu'aucun gouvernement, y compris ceux des États fédérés et même des villes[2], ne peut se permettre de ne plus être présent sur la scène internationale.

La deuxième grande tendance, qui accompagne et renforce la première, concerne l'élargissement progressif de l'action internationale du Québec en ce qui a trait aux cibles géographiques. Traditionnellement et encore aujourd'hui, les cibles prédominantes dans les relations internationales du Québec sont les États-Unis, la France et certains pays de l'Europe de l'Ouest, notamment la Belgique, le Royaume-Uni, l'Allemagne et l'Italie. Cette situation est tout à fait normale lorsqu'on considère le poids économique allié à la proximité géographique des États-Unis, l'importance de la France sur le plan de la langue et de la culture ainsi que les affinités culturelles de même que les liens économiques avec l'Europe de l'Ouest.

Ce qu'on remarque toutefois, surtout depuis le début des années quatre-vingt, c'est l'élargissement de l'action internationale du Québec vers les autres régions du monde, principalement l'Asie, l'Amérique latine et l'Afrique. Cette tendance est assez similaire à celle constatée dans la politique étrangère canadienne, à une ou deux décennies d'intervalle, et montre bien que le Québec, à l'instar des autres pays industrialisés, doit aller maintenant au-delà de ses zones traditionnelles d'intervention pour développer ses marchés et appuyer ainsi son développement économique. La situation est toutefois encore fluide à cet égard et l'avenir dépendra beaucoup des milieux d'affaires québécois et de leur capacité à sortir du cocon nord-américain.

Le dernier trait caractéristique de l'activité internationale du Québec est sa forte concentration dans les secteurs socio-économiques. Les domaines d'action privilégiés par les divers gouvernements québécois dans leurs rapports avec l'étranger ont été en effet le commerce et l'économie ainsi que l'éducation et la culture. Ce qui n'a rien de bien surprenant. Le Québec en cela n'adopte pas un comportement spécifique d'État fédéré, comme on le pense souvent, mais agit exactement de la même façon que la plupart des gouvernements du monde, y compris ceux des grandes puissances.

Cela dit, examinons plus en détail le portrait global du comportement international du Québec afin d'approfondir la vision d'ensemble que nous venons de commencer à esquisser. Pour ce faire, nous allons passer en revue les trois grands axes du comportement québécois en commençant par la formulation des priorités.

La formulation des priorités à travers les objectifs

On peut considérer que l'énonciation de 1509 objectifs sur une période de 25 ans ne constitue pas un discours de politique étrangère très élaboré. Après tout, cela ne fait environ que 60 objectifs par année dont plusieurs peuvent être tirés d'un seul et même discours. Si on se rappelle toutefois les conditions strictes appliquées pour la codification d'un objectif, on sait alors que pour un objectif retenu, deux, trois et parfois même quatre énoncés d'intention ont été rejetés. On ne peut donc pas dire que le discours de politique étrangère québécois est limité. La moyenne annuelle québécoise n'est que légèrement inférieure à ce qui a été constaté dans le cas de la politique étrangère canadienne à partir de la collection *Déclarations et Discours*[3]. C'est quand même significatif.

Le tableau 9.1, page 346, montre que sur le plan des relations internationales, le gouvernement du Québec parle beaucoup et qu'il parle à tout le monde de tout. Mais pas de la même façon. Les principales cibles géographiques ont toujours été les États-Unis, la France ainsi que les pays d'Europe de l'Ouest. Face à ces interlocuteurs, le Québec a tenu un discours où sont surtout intervenues des préoccupations d'ordre économique, culturel et éducationnel. De façon un peu surprenante, très peu d'objectifs ont trait au secteur de l'immigration et la France est peu visée lorsqu'on énonce des objectifs de nature politico-diplomatique. Le tableau 9.2, page 347, quant à lui, révèle que l'Afrique, l'Amérique et l'Asie sont devenues des cibles du discours québécois à partir du milieu des années soixante-dix et surtout à partir du début des années quatre-vingt. L'Asie domine légèrement par rapport aux deux autres régions pour ce qui est du total des objectifs, mais c'est l'Afrique qui fait bande à part lorsqu'on examine le domaine des objectifs. En effet, ce qui intéresse surtout le gouvernement du Québec en Afrique, à tout le moins sur le plan du discours, ce sont les questions liées à l'éducation et à la science, tandis que face à l'Asie et à l'Amérique latine on privilégie tout d'abord les domaines économiques et politiques-diplomatiques.

On sera peut-être surpris de constater l'importance de la catégorie «génériques» qui vient en tout premier rang en ce qui concerne les interlocuteurs visés. Le tableau 9.1 révèle, toutefois, que même lorsqu'il s'agit de la catégorie «génériques», le domaine prioritaire du discours québécois demeure l'économie. L'importance accordée à une

Tableau 9.1

Répartition des objectifs par domaine et par région

	Cibles génériques et institutionnelles				Cibles régionales							In-classable	Total
	Cibles générales	Organisations internationales	Francophonie	Autres	Afrique	Amérique latine	Asie	Amérique du Nord	France	Europe	Moyen-Orient		
politique/ diplomatique	20	1	1	1	3	12	13	25	7	26	0	6	115
institutionnel/ organisationnel	15	20	46	5	1	2	1	14	5	0	0	1	110
culture/ communication	24	2	26		2	1	5	39	41	14	1	3	158
économie/ commerce	200	7	14	17	9	11	32	139	69	71	6	23	598
éducation/ science	14	5	6	10	18	4	7	21	36	14	1	2	138
immigration	8				0	0	3	0	3	1	1	5	21
écologie/ environnement	5	1	1		1	2	0	8	0	0	0	0	17
PVD	4		4	24	4	2	0	0	0	0	1	0	40
affaires sociales/ travail	6	5		1	1	2	0	5	8	3	3	0	34
mobilité	1		0	0	0	4	1	0	0	0	6	0	34
général	6		45	19	11	5	26	42	60	48	4	1	267
Total	303	41	143	77	50	41	87	297	230	177	17	41	1504
%	20%	3%	10%	5%	3%	3%	5%	20%	15%	12%	1%	3%	100%

Source: Banque de données du projet PARIQ.

Tableau 9.2

Nombre d'objectifs par mandat et par région

	Lesage	Johnson	Bertrand	Bourassa 1	Bourassa 2	Lévesque 1	Lévesque 2	Total
Afrique	0	0	2	2	1	1	44	50
Amérique latine	0	0	0	0	8	4	29	41
Asie-Océanie	0	0	0	2	3	5	77	87
Amérique du Nord	32	8	22	20	8	28	179	297
Europe	15	2	10	17	46	21	66	177
France	15	20	8	24	66	25	72	230
Moyen-Orient	0	1	0	0	7	2	7	17
Génériques	35	13	3	32	50	39	131	303
Organisations internationales	1	0	0	5	21	1	13	41
Francophonie	2	11	12	22	16	31	49	143
Autres	2	1	0	0	1	20	53	77
Inclassables	0	4	2	4	2	4	30	46
Total	102	60	59	128	229	181	750	1509
%	7%	4%	4%	8%	15%	12%	50%	100%

Source: Banque de données du projet PARIQ.

institution comme la Francophonie dénote, quant à elle, une politique assez semblable à celle du Canada et à celle d'autres pays, petits et moyens qui, à la différence des grandes puissances, comptent sur leur participation à des organisations internationales pour préserver ou accroître leur statut.

Le tableau 9.3 montre comment a évolué le discours de politique extérieure du Québec d'un gouvernement à l'autre, en terme de domaines d'activité visés. Sur un plan général, ce qui frappe à prime abord c'est l'inflation verbale constatée à l'époque du deuxième gouvernement du Parti québécois. Le nombre d'objectifs quadruple par rapport à la période antérieure, ce qu'on n'avait jamais vu auparavant. La tenue du sommet sur le Québec dans le monde, la création du nouveau ministère du Commerce international et la traditionnelle augmentation de visites ministérielles de fins de mandats électoraux peuvent être à l'origine du phénomène[4]. L'autre élément central à retenir est la constante prédominance du secteur de l'économie et du commerce pour chacun des gouvernements en cause.

À l'inverse, les domaines de l'immigration, de l'environnement et écologie, des affaires sociales et du travail, ainsi que tout ce qui touche le développement des pays du Tiers monde sont à peu près ignorés jusqu'en 1980. Et encore là, la proportion par rapport au total des objectifs est tout à fait minime. Si certaines raisons peuvent expliquer un intérêt moindre pour un certain nombre de ces domaines, on est tout de même surpris du peu de place accordé à l'immigration, compte tenu des problèmes de natalité au Québec et des demandes de pouvoirs accrus en immigration par le gouvernement du Québec dans le cadre des négociations fédérales-provinciales. Seul le gouvernement Johnson a accordé une certaine importance (15% des objectifs formulés) à un sujet qui en est venu à compter pour moins de 1% des objectifs de politique extérieure du deuxième gouvernement Lévesque. Il semble donc que le discours gouvernemental en matière d'immigration ne pénètre pas celui, plus général, de la politique extérieure.

Il reste tout de même que c'est sous le dernier gouvernement Lévesque que le discours de politique internationale du Québec s'est le plus diversifié. L'économie est encore très présente puisque le Québec cherchait à sortir d'une récession majeure, mais d'autres domaines sont aussi abordés et qui font dorénavant partie du programme des relations internationales. Ainsi, 16 des 17 objectifs de politique étrangère du Québec en matière d'environnement sont alors formulés. C'est

Tableau 9.3

Nombre d'objectifs par domaine et par mandat

	Lesage	Johnson	Bertrand	Bourassa 1	Bourassa 2	Lévesque 1	Lévesque 2	Total
politique/ diplomatique	3	0	10	6	12	28	56	115
institutionnel/ organisationnel	1	3	2	10	29	21	44	110
culture/ communication	26	13	8	19	32	10	50	158
économie/ commerce	48	13	21	62	79	41	339	603
éducation/ science	6	9	3	9	25	12	74	138
immigration	1	9	2	0	2	4	3	21
écologie/ environnement	0	0	0	0	0	1	16	17
PVD	0	2	1	1	7	2	27	40
affaires sociales/ travail	2	0	0	0	10	5	17	34
mobilité des Québécois	0	0	0	0	1	0	5	6
général	15	11	12	21	32	57	119	267
Total	102	60	59	128	229	181	750	1509
%	7%	4%	4%	8%	15%	12%	50%	100%

Source: Banque de données du projet PARIQ.

sous le deuxième gouvernement du Parti québécois que sont également énoncés plus de la moitié des objectifs concernant le développement des pays du Tiers monde, les affaires sociales et le travail, ainsi que la mobilité des travailleurs.

Il y a donc là une diversification dans le discours qui tend à montrer que les relations internationales sont maintenant devenues un phénomène normal et régulier dans le comportement gouvernemental québécois. Nous n'avons pas toutes les données pour ce qui concerne les deux derniers gouvernements du Québec, mais le contenu de l'énoncé de politique de 1991 montre de nouveau la constance de l'action internationale du Québec depuis les trente dernières années.

Ainsi, on y remarque que les domaines d'action privilégiés sont, par ordre d'énumération: l'économie, la science et la technologie, la culture, les communications et la langue, les ressources humaines, les affaires sociales et l'environnement, le rayonnement ainsi que les relations intergouvernementales et institutionnelles[5]. On mentionne, par ailleurs, cinq grands objectifs devant guider l'action internationale du Québec:

— Conduire les affaires internationales comme un instrument important de rayonnement et de développement économique et socioculturel.

— Établir un ordre de priorité dans les activités internationales: le développement économique, la coopération scientifique et le développement technologique, le développement des ressources humaines et le développement culturel.

— Favoriser le partenariat comme mode d'action privilégié.

— Développer une approche intégrée.

— Développer une stratégie axée sur la recherche de l'effet multiplicateur[6].

Par conséquent, l'analyse des objectifs révèle que les grands traits du discours québécois en matière de relations internationales peuvent être résumés de la façon suivante. On remarque tout d'abord une croissance importante et soutenue du discours d'une décennie à l'autre pour les trente dernières années. Depuis le début des années quatre-vingt en particulier, le Québec tient un discours de relations internationales assez identique, sur le plan de l'ampleur et du contenu, à celui tenu par la plupart des gouvernements d'États souverains, à l'exception des grandes puissances.

Deuxièmement, les cibles géographiques des discours sont devenues plus diversifiées avec le temps. Avant 1970, on s'adressait essentiellement aux États-Unis, à la France et à certains pays d'Europe de l'Ouest. Depuis le milieu des années soixante-dix et surtout à partir du début des années quatre-vingt, le Québec a élargi les cibles du discours vers l'Afrique, l'Asie et l'Amérique latine. Ainsi, on constate avec intérêt que le deuxième gouvernement du Parti québécois a formulé au cours de son mandat plus d'objectifs à l'égard de l'Asie qu'en ce qui concerne l'Europe et même la France.

Enfin, le dernier trait dominant est la priorité accordée aux domaines économie/commerce, culture/communications et éducation/ science. C'est une tendance uniforme chez tous les gouvernements québécois, à l'exception du gouvernement Bertrand et des gouvernements Lévesque où, comme on peut le voir au tableau 9.3, le domaine politique/diplomatique vient aux deuxième et troisième rangs. Considérant que les objectifs de ce domaine ont surtout trait au maintien et à l'accroissement de liens politiques et institutionnels, via, entre autres, les ouvertures de délégations, le membership à des organisations et la création de mécanismes institutionnels d'intégration de la démarche internationale québécoise, on explique alors le phénomène par les discussions entourant la participation du Québec aux conférences des ministres de l'Éducation de la Francophonie à l'époque du gouvernement Bertrand et à l'ouverture de délégations québécoises, de même qu'aux négociations pour la participation du Québec aux institutions de la Francophonie sous les gouvernements Lévesque. L'importance des secteurs de l'économie, de la science et de la culture est par ailleurs confirmée dans l'énoncé de politique de 1991 dont l'un des traits dominants est l'articulation dorénavant beaucoup plus ferme de la politique internationale aux impératifs de développement de la société québécoise. On notera, par rapport à ce dernier point, le parallèle évident avec les orientations de la politique étrangère canadienne initiées par le Livre blanc de 1970 et renforcées au cours des années quatre-vingt.

L'utilisation des ressources

Naturellement, toute formulation de priorités deviendrait un exercice sans conséquence si un gouvernement n'appuyait pas cette formulation par l'utilisation de ressources ou d'instruments d'action appropriés. Nous avons donc analysé les ressources utilisées par le gouvernement du Québec dans la poursuite de ses activités internationales en privilégiant l'étude des effectifs professionnels et des dépenses gouvernementales. Comme l'avait précédemment remarqué Noda, ces deux indicateurs traduisent assez bien l'effort consenti par un gouvernement dans un secteur donné. L'autre avantage que possèdent ces deux indicateurs est de fournir un instrument de mesure standardisé.

En ce qui a trait aux effectifs professionnels[7] en poste hors Québec, le tableau 9.4 permet certaines constatations intéressantes. On y remarque tout d'abord que le personnel chargé de l'administration des bureaux et délégations est passé d'une moyenne de 5 dans les années soixante à une moyenne de 17 à partir du milieu des années soixante-dix. Sans exclure tout à fait la tendance naturelle des grandes organisations à gonfler leur personnel administratif, nous croyons que l'augmentation des chargés d'administration des délégations du Québec s'explique plutôt par l'accroissement constant des activités de ces délégations. Aux quelques fenêtres frileusement ouvertes sur le monde dans les années soixante ont succédé des centres névralgiques d'activité indispensables au développement de la société québécoise.

Le tableau révèle également l'accroissement constant, jusqu'en 1986, des effectifs chargés des dossiers économiques. Malgré une légère diminution depuis lors, la forte prépondérance des effectifs professionnels affectés aux affaires économiques et commerciales est en parfaite conformité avec l'importance accordée à ce domaine sur le plan du discours.

Par ailleurs, on remarquera trois éléments de discordance par rapport au discours gouvernemental ou encore par rapport à l'image que l'on se fait en général du gouvernement de Robert Bourassa. Quant à ce dernier point, il est intéressant de constater qu'un gouvernement largement perçu pour son intérêt dominant à l'égard des questions économiques a doublé en quatre ans le personnel des délégations responsable des dossiers politiques et d'affaires publiques. Ce fait ne manque pas de surprendre lorsqu'on considère qu'il n'y a jamais eu plus d'un professionnel chargé de ces questions avant 1985-1986 et donc durant toute la durée des gouvernements du Parti québécois.

On note ensuite la discordance frappante entre l'intérêt très faible accordé à l'immigration sur le plan du discours et la croissance constante des effectifs professionnels affectés à ce domaine. L'immigration est en effet devenue en 1988-1989 le deuxième domaine en importance du point de vue de la distribution des effectifs professionnels. Enfin, le domaine éducation/science, toujours important dans le

Tableau 9.4

Nombre de professionnels par domaine et par mandat

Années	Éducation	Immigration	Culture	Coopération	Économie	Politique	Administration	Information	Autres	Total
1965-1966	0	0	0	0	6,5	0	5	1	1	13,5
1971-1972	6	7	1	0	22	0	5	4	2	47
1973-1974	7	7	1	0	24	0	13	4	3	59
1976-1977	5	15	3	2	26	1	20	3	6	81
1980-1981	5	17	3	3	46	1	18	4	11	108
1985-1986	6,5	19	1,5	4	62	5	20	5	15	138
1988-1989	4	28	2,5	7	56	10	19	4	4	134,5

Source: Banque de données du projet PARIQ.

discours de relations internationales des différents gouvernements québécois et troisième catégorie en importance de 1980 à 1985, est un secteur en déclin sur le plan de la distribution des effectifs professionnels. On remarque en effet que cette catégorie de professionnels est passée de 13% du total en 1971-1972 à 3% en 1988-1989. Pour le reste, les effectifs professionnels affectés au domaine culture/communications sont demeurés sensiblement les mêmes au cours de la période observée, tandis que ceux affectés à la coopération croissent sans cesse depuis 1976 pour atteindre 5,2% des effectifs totaux à la fin des années quatre-vingt[8].

Le tableau 9.5, page 355, pour sa part, présente une distribution des effectifs professionnels par région géographique et par mandat. On note tout d'abord la progression constante des effectifs qui ont atteint le total de 138 en 1985-1986. L'effort de rationalisation entrepris par le gouvernement du Québec depuis 1986 n'a pas touché outre mesure le secteur des relations internationales puisque le nombre d'effectifs professionnels n'a diminué que de quatre unités de 1986 à 1988-1989. L'accroissement des effectifs professionnels doit être mis en relation avec le réaménagement survenu dans le réseau de représentations diplomatiques du Québec au cours des années quatre-vingt. Ce réaménagement a fait en sorte qu'à la fin de l'année 1991 on se retrouve avec deux délégations générales de plus qu'en 1980, combiné à l'ajout de trois délégations[9]. Au total, le nombre de représentations diplomatiques a été à peine modifié, mais les changements de statut de certaines représentations signifient en bout de ligne un plus grand volume d'activités et donc une charge totale accrue[10].

Le tableau 9.5 montre également de quelle façon s'est opérée la redistribution des effectifs professionnels des délégations au cours des années quatre-vingt. On remarque en premier lieu que les États-Unis ont cédé le pas à l'Europe de l'Ouest comme première région d'importance pour les effectifs professionnels. La situation privilégiée de l'Europe s'explique probablement par l'importance qu'accorde le gouvernement du Québec au marché européen et aux implications pour le Québec de l'avènement du marché unique à partir de 1992. On demeure toutefois surpris, compte tenu de l'imbrication économique du Québec dans la région, que l'Accord de libre-échange Canada-États-Unis et l'adoption éventuelle d'un traité de libre-échange nord-américain n'aient pas été accompagnés d'un accroissement des effectifs en Amérique du Nord[11]. Sans doute que cette tendance est appelée à être renversée dans les années à venir.

On constate ensuite le déclin relatif constant de la France. Le nombre d'effectifs professionnels du Québec en poste à Paris demeure sensiblement le même depuis le milieu des années soixante-dix, mais la proportion de la France à cet égard est passé de 45% durant le mandat Johnson à 17,9% au milieu des années quatre-vingt. En chiffres absolus, la France, qui était au premier rang en 1973-1974, est maintenant passée au troisième rang et sera sans doute bientôt surpassée par l'Asie. Cette évolution est assez normale si l'on tient compte de l'intérêt dominant du Québec pour les affaires économiques dans son activité internationale et le rôle traditionnellement faible de la France dans les relations économiques extérieures du Québec. Cependant, on ne doit pas oublier que la France ne possède qu'une représentation diplomatique québécoise comparativement à sept pour les États-Unis, huit pour l'Europe et cinq pour l'Asie. De ce point de vue,

Tableau 9.5
Nombre d'effectifs professionnels par région par mandat

Années	États-Unis	Amérique latine	France	Europe	Asie	Afrique	Moyen-Orient	Total
1965-1966	4	0	8	4,5	0	0	1	17,5
1971-1972	14	0	20	13	0	1	1	49
1973-1974	16	0	24	16	1	1	1	59
1976-1977	19	2	26	29	2	1	2	81
1980-1981	40	14	23	32	7	1	2	119
1985-1986	42	15	25	38	17	1	0	138
1988-1989	36	11	24	38	23	1	1	134

Source: Banque de données du projet PARIQ.

l'allocation de 24 professionnels est tout de même le signe d'un intérêt pour la France qui n'a pas d'équivalent, exception faite des États-Unis.

Enfin, les chiffres du tableau 9.5 attirent l'attention sur le rôle croissant de l'Asie dans la distribution des effectifs professionnels du Québec en poste à l'étranger, de même que sur l'espèce de transfert qui s'est opéré à cet égard entre l'Amérique latine et l'Asie. Ces chiffres attestent à l'évidence de l'attrait du «mirage» asiatique pour le Québec, comme c'est d'ailleurs le cas pour le Canada. L'activité internationale du Québec en Asie a bien sûr permis certains gains, mais on peut s'interroger sur une priorisation de l'Asie par rapport à l'Amérique latine, dans la politique internationale actuelle du Québec, à la lumière des minces résultats économiques obtenus dans le passé et compte tenu de l'éloignement géographique, ainsi que des ouvertures à venir pour le Québec dans les Amériques que permettent d'entrevoir l'ALENA et l'initiative Bush pour les Amériques. Encore là, des réajustements sont sans doute à prévoir ultérieurement.

Avant de clore cette section sur l'utilisation des ressources, nous traiterons des dépenses gouvernementales. Cette question des dépenses des délégations doit malheureusement être abordée plus rapidement parce que la compilation faite par les services gouvernementaux n'est ventilée ni par mandat ni par domaine. Qui plus est, d'autres problèmes ont encore affaibli la portée de cet indicateur tels l'absence de données pour deux années financières complètes et les changements intervenus dans les méthodes de comptabilité.

Le portrait global des dépenses des délégations est donc moins précis, mais nos données indiquent que les tendances générales épousent assez fidèlement celles constatées pour l'évolution des effectifs professionnels[12]. On note ainsi un accroissement assez constant des dépenses gouvernementales dans le secteur des relations internationales pour l'ensemble de la période étudiée avec certaines variations annuelles importantes dues pour une bonne part à l'ouverture de nouvelles délégations. Du point de vue des régions cibles, la distribution des dépenses est également conforme à celle des effectifs avec une hiérarchie à l'intérieur des régions apparentées au statut des délégations. Ainsi, pour l'Amérique latine, par exemple, on retrouve les dépenses les plus fortes au Mexique où il y a une délégation générale, puis au Vénézuéla où il y a une délégation et enfin en Haïti où n'existe qu'un bureau du Québec. Enfin, on constate un transfert de dépenses dans les années quatre-vingt de l'Amérique latine vers l'Asie, comme c'était le cas pour les effectifs.

On pourra donc conclure cette section en résumant la situation de la façon suivante. On notera tout d'abord la similarité évidente et sans grande surprise entre la distribution des dépenses gouvernementales en relations internationales et celle des effectifs professionnels des délégations. On remarquera également le parallélisme entre le discours gouvernemental et l'utilisation des ressources, en ce qui a trait aux domaines prioritaires et aux cibles géographiques privilégiés. Il y a à cet égard, pour toute la période étudiée, une continuité entre l'action et les intentions déclarées qui rassure pour l'action internationale future du Québec. Les quelques éléments de discordance ne se retrouvent pas au niveau des cibles géographiques, mais ils apparaissent parfois sur le plan des domaines d'action, en particulier dans le domaine de l'immigration où les ressources utilisées sont nettement plus importantes que les objectifs énoncés, et dans le domaine de l'éducation/science où on retrouve la situation inverse en moins prononcé. Dans l'ensemble, toutefois, la continuité est évidente et il reste maintenant à voir si cette continuité apparaît également dans l'exécution de la politique.

La gestuelle extérieure

Il existe naturellement différents gestes ou comportements que l'on peut utiliser pour jauger la mise en pratique d'une politique de relations internationales. Parmi les comportements possibles, nous avons retenu les visites ministérielles faites hors du Canada, ainsi que les ententes conclues par le gouvernement du Québec avec les interlocuteurs étrangers. Ce choix s'explique essentiellement par des considérations de standardisation de mesure pour fins de comparaison à l'intérieur même de l'activité internationale du Québec et, éventuellement, avec le comportement des autres provinces canadiennes.

En ce qui concerne les visites ministérielles, le tableau 9.6, page 358, révèle un cadre d'analyse avec lequel nous sommes maintenant familiers. Apparaît tout d'abord la croissance assez constante des visites jusqu'au milieu des années quatre-vingt. On remarquera à cet égard l'impact des deux gouvernements du Parti québécois. Sous le premier gouvernement Lévesque, en effet, on assiste à une augmentation de plus de 100% des visites à l'étranger par rapport au mandat précédent, tandis que le deuxième gouvernement Lévesque augmente encore sa performance à ce chapitre de près de 75%. Le premier mandat du Parti libéral a toutefois ramené une certaine modération avec près de 100 visites ministérielles de moins que sous le mandat précédent. De telles variations sont sans doute influencées en partie par le fait que les mandats péquistes sont mieux couverts par nos sources.

L'autre élément familier de ce cadre est l'élargissement progressif des cibles géographiques visées. Ainsi, dans les années soixante, on visite surtout les États-Unis, l'Europe et la France. À partir du milieu des années soixante-dix et encore plus dans les années quatre-vingt, les ministres québécois visitent davantage l'Asie, l'Afrique et l'Amérique latine. Les visites aux États-Unis augmentent considérablement sous les deux gouvernements du Parti québécois pour se stabiliser par la suite. Les États américains les plus visités sont New York, le Massachusetts, la Californie ainsi que la capitale fédérale.

Les visites ministérielles en Europe augmentent constamment jusqu'au milieu des années quatre-vingt. Les cibles principales sont le

Tableau 9.6

Nombre de visites par région et par mandat

	Lesage	Johnson	Bertrand	Bourassa 1	Bourassa 2	Lévesque 1	Lévesque 2	Bourassa 3	Total
Afrique	0	0	0	4	13	7	13	14	51
Amérique latine	0	0	0	3	0	10	10	6	29
Asie	0	0	0	2	2	8	25	38	75
États-Unis	5	3	3	16	11	61	97	61	263
Europe	9	0	5	39	42	59	99	40	314
France	3	5	5	34	19	35	65	30	196
Moyen-Orient	0	0	0	1	2	1	0	0	4
Océanie	0	0	0	0	0	0	0	2	2
Institutions	0	1	0	2	6	12	20	17	58
Total régions	17	9	13	101	95	193	329	235	992

Source: Banque de données du projet PARIQ.

Royaume-Uni, la Belgique, la RFA et l'Italie. Quant à la France, la courbe des visites ministérielles est très irrégulière avec une première crête sous le premier mandat Bourassa et une autre sous le deuxième mandat Lévesque. L'Afrique (Sénégal, Côte d'Ivoire, Algérie, Maroc, Tunisie) se maintient depuis le milieu des années soixante-dix, exception faite d'une diminution durant le premier mandat Lévesque, tandis que l'Amérique latine a été davantage choyée sous le Parti québécois que sous son homologue libéral, même dans les années quatre-vingt. On ne sera pas surpris de constater que le Mexique est le pays le plus visité en Amérique latine, mais on reste ébahi de voir qu'aucun ministre québécois n'a visité le Brésil durant la période étudiée. Finalement, nous observons que l'Asie est la seule région où il y a augmentation constante des visites ministérielles québécoises. Ainsi, on s'est rendu au cours des dernières années plus souvent en Asie qu'en France et presque aussi souvent qu'en Europe. C'est surtout le Japon, Hong Kong et la Corée du Sud qui ont attiré l'attention des ministres québécois dans cette partie du monde.

La consultation du tableau 9.7, page 360, permet de compléter l'étude des visites ministérielles par une analyse en croisé des cibles géographiques et des domaines fonctionnels.

On remarque tout d'abord la prépondérance du domaine économie/commerce pour toutes les régions considérées, sauf au Moyen-Orient où, c'est le domaine général qui arrive en tête. Outre les questions économiques, les domaines privilégiés par les ministres québécois en visite aux États-Unis ont été le domaine général, celui de l'environnement et celui de la culture/communications. Si ces deux derniers domaines paraissent aller de soi, on est un peu surpris de voir l'importance accordée au secteur général et l'intérêt très faible manifesté à l'égard des questions scientifiques et éducationnelles, de même qu'aux questions touchant l'immigration et la mobilité des Québécois. On se doute bien que les questions de nature politique ont été abordées dans le contexte du référendum de 1980, mais plusieurs seront sans doute surpris de voir à quel point ce thème a été important dans les discussions des ministres québécois en visite aux États-Unis. Cela montre bien que Washington pèse plus que toute autre capitale dans la détermination future du statut politique du Québec.

Pour ce qui est de la France et de l'Europe, on remarque que les visites des ministres québécois ont là aussi privilégié des thèmes directement liés à l'économie et aux questions générales. Les relations cul-

Tableau 9.7

Nombre de visites par domaine et par région

	É.-U	Europe	France	Amérique latine	Asie	Moyen-Orient	Afrique	Insti-tutions	Total
général/ politique	47	59	35	4	6	2	9	5	167
institutionnel/ organisationnel	12	18	6	2	0	0	1	2	41
culture/ communication	20	15	29	0	0	0	9	6	79
économie/ commerce	141	127	67	20	47	1	6	18	427
éducation/ science	5	12	17	1	2	0	19	8	64
immigration	2	12	8	2	17	1	2	3	47
écologie/ environnement	23	9	6	0	2	0	1	3	44
PVD	0	0	0	0	0	0	1	1	2
affaires sociales/ travail	11	41	17	0	2	0	2	11	84
mobilité des Québécois	0	0	0	0	0	0	0	0	0
aménagement du terriroire/ urbanisme	2	21	13	0	0	0	1	1	38
Total	263	314	198	29	76	4	51	58	993

Source: Banque de données du projet PARIQ.

turelles et les questions liées aux communications ont naturellement constitué un thème important des visites en France tandis qu'ailleurs en Europe une attention particulière a été accordée à des thèmes comme les affaires sociales et le travail, ainsi qu'à l'urbanisation et à l'aménagement du territoire. Dans leurs visites en Asie et en Amérique latine, les ministres québécois ont surtout abordé les questions économiques. Le seul autre thème d'importance en Asie a été la question de l'immigration et celle des réfugiés, à la lumière de la situation particulière de Hong Kong. Enfin, le profil des visites en Afrique diffère substantiellement de la situation en Asie et en Amérique latine. Les questions d'éducation et de culture ont dominé les discussions des ministres québécois qui se sont rendus en Afrique.

Au chapitre des ententes, le tableau 9.8, page 362, confirme simplement les tendances enregistrées dans le cas des autres indicateurs de l'activité internationale du Québec. Ainsi, on note la progression constante du nombre d'ententes d'un mandat à l'autre de même que l'importance accordée aux États-Unis, à la France et à l'Europe. Tel que noté au chapitre 6, le total des ententes avec l'Afrique a quelque chose de trompeur, dans la mesure où environ 75% de ces ententes portent uniquement sur l'exemption de frais de scolarité. La remarque vaut également pour l'Amérique latine jusqu'à un certain point puisque 14 des 23 ententes conclues avec les pays de la région impliquent aussi une exemption de frais de scolarité.

Cela dit, c'est le tableau 9.9, page 363, qui fournit les constatations les plus intéressantes sur la signature par le Québec d'ententes internationales, puisque 164 des 230 accords ont été conclus, à parts égales, par les gouvernements Lévesque et Bourassa des années quatre-vingt. Ce tableau présente donc une image contemporaine du comportement du Québec à ce chapitre.

On y remarque essentiellement la spécialisation de l'activité internationale du Québec à la signature d'ententes internationales. Avec les États-Unis, on traite principalement d'économie et d'environnement. Avec l'Europe, on privilégie surtout la coopération générale, l'économie et la mobilité des Québécois, tandis qu'avec la France on insiste davantage sur la culture, l'éducation et l'économie. Avec le reste du monde, c'est l'éducation qui prédomine.

Voilà donc les grands traits d'un bilan du comportement international du gouvernement du Québec depuis trois décennies. Un bilan qui révèle une activité internationale du Québec sans cesse croissante et fort diversifiée à partir du début des années quatre-vingt en particulier. Une activité internationale orientée d'abord vers les États-Unis, la France et l'Europe, mais par la suite également ouverte vers les autres parties du monde. Une activité, enfin, où ont dominé surtout les thèmes de l'économie, de l'éducation et de la science ainsi que de la culture et des communications.

Tableau 9.8

Nombre d'accords par région et par mandat

	Lesage	Johnson	Bertrand	Bourassa 1	Bourassa 2	Lévesque 1	Lévesque 2	Bourassa 3	Total
Afrique	0	1	1	1	1	10	22	13	49
Amérique latine	0	0	0	0	0	1	9	13	23
États-Unis	2	1	4	6	1	2	23	18	57
Europe	0	0	0	0	1	5	12	20	38
France	4	2	3	0	4	7	7	11	38
Moyen-Orient	0	0	0	0	3	1	2	0	6
Asie-Océanie	0	0	0	0	0	1	4	2	7
Institutions	0	0	0	0	0	4	2	6	12
Total	6	4	8	7	10	31	81	83	230

Source: Banque de données du projet PARIQ.

Tableau 9.9

Nombre d'accords par domaine et par région

Institu-tions	Afrique	Amérique latine	É.-U	Europe	France	Moyen-Orient	Asie	Total
général	0	4	1	3	10	2	1	0	21
institutionnel/organisationnel	2	0	0	1	0	1	0	0	4
culture/communication	0	9	0	3	2	11	0	0	25
économie/commerce	1	1	3	38	9	·6	0	2	60
éducation/science	7	32	14	1	4	8	4	4	74
immigration	0	0	0	0	1	1	0	0	2
écologie/environnement	0	0	0	8	2	0	0	0	10
Aide au développement	0	2	0	0	0	0	0	0	2
affaires sociales/travail	2	0	1	1	1	2	1	1	9
mobilité des Québécois	0	1	4	2	9	5	0	0	21
aménagement du territoire/urbanisme	0	0	0	0	0	2	0	0	2
Total	12	49	23	57	38	38	6	7	230

Source: Banque de données du projet PARIQ.

Les interlocuteurs étrangers: le Québec joue sur deux tableaux

Les interlocuteurs étrangers du Québec: enjeux et contraintes

Les diverses manifestations de la politique extérieure du Québec sont, comme on vient de le voir, l'expression de certaines priorités géographiques et sectorielles. Elles rendent compte aussi des limites qu'impose à l'État québécois, dans la poursuite de ses objectifs, son statut politique. Le comportement extérieur du gouvernement québécois est ainsi à la fois un témoignage d'autonomie et, ne serait-ce que par la négative, de dépendance. Aussi importe-t-il, si l'on veut interpréter correctement la présence ou l'absence, dans l'éventail des activités du Québec à l'étranger, d'un pays ou d'un secteur d'activité, d'identifier certains attributs des gestes posés grâce auxquels les effets du statut du Québec sur la poursuite de sa politique extérieure peuvent être mis au jour.

Le premier de ces attributs — en même temps que celui que nous permettent de relever systématiquement certains de nos indicateurs — est sans doute le niveau politique de l'interlocuteur du gouvernement québécois. Les pages qui suivent seront donc en très grande partie consacrées à l'analyse de la variation de la gestuelle extérieure du gouvernement en fonction du niveau de son interlocuteur, en portant une attention particulière aux contacts qu'il établit avec des États souverains. L'accès du Québec à ce niveau de relation est certainement intéressant à étudier en regard des prétentions du Québec en matière de personnalité internationale. On peut du même coup supposer que c'est dans ses rapports aux plus hauts niveaux que le Québec se trouve le plus sérieusement contraint politiquement et que c'est à cette occasion que se dessinent le plus clairement les limites à son autonomie qui sont attribuables à son statut.

Il y a bien entendu de ces limites qui tiennent à la répartition interne des compétences constitutionnelles et on a pu constater tout au long de l'ouvrage comment les rapports extérieurs du Québec sont particulièrement concentrés dans des domaines de compétence exclusive ou partagée. À ce propos, la thèse québécoise est bien connue, le gouvernement québécois entend mener ses propres relations extérieures dans les domaines de sa juridiction: au fractionnement interne de la souveraineté correspondrait une personnalité internationale plurielle. Cette position n'étant pas partagée par le gouvernement canadien, et n'étant pas non plus conforme aux usages diplomatiques, le Québec, s'il veut agir conformément à ses aspirations, doit trouver dans la pratique des modes de coopération où peuvent survivre des interprétations divergentes de la nature des gestes posés. Ce qui ne sera sans doute pas sans conséquences sur le choix des secteurs d'intervention et sur la disponibilité des partenaires. Ce dernier point semble primordial, dans la mesure où l'attitude des interlocuteurs étrangers, qui n'ont aucun intérêt à bouleverser les usages diplomatiques et encore moins à contrarier le gouvernement fédéral, apparaît ici davantage déterminante que toute interprétation constitutionnelle.

Qu'il s'agisse de la signature d'une entente, de la participation à une conférence internationale, de visites officielles, diverses solutions s'offrent au Québec. Il peut bien entendu se comporter comme un acteur transnational et entrer en relation avec des acteurs privés ou, déjà plus difficilement, avec des autorités politiques non souveraines, comme d'autres États fédérés. Ou encore accepter d'agir, selon diverses modalités, comme représentant de l'État canadien ou avec sa permission. Cela suppose un ensemble de contraintes dont la première est peut-être celle que s'impose le gouvernement québécois lui-même de ne pas entrer en relation avec un partenaire sous une forme trop ouvertement assujettie à l'autorité fédérale, comme on l'a noté au chapitre 4 dans le cas de la participation du Québec aux travaux de la commission mixte Canada-Belgique. La dimension statutaire freine l'action autant qu'elle la suscite. De même, on imagine mal le Québec, malgré tous les avantages réels qu'il pourrait en retirer, se «jumeler» avec d'autres «provinces» au statut politique considéré comme inférieur, comme le fait l'Alberta par exemple avec ses «provinces-sœurs» de Heilongkiang (Chine), Hokkaido (Japon) et Kangwon (Corée du Sud)[13]. Par contre, des États fédérés comme la Bavière ou la République socialiste fédérative soviétique de Russie ont offert des possibilités de coopération à un niveau et sous une forme acceptables pour le gouvernement québécois.

Grâce aux ententes et aux visites ministérielles, on tentera maintenant de saisir quels sont, toujours en termes de cibles géographiques et de domaines d'activité, les effets d'ouverture et de fermeture qui accompagnent le statut de l'interlocuteur

Les ententes

Les paramètres de la pratique québécoise

À cause de sa nature formelle, l'indicateur de comportement qui permet avec le plus de précision de soulever la question du niveau de l'interlocuteur est l'entente. Pour comprendre comment joue dans ce cas la dimension du statut politique, il est sans doute utile de situer rapidement les paramètres de la pratique québécoise en cette matière. Sans revenir sur la dimension historique, couverte dans les chapitres précédents, on peut dire que dans le cas de la signature d'ententes, l'action du gouvernement fédéral est déterminante, sans être nécessairement suffisante, et se manifeste de deux manières.

Dans le cas des ententes de coopération, l'attitude initiale du gouvernement fédéral fut d'«encadrer» l'activité du Québec en s'assurant que la démarche québécoise était «couverte» juridiquement par un traité ou un accord intervenu entre lui et la partie étrangère. Le modèle est ici, bien entendu, celui des ententes franco-québécoises, pour lesquelles l'assentiment du secrétaire d'État aux Affaires extérieures fut demandé et accordé[14]. D'après Ottawa, c'est par son intervention que l'entente acquiert une dimension juridique internationale[15]. Pour Québec, il n'en est rien puisque, selon l'interprétation québécoise, la province peut s'engager en tant que sujet de droit international dans les domaines de sa compétence[16].

Un certain nombre d'ententes de coopération signées par la suite, moins formelles et moins vastes que celles conclues avec Paris, ne font pas l'objet d'un encadrement aussi lourd. Elles ne sont cependant pas, selon Ottawa, des instruments de droit international en elles-mêmes et ne peuvent être perçues comme tel. Il s'agit ici d'accords de coopération couvrant des domaines de compétence provinciale. Formellement, l'intervention fédérale est jugée nécessaire. Le Québec a d'ailleurs lui-même reconnu par le passé que le texte d'une entente devrait être communiqué au gouvernement fédéral avant sa signature afin de recueillir son assentiment[17]. Le MAE quant à lui exige que le texte d'une entente lui soit soumis à l'avance pour approbation et que le texte final de l'entente soit présenté aux autorités étrangères, «sous le couvert d'une note diplomatique [...] par la mission canadienne sur place[18]». Cette procédure vise en particulier à «éviter toute confusion quant à la nature juridique de tout document signé par un ministre ou un haut fonctionnaire provincial[19]». Dans la pratique cependant, il semble que ce cheminement ne soit pas respecté. Québec informe Ottawa à l'avance de ses intentions de signer une entente avec un partenaire étranger, généralement par téléphone. Il serait exceptionnel que le texte de l'entente soit envoyé aux autorités fédérales et il parviendrait plutôt directement aux autorités étrangères[20]. Le MAE s'assure cependant toujours de couvrir de telles démarches par une correspondance diplomatique visant soit à avaliser le geste posé par le Québec, soit à en diminuer la portée[21]. Comme le rapporte Annemarie Jacomy-Millette au sujet de toutes les ententes signées par des provinces canadiennes: «La signature des ententes avec des entités étrangères est généralement précédée d'une note d'approbation *(covering note)* des autorités fédérales, ou note verbale qui constitue une sorte de *nihil obstat* de la part du gouvernement fédéral[22]».

Dans d'autres cas, principalement ceux impliquant une forme d'entraide judiciaire, le gouvernement fédéral initie et encadre formellement la démarche devant mener à la signature d'une entente. Ottawa ne possédant pas les instruments juridiques touchant la mise en œuvre des traités dans les domaines de compétence provinciale, c'est au tour du gouvernement provincial cette fois de poursuivre l'initiative fédérale. Le cas le plus explicite d'une telle situation est sans doute celui des ententes en matière de sécurité sociale. L'entente liant le Québec et un gouvernement étranger est ici indissociable de l'action du gouvernement fédéral à l'égard de la même partie. Le Québec possédant son propre régime de sécurité sociale, les traités que signe le Canada prévoient, et ce faisant encadrent juridiquement, la conclusion d'une entente avec une autorité provinciale. La négociation et la signature par le Québec d'une telle entente, selon un cheminement parallèle à celui poursuivi par le fédéral, prolonge l'action du gouvernement canadien, mais ne peut s'y substituer[23]. Même si Québec préfère interpréter de telles clauses provinciales comme un aveu d'impuissance du gouvernement canadien, il n'en demeure pas moins que dans les faits sa marge de manœuvre est ici fort étroite.

La couverture du geste provincial, assurée par le traité liant le Canada et la partie étrangère, peut, par le libellé employé dans l'article prévoyant l'entente à intervenir avec le Québec, baliser la portée juridique de cette entente d'une manière que le Québec jugera éventuellement inacceptable. Il ne donnera alors pas suite à l'initiative canadienne. Ainsi en est-il du projet d'entente de sécurité sociale avec la Belgique qui ne s'est pas concrétisé, probablement en raison de l'introduction, par les parties canadienne et belge dans leur traité, d'un alinéa qualifiant d'«engagement d'ordre administratif» l'entente à venir avec le Québec et annexant cette dernière à l'accord Canada-Belgique[24]. L'accord entre le Canada et l'Italie, le premier du genre signé par le Canada et auquel le Québec a donné suite, après avoir fait valoir la nécessité de son implication dans le processus, contient une disposition semblable quoiqu'il n'y soit pas fait mention d'annexion[25].

Quoi qu'il en soit de la signification juridique de l'intervention fédérale, elle doit cependant être considérée comme déterminante dans le processus qui mène à la signature d'une entente. Même si l'initiative vient du Québec, l'action d'Ottawa est une condition nécessaire dans la mesure où on peut difficilement concevoir que la partie étrangère, peut-être à l'exception de la France du général de Gaulle, s'engagerait si Ottawa ne lui fournissait pas le cadre juridique ou l'avis favorable pour ce faire sans heurter la pratique diplomatique. Ottawa s'est d'ailleurs déjà servi de ce droit de veto[26]. On sait que dans plusieurs cas, le ministère des Affaires extérieures est intervenu auprès de la partie étrangère pour lui suggérer «de convenir d'une coopération avec le Québec sans instrument écrit[27]».

Opportunités et contraintes selon les régions et les domaines

Qui signe des ententes avec le Québec? Comme le montre le tableau 9.10, le partenaire du Québec est un représentant d'un État souverain, représenté par son gouvernement ou par un organisme de ce gouvernement, dans 137 cas sur 230 et un État non souverain dans 70 cas. Maintenant, comment se caractérisent ces catégories d'ententes?

Comme le montre le graphique 9.1, page 370, des 137 liens de coopération qui ont fait l'objet d'une entente entre le Québec et un État souverain, près de la moitié sont concentrés dans le domaine de l'éducation et de la science. Il s'agit surtout d'exemptions réciproques de droits de scolarité, des échanges de lettres peu formels, mais dans un domaine où le gouvernement fait preuve d'autonomie et d'initiative. Or, il y a une limite à atteindre quant au nombre de partenaires susceptibles de s'associer à cette forme peu ambitieuse et très technique de coopération avec le Québec et le plein semble fait, comme le montre une chute du nombre de nouveaux accords de ce type à la fin des années quatre-vingt. On remarque d'autre part que l'expansion du secteur de la mobilité, dans lequel on retrouve les ententes d'entraide judiciaire touche directement à la composition des partenaires étatiques. Les ententes concernant la sécurité sociale, en particulier, ont pour la plupart été signées en 1985 ou après. Considérant qu'il s'agit là d'une forme de relation qui laisse peu de marge de manœuvre au gouvernement québécois par rapport au fédéral, surtout si on la compare à celle dont il jouit en matière d'éducation, on remarque que le Québec est dépendant des engagements fédéraux pour une part grandissante de ses relations formelles avec des États souverains. Par ailleurs, le domaine de la culture et des communications a offert, durant le second gouvernement Bourassa, une occasion de contacts

Tableau 9.10

**Répartition des ententes selon le niveau
de l'interlocuteur et le mandat**

	Lesage	Johnson	Bertrand	PLQ 1	PLQ 2	PQ 1	PQ 2	PLQ 3	Total
État souverain	4	3	4	1	9	23	44	49	137
État non souverain	2	1	3	6	1	2	31	24	70
Organisation internationale	0	0	0	0	0	4	2	7	13
Non gouvernemental	0	0	0	0	0	2	2	1	5
Autre	0	0	1	0	0	0	2	2	5
Total	6	4	8	7	10	31	81	83	230

directs aux plus hauts niveaux mais qui, par leur contenu, ne peuvent se substituer aux engagements à long terme que l'on retrouve en éducation.

Le secteur économique quant à lui, le second en importance dans l'ensemble des ententes, ne semble pas très propice aux contacts avec des États souverains. Seulement une entente sur cinq classée dans ce secteur d'activité l'est avec un État souverain.

Quant aux 70 ententes signées avec un palier de gouvernement inférieur, près des deux tiers (43) sont concentrées dans le domaine économique, essentiellement des accords en matière de transport routier signés avec les différents États américains. Il s'agit donc du niveau d'interlocuteur privilégié de la coopération économique. La deuxième plus importante catégorie d'ententes (10) avec les États non souverains sont les accords de coopération générale.

Si on se penche ensuite sur la répartition régionale des ententes signées avec des représentants d'États souverains, ce que nous présente le graphique 9.2, page 370, on constate l'importance que prennent la France, l'Afrique, l'Amérique latine et les Caraïbes, surtout en raison des accords d'exonération des droits de scolarité et, dans une moindre mesure le Moyen-Orient, pour lesquels l'État central est pratiquement l'unique interlocuteur. Contraste frappant avec les États-Unis et les autres pays européens, pourtant deux cibles privilégiées de la politique

Graphique 9.1

**Répartition des ententes signées avec un État souverain
selon le domaine visé**

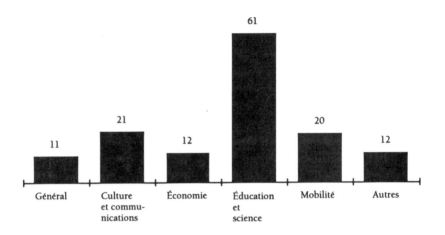

Graphique 9.2

**Répartition des ententes signées avec un État souverain
selon la région**

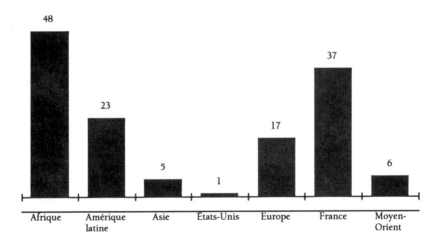

extérieure québécoise. Surtout que la seule entente signée avec le premier et plus de la moitié de celles signées avec la seconde sont des accords en matière de sécurité sociale. On peut donc dire que le Québec semble posséder une faible marge de manœuvre en ce qui concerne l'établissement de relations formelles au niveau de l'État central dans ces deux régions.

On note cependant qu'il s'agit de régions particulièrement riches d'interlocuteurs potentiels au niveau des États non souverains, qu'il s'agisse d'États fédérés, de régions autonomes ou autre forme de division territoriale. En effet, l'essentiel des interlocuteurs du Québec appartenant à cette catégorie viennent de ces régions (États-Unis: 51 ententes; Europe: 18 ententes).

Il y a évidemment plusieurs liens à faire entre ces deux constatations, qui vont au-delà de la simple disponibilité des interlocuteurs. On peut par exemple penser que les États fédéraux, ou ceux qui sont confrontés chez eux à des tendances autonomistes régionales, seront plus méfiants à l'égard de la pratique québécoise en matière de relations extérieures. On notera que non seulement la Belgique, mais les États fédéraux autrichien et australien, même s'ils avaient signé des accords en matière de sécurité sociale avec le Canada, respectivement en 1987 et 1988, n'avaient toujours pas signé d'ententes parallèles avec le Québec à la fin de 1989, malgré le fait que les clauses provinciales incluses dans ces traités ne présentent pas d'éléments susceptibles d'indisposer Québec.

Les visites ministérielles

La visite ministérielle, n'ayant pas le même potentiel juridique et le caractère formel de l'entente, s'avère un outil de politique extérieure dont le gouvernement québécois peut user avec plus de liberté[28]. Il est donc plus facile d'y voir le signe d'une volonté politique autonome. Néanmoins, comme nous l'avons vu en particulier dans le cas de la France, l'exercice comporte une dimension protocolaire et symbolique qui en font un instrument important d'affirmation de la thèse québécoise relative à sa personnalité internationale. Aussi, le niveau politique de l'interlocuteur garde-t-il toute son importance. D'autant plus que sans un accès direct auprès des gouvernements étrangers, la capacité du Québec à mener une politique extérieure efficace et autonome, particulièrement dans les secteurs d'intervention qui sont ailleurs l'apanage des gouvernements nationaux, se trouverait sérieusement compromise.

Sans se perdre dans le détail de la hiérarchie protocolaire, le tableau 9.11 classe les visites ministérielles selon le niveau de gouvernement le plus élevé avec lequel le dignitaire québécois a eu des contacts au cours de sa visite. Sur les 1012 visites recensées, 666 ont pu ainsi être classées. Notons que, comme les déplacements ministériels les plus importants sont probablement ceux pour lesquels nous bénéficions du maximum d'information, il est presque certain que le niveau «État souverain» est ici surreprésenté (283 sur 666, soit 42,5%).

À la France et l'Afrique, déjà identifiées au moment de la discussion sur les ententes comme espaces privilégiés de relations au niveau des États souverains, s'ajoute l'Europe où la moitié des très nombreuses visites ministérielles donnent lieu à un contact avec un représentant du gouvernement central ou d'une de ses agences. Une analyse plus approfondie des données permet de constater en outre qu'en Afrique, en Amérique latine et en France, ces relations sont d'autant plus faciles que la présence du premier ministre ne semble pas être un facteur d'accessibilité. Aucun premier ministre ne s'est rendu en Amérique latine et on n'enregistre qu'une visite officielle du chef du gouvernement en Afrique et une au Moyen-Orient, des régions qui ont pourtant donné lieu à 49 visites ministérielles ayant permis un contact avec des représentants de l'État central. En France, seulement 15 des 119 visites de cette catégorie ont été effectuées par le premier ministre.

À l'opposé, six des quinze visites aux États-Unis ayant impliqué une rencontre au niveau de l'État fédéral sont attribuables au premier ministre. Ce qui est considérable, si l'on tient compte que dans chacun de ses déplacements, le chef du gouvernement est accompagné d'un ou de plusieurs ministres, ce qui a nécessairement un effet d'entraînement. Le ratio premier ministre-ministre en ce qui concerne les États souverains est aussi relativement élevé dans le cas de l'Asie (quatre visites sur quinze) et dans celui des autres pays européens (21 sur 84).

Les États-Unis confirment leur place de principal fournisseur de contacts avec des États non souverains. Ici aussi la présence du premier ministre est importante puisqu'il est responsable de 16 des 47 visites pour lesquelles l'interlocuteur américain le plus important relevait du niveau des États fédérés. On doit cependant noter que, les visites en Europe donnant plus souvent lieu à des contacts à des niveaux plus élevés, il est probable qu'une bonne part des visites classées

Tableau 9.11

Répartition des visites selon la région et l'interlocuteur
le plus important en terme de statut politique

	Afrique et Moyen-Orient	Amérique latine	Asie et Océanie	États-Unis	Europe	France	Autres orga-nismes*	Total
État souverain	37	11	15	15	84	119	2	283
État non souverain	0	1	0	47	13	0	0	61
Organisation internationale	2	0	0	0	5	0	38	45
Rencontre internationale	0	0	0	0	2	0	7	9
Rencontre transnationale	0	0	0	20	0	0	0	20
Non gouver-nemental	1	7	20	119	62	29	10	248
Non iden-tifiable	16	10	42	63	155	59	1	346
Total Région	56	29	77	264	321	207	58	1012

* Organismes multilatéraux ne pouvant être associés à une de ces régions en particulier.

«État souverain» aient aussi été l'occasion de rencontres au niveau des États fédérés et des régions. La même remarque vaut pour les interlocuteurs privés et, dans ce cas, pour la France. Remarquons finalement que l'absence d'opportunités politiques n'empêche pas le voisin du sud d'être le pays le plus visité par les ministres québécois, malgré qu'ils doivent généralement se contenter d'interlocuteurs privés (dans 119 cas sur 201).

Si on observe le principal objet de la visite maintenant (tableau 9.12, page 375), on constate que les contacts au niveau de l'État souverain donnent le plus souvent l'occasion d'échanges de vues de nature très large et couvrant plusieurs domaines (91 visites sur 283). C'est dans cette catégorie que l'on classe plus de la moitié des visites de premiers ministres, dont la grande majorité, 42 sur les 57 qui tombent dans la catégorie «général» et pour lesquelles on a pu identifier un interlocuteur, ont donné lieu à des entretiens avec des représentants de l'État central.

En ce qui concerne les visites qui se sont vues attribuer un domaine spécifique, c'est l'économie qui fournit le plus grand nombre de contacts au niveau des États souverains (71). Ce qui ne représente toutefois que le quart de celles-ci (71 sur les 285 pour lesquelles un interlocuteur a été identifié, soit 25%). Même les nombreuses visites à caractère économique du premier ministre ne donnent que très rarement lieu à des contacts officiels très élevés (4 visites sur 47, soit 8,5%). En termes relatifs, ce sont la culture (30 sur 51, soit 58%), l'éducation (28 sur 48, soit 58%), l'immigration (12 sur 21, soit 57%) et les affaires sociales (27 sur 50, soit 54%) qui font figure de domaines les plus susceptibles de donner accès au niveau des États souverains. Tous des secteurs de compétence provinciale ou partagée.

Les rencontres visant des États non souverains sont elles aussi concentrées dans le domaine économique (32 visites, dont 10 attribuables au premier ministre) et général (13 visites, dont 5 attribuables au premier ministre). Vient ensuite le cas fort intéressant de l'environnement qui, avec 11 visites (sur 29, soit 38%) ayant un État non souverain comme cible fait figure de domaine particulièrement propice à l'établissement de relations à ce niveau.

Disons en terminant que, si l'on considère, comme nous l'avons suggéré, que le gouvernement exprime avec plus de liberté ses priorités sectorielles et géographiques en effectuant des visites qu'en signant des ententes, on peut aussi dire que l'attitude des partenaires étrangers sera elle aussi moins contrainte par des considérations politiques. En ce sens, les visites rendent mieux compte de l'intérêt économique, scientifique, etc. que les États étrangers portent au Québec.

Conclusion:
les deux tableaux de la politique extérieure du Québec

Les cibles de la politique extérieure du Québec ne sont pas seulement des marchés, des cultures, des sociétés à atteindre; elles ont d'abord la forme d'interlocuteurs, politiques ou privés, chez qui le Québec reçoit un accueil favorable, quelles qu'en soient les motivations. Or, comme nous venons de le constater, le type d'interlocuteur avec lequel le gouvernement établit des contacts à l'étranger varie beaucoup en fonction des régions et des domaines d'activité. Cela peut

Tableau 9.12

Répartition des visites ministérielles selon le principal domaine d'activité et selon le niveau du plus important interlocuteur

	Général	Institutions	Culture/ communication	Économie	Éducation/ science	Immigration	Environ- nement	Affaires sociales/ travail	Autres	Total
État souverain	91	11	30	71	28	12	9	27	4	283
État non souverain	13	0	2	32	3	0	11	0	0	61
Organisation internationale	6	0	3	15	7	2	2	9	1	45
Rencontre internationale	1	1	1	3	1	0	1	1	0	9
Rencontre transnationale	4	0	0	12	0	0	3	1	0	20
Non gouver- nemental	27	21	15	152	9	7	3	12	2	248
Non identifiable	33	14	28	143	19	27	15	34	33	346
Total	175	47	79	428	67	48	44	84	40	1012

être considéré comme la marque de l'intérêt que porte le gouvernement à tel pays ou à tel secteur d'activité. De telles variations signalent aussi des différences importantes quant à la disponibilité ou à la simple accessibilité pour le gouvernement, de tel ou tel type d'interlocuteurs selon les formes d'interventions envisagées. Ce qui ne peut qu'avoir une certaine influence sur l'évolution de la politique internationale du gouvernement.

C'est pourquoi on s'est livré à l'examen du comportement du Québec en fonction du niveau de l'interlocuteur étranger, en tenant compte du degré d'autonomie relatif dont rendent compte certains liens de coopération. On peut synthétiser l'ensemble de nos observations en disant qu'elles permettent d'identifier deux grands tableaux de l'intervention gouvernementale extérieure, assez bien définis en termes d'interlocuteur, de domaines d'activité et d'espaces géographiques.

Le premier, que l'on pourrait qualifier de transnational, est dominé par des objectifs de nature économique et présente comme interlocuteurs privilégiés des intervenants privés et des administrations régionales des États-Unis, d'Europe et d'Asie.

Dans le second, que l'on pourrait qualifier d'*international*, se trouvent concentrés les domaines reconnus de compétence provinciale, l'éducation surtout, et privilégie comme interlocuteurs les États souverains français, africains et latino-américains.

À l'intersection de ces deux plans, on retrouve la France, qui offre une coopération où tout l'éventail des domaines de coopération rencontre tous les types d'interlocuteurs, mis à part les pouvoirs régionaux.

Nos indicateurs montrent en effet que le secteur économique est moins propice que les autres à une intervention au niveau des États souverains, particulièrement en ce qui regarde la signature d'ententes, contrairement à ce qui se produit dans les domaines traditionnels de compétence provinciale comme la culture, les affaires sociales et, bien entendu, l'éducation.

Quant aux cibles géographiques, il apparaît nettement que la France et l'Afrique offrent une accessibilité incomparable au niveau des représentants de l'État souverain. L'Amérique latine offre un potentiel intéressant sous ce rapport, tandis que les autres États nationaux européens, s'ils ont permis certains succès, apparaissent tout de même comme des interlocuteurs difficiles à atteindre lorsqu'il s'agit d'ententes. Le gouvernement des États-Unis et les États d'Asie seraient d'accès difficile. En revanche, les États-Unis et l'Europe, en partie à cause de la Belgique, sont des terres de prédilection pour l'établissement de contacts au niveau des États non souverains. Ce sont aussi les principaux fournisseurs d'interlocuteurs privés.

Éléments pour un cadre d'analyse des relations extérieures du Québec

La présentation des faits laisse ouverte la recherche des causes[29]. À l'explication de l'existence même d'une politique extérieure autonome pour le Québec est intimement liée la recherche des facteurs qui en façonnent la forme bien concrète: pourquoi tel pays? pourquoi tel domaine de coopération? Comprendre l'action internationale du Québec et identifier les facteurs qui en déterminent le cours s'annoncent être des tâches relativement complexes. Aux facteurs qui affectent la conduite de la politique étrangère de chaque État et qui suffisent à eux seuls à mobiliser les efforts d'un nombre important de spécialistes, se mêlent ceux qui relèvent de la relation que le Québec, avec tous ses attributs et son statut d'État fédéré, entretient avec l'ensemble canadien et la communauté internationale. Comprendre chacun des gestes qui composent la substance de ce que nous avons commenté tout au long de cet ouvrage entraîne à chaque fois un raisonnement multiple par lequel se succèdent et se complètent non seulement les perspectives interne, fédérale et internationale, mais aussi le problème de l'interaction entre chacun de ces «niveaux» de gouverne. Ainsi en est-il par exemple d'une entente: au-delà (et peut-être bien en deçà) de la volonté de coopération dont elle rend d'abord compte, sont soulevés les problèmes de compétences juridiques, mais aussi politiques, en regard du système politique canadien, du système politique international et, le cas échéant, du système politique du partenaire étranger.

Comme le phénomène, dans sa forme et son cadre actuels, a pris naissance dans la foulée des bouleversements de la révolution tranquille, il est inévitable d'y voir à la fois une réponse aux nouveaux besoins de l'État en ressources humaines et matérielles ainsi qu'en matière de savoir-faire gouvernemental[30]. Ce qui peut expliquer la forme de certaines interventions, mais certainement pas la volonté d'opérer de façon autonome. La dimension symbolique entre manifestement en ligne de compte. Le fait d'être considéré comme interlocuteur par d'autres États a certes donné un important capital de légitimité au gouvernement de l'époque dans son entreprise de construction étatique et de modernisation de la société québécoise[31]. Par la suite, il est indéniable que le développement de la politique extérieure du Québec a été intimement lié à l'évolution à la fois des priorités internes d'intervention de l'État et du rôle qu'il se donne dans la définition de l'identité nationale québécoise[32].

Cette évolution de l'État québécois doit elle-même être comprise en fonction de la situation géopolitique du Québec au sein de différents espaces qu'ils soient canadien, nord-américain ou même francophone. Au sein de la fédération canadienne, le Québec se trouve dans une situation d'asymétrie qui a souvent été considérée comme un facteur déterminant dans la décision d'un État fédéré de poursuivre une politique extérieure autonome[33]. Sous un autre angle, la fragmentation de l'espace canadien et les difficultés du gouvernement central à composer dans la poursuite de sa politique étrangère avec des intérêts régionaux différents peut sans doute expliquer plusieurs initiatives provinciales[34]. Le Québec, en particulier, se trouve particulièrement imbriqué dans l'espace économique et écologique du Nord-Est de l'Amérique du Nord, qui appelle une certaine concertation régionale transfrontalière[35]. Il se trouve en même temps influencé par son appartenance à l'espace politique et culturel francophone, dominé par la France[36].

Parallèlement à ces considérations géopolitiques, se pose tout le problème de l'efficacité du régime politique fédéral en regard de l'évolution de la réalité internationale. En effet, on explique souvent tant la forme que l'existence même de l'activité internationale des États fédérés comme le Québec par le développement d'un double processus de transnationalisation et d'internationalisation. Le premier rend compte de la diversification et de la multiplication des acteurs publics et privés dont les activités s'étendent sur un espace qui n'est pas délimité par les frontières d'un État[37]. Le second décrit l'élargissement de la sphère des activités dont la gouverne est d'une façon ou d'une autre et à un degré ou à un autre prise en charge par la société internationale[38].

En fait, on peut supposer que l'internationalisation a un double effet sur le fonctionnement du fédéralisme et sur le rôle international que peuvent jouer les provinces. D'une part, l'engagement international de l'État central dans des domaines de la compétence des provinces exige que ces dernières soient impliquées dans la mise en œuvre des traités et donc, d'une façon ou d'une autre, dans le processus de négociation[39]. D'autre part, l'introduction de la «logique internationale» dans ces domaines de compétence, comme on peut le constater en matière de commerce international par exemple, ne va pas sans introduire une limitation de l'autonomie des pouvoirs provinciaux et, à tout le moins, projette des pans entiers de la gouverne publique sur un échiquier politique qui reconnaît de moins en moins l'État fédéré comme acteur[40].

Ces différents éléments s'isolent difficilement les uns des autres. Il s'avèrerait fort présomptueux de chercher à comprendre leur importance dans l'émergence et le développement de la politique extérieure du Québec sans d'abord disposer d'une description adéquate de cette dernière. Au terme de cet ouvrage, qui veut justement fournir une telle description, la plus systématique possible, il reste à espérer qu'une meilleure compréhension de cette expérience politique, à bien des égards unique en son genre, sera désormais possible. C'est à cette tâche que nous consacrerons nos futurs travaux, par le biais, en particulier, de l'étude comparative de l'action internationale des provinces canadiennes.

Notes

* Les auteurs tiennent à remercier vivement tous les assistants de recherche du projet PARIQ dont le travail constant et méticuleux de cueillette de l'information et de compilation des données a permis de construire les tableaux qui ont facilité la présentation du travail d'ensemble de ce chapitre. Ils désirent remercier en particulier Jean Touchette dont les premiers travaux de synthèse ont été fort utiles pour tracer le bilan de l'action internationale du Québec.

1. On pourra consulter à cet égard l'excellent travail de Manon TESSIER, *Les relations internationales du Québec, 1961-1992; une compilation bibliographique*, Québec, Centre québécois de relations internationales, collection Les Cahiers du CQRI, nº 9, 1992.

2. À titre d'exemple, pour la seule ville de Montréal, voir l'essai de Luc BERNARD, *La stratégie de développement international de Montréal*, Québec, Université Laval, Maîtrise en relations internationales, 1990.

3. 833 objectifs pour la période 1968-1979 dans le cas du Canada. Ce qui fait une moyenne annuelle de 69,5 objectifs. En admettant que l'élargissement de la base empirique ait pu porter la moyenne annuelle à 80 ou même à 90 objectifs, la performance québécoise sur le plan du discours est quand même notable puisqu'on la compare ici à celle d'un gouvernement d'État souverain. Les chiffres mentionnés au début de cette note sont tirés de Guy GOSSELIN et Gérard HERVOUET, «Les objectifs dans le discours de la politique étrangère canadienne», dans G.

HERVOUET, dir., *Les politiques étrangères régionales du Canada: éléments et matériaux*, Québec, CQRI/PUL, 1983, pp. 25-27.

4. Notons également le style oratoire particulier du ministre Jacques-Yvan Morin, nettement plus porteur d'objectifs que celui des autres ministres responsables du ministère des Affaires internationales.

5. GOUVERNEMENT DU QUÉBEC, *Le Québec et l'interdépendance, le monde pour horizon, éléments d'une politique d'affaires internationales*, Québec, ministère des Affaires internationales, 1991, p. 16.

6. *Ibid.*, pp. 17-21.

7. Privilégiés dans cette étude par rapport à d'autres corps d'emploi en raison de leur rôle central dans la gestion des dossiers gouvernementaux. De ce point de vue, l'évolution du personnel professionnel représente donc plus adéquatement la volonté gouvernementale que l'utilisation du personnel de soutien ou que l'évolution des effectifs totaux des délégations.

8. Il importe de remarquer que les professionnels affectés au domaine de la coopération travaillent en partie dans le secteur de la coopération en matière d'éducation. Ce qui vient nuancer notre conclusion sur le déclin des effectifs dans le domaine éducation/science.

9. GOUVERNEMENT DU QUÉBEC, *op. cit.*, p. 127.

10. Charge accrue qui se traduit également par la forte expansion des effectifs professionnels totaux du ministère chargé des relations internationales du Québec. Ces effectifs passent en effet de 320 en 1976 à 447 en 1979 et à 526 en 1989.

11. Les effectifs professionnels à la Délégation générale du Mexique ont également chuté de 18 à 15 entre 1986 et 1988-1989.

12. Ce qui est assez normal dans une certaine mesure puisqu'une bonne partie des dépenses est composée des salaires et allocations versés aux fonctionnaires en place.

13. FEDERAL AND INTERGOVERNMENTAL AFFAIRS, *Seventeenth Annual Report to March 31, 1990*, Alberta, pp. 41-42.

14. La correspondance entre Paul Martin, secrétaire d'État aux Affaires extérieures, et le chargé d'affaires français en poste à Ottawa est reproduite dans A. E. GOTLIEB, «Canadian Practice in International Law during 1965 as reflected mainly in Public correspondance ans Statements of the Department of External Affairs», dans *The Canadian Yearbook of International Law*, 1966, pp. 263-264.

15. Voir la réponse du secrétaire d'État aux Affaires extérieures à une question posée en chambre, reproduite dans A. GOTLIEB, *ibid.*, pp. 266-267.

16. Voir MINISTÈRE DES AFFAIRES INTERGOUVERNEMENTALES, *Document de travail sur les relations avec l'étranger*, Notes préparées par la délégation du Québec au Comité permanent des fonctionnaires sur la constitution, Québec, 5 février 1969 (Document numéroté 107).

17. *Ibid.*, pp. 23 et 24.

18. «Ententes entre les provinces et les instances étrangères», note du conseiller principal pour les relations fédérales-provinciales adressée aux autorités provinciales, le 25 janvier 1989 (CFX-0021) reproduite dans MINISTÈRE DES AFFAIRES EXTÉRIEURES DU CANADA, *Les relations fédérales-provinciales: les paramètres d'un cadre de fonctionnement*, janvier 1989, p. 17.

19. *Id.*

20. Entrevue avec Marcel Cloutier, directeur du Bureau des ententes du MAI, 20 novembre 1992.

21. André SAMSON, «La pratique et les revendications québécoises en matière de conclusion d'ententes internationales», Communication présentée devant le 1er congrès de la Société québécoise de droit international, Québec, Université Laval, 17 mai 1984, pp. 10 et 11.

22. Annemarie JACOMY-MILLETTE, «Rapport canadien», *Revue belge de droit international*, vol. XVII, n° 1, 1983, p. 79.

23. Le gouvernement québécois convient même explicitement de cette dépendance dans la clause de résiliation de l'entente qu'il a signée avec l'Italie: «...[l'entente] cessera d'être en vigueur à la date où l'Accord de sécurité sociale [Canada-Italie], signé le 17 novembre 1977, cesserait lui-même d'être en vigueur», GOUVERNEMENT DU QUÉBEC, *Recueil des ententes internationales du Québec*, 1984, p. 67.

24. C'est l'opinion de François CRÉPEAU, «Les obligations internationales d'un Québec souverain en matière d'immigration» dans ASSEMBLÉE NATIONALE DU QUÉBEC. COMMISSION D'ÉTUDE DES QUESTIONS AFFÉRENTES À L'ACCESSION À LA SOUVERAINETÉ, *Exposés et études. Volume 1: les attributs d'un Québec souverain*, Québec, 1992, p. 120. L'article 23, paragraphe 2, de l'Accord se lit comme suit: «Toute entente de ce genre [conclue avec une autorité compétente d'une province canadienne] constituera un engagement d'ordre administratif entre les deux Parties et sera annexée au présent Accord.», MINISTÈRE DES AFFAIRES EXTÉRIEURES DU CANADA, *Accord entre le Canada et la Belgique en matière de sécurité sociale, recueil des traités*, 1987, n° 6, 23 (2), p. 31.

25. L'entente avec l'Italie est en outre la seule, avec celle signée avec les États-Unis, à faire référence, dans son préambule à l'Accord préalablement signé entre le Canada et l'autre partie. Voir *Recueil des ententes..., op. cit.*, pp. 60 et 162.

26. Voir le cas de la Tunisie exposé au chapitre 6.

27. A. SAMSON, *op. cit.*, p. 10.

28. Voir le caractère nettement plus souple des lignes directrices adoptées par Ottawa à ce sujet. MINISTÈRE DES AFFAIRES EXTÉRIEURES DU CANADA, *Les relations fédérales-provinciales: les paramètres d'un cadre de fonctionnement*, janvier 1989, pp. 8-11.

29. Pour une revue de la littérature, voir Louis BÉLANGER, Gérard HERVOUET et Guy GOSSELIN, «Les relations internationales du Québec. Bilan des efforts de définition d'un nouvel objet d'étude», *Revue québécoise de science politique*, à paraître, 1993.

30. Voir E. J. FELDMAN et L. G. FELDMAN, «Quebec's Internationalization of North American Federalism», dans Ivo D. DUCHACEK, D. LATOUCHE et G. STEVENSON, dirs, *Perforated Sovereignties and International Relations*, New York, Greenwood Press, 1988, pp. 69-80; Paul PAINCHAUD, «L'État du Québec et le système international», dans G. BERGERON et R. PELLETIER, dir., *L'État du Québec en devenir*, Montréal, Boréal Express, 1980, pp. 351-369; et Paul PAINCHAUD, «The Epicenter of Quebec's International Relations», dans I. D. DUCHACEK, D. LATOUCHE et G. STEVENSON, *op. cit.*, pp. 91-97.

31. D. LATOUCHE, «State Building and Foreign Policy at the Subnational Level», dans I. D. DUCHACEK, D. LATOUCHE et G. STEVENSON, *op. cit.*, pp. 29-42.

32. Voir Jean-Philippe THÉRIEN, Louis BÉLANGER et Guy GOSSELIN, «Québec: An Expanding Foreign Policy», dans Alain-G. GAGNON, dir., *Quebec: State and Society*, Toronto, Nelson Canada, 1993.

33. Hypothèse très répandue mais véritablement systématisée et explorée par Renaud DEHOUSSE, *Fédéralisme et relations internationales. Une réflexion comparative*, Bruxelles, Bruylant, 1991, 284 p.

34. Voir T. LÉVY, «Le rôle des provinces», dans Paul PAINCHAUD, dir., *Le Canada et le Québec sur la scène internationale*, Québec/Montréal, CQRI/Presses de l'Université du Québec, 1977, pp. 109-149; Louis BALTHAZAR, «Quebec's Triangular Situation in North America: A Prototype?», dans I. D. DUCHACEK, D. LATOUCHE et G. STEVENSON, *op. cit.*; P. GUILLAUME et S. GUILLAUME, *Paris-Québec-Ottawa: un ménage à trois*, Paris, Éditions Entente, 1987.

35. Voir Ivo D. DUCHACEK, «Transborder Regionalism and Microdiplomacy: A Comparative Study», communication au «Seminar on Canadian-United States Relations», Harvard University, 1983; Yves SAINT-GERMAIN, «Le Québec et la conférence des Gouverneurs de la Nouvelle-Angleterre et des Premiers ministres de l'Est du Canada 1973-1992: le cas de l'énergie», mémoire de maîtrise, Université Laval., 1992; Alfred O. HERO Jr. et Louis BALTHAZAR, *Contemporary Quebec and the United States 1960-1985*, Lanham, University Press of America, 1988; Alfred O. HERO Jr. et Marcel DANEAU, dirs, *Problems and Opportunities in U.-S.-Québec relations*, Boulder, Westview Press, 1984.

36. C. OLD, *Quebec's Relations With Francophonies: A Political Geographic Perspective*, Ottawa, Université Carleton, département de géographie, note de recherche n° 1, 1984.

37. Voir la perspective qui se dégage de Annette BAXTER FOX, Alfred O. HERO et Joseph S. NYE, dirs, «Canada and the United States: Transnational and Transgovernmental Relations» *International Organization*, (numéro spécial), vol. 28, n° 4, automne 1974.

38. Voir Ivan BERNIER et André BINETTE, *Les provinces canadiennes et le commerce international*, Québec, CQRI, 1988.

39. Voir Douglas M. BROWN, «The Evolving Role of the Provinces in Canadian Trade Policy», dans D. M. BROWN et Murray G. SMITH, dirs, *Canadian Federalism: Meeting Global Economic Challenges?*, Kingston-Halifax, Institute of Intergovernmental Relations – Institute for Research on Public Policy, 1991, pp. 81-128.

40. Voir I. BERNIER et A. BINETTE, *op. cit.*

Annexe 1
Analyse de contenu du discours
Manuel de codage simplifié

A) Identification de l'objectif:

1 - L'objectif retenu répond à la question: «Qui veut quoi, quand et avec qui?»

2 - Sujet: Nous, le Gouvernement, l'État québécois, le Québec, Je, etc. Ainsi que les pronoms et adjectifs qui s'y rapportent.

3 - Verbe: Verbe d'action ou son substantif
   — ou formulation particulière:
   - ex.: — appartient de
   - — accordons une grande importance à
   - — considérons comme prioritaire
   - — avons comme objectif de
   - — avons l'intention de
   - — voulons
   - — espérons
   - — pensons   } + verbe d'action
   - — souhaitons
   - — sommes prêts à
   - — sommes disposés à

4 - Finalité de l'action: expression d'un objectif de politique étrangère.
   - ex.: — afin de...
   - — en vue de...
   - — pour...
   - — dans le but de...

5 - N'est pas codé comme un objectif:
   1. Objectif antérieur non réactivé: généralement les conjugaisons au passé
   2. Conditionnel — scénario — si ... alors
   3. Cueillette d'information
      ex.: «Le but de mon voyage est de connaître votre idée»
   4. Objectif interne sans conséquence ou implication externes
   5. Quand le gouvernement parle au nom d'un groupe
   6. Les formules «il faut», «il faudrait», «nous devrions», «on doit», etc. exprimant des vœux qui ne se traduisent pas en objectifs précis.

7. Les exhortations, supplications, demandes
8. Un objectif ambigu, qu'on ne sait pas où coder, dont on ne sait pas s'il est un objectif.
9. On ne code pas les titres.
10. Quand le sujet n'est pas le gouvernement (formulation au passif).
11. Un objectif de nature générale dont la cible n'est pas précise.
12. La constatation d'une réalité au sein de laquelle on n'a pas la volonté d'intervenir.

6 – Est codé comme objectif:
1. Objectif interne avec des aspects externes
2. Deux verbes sur le même objectif = 2 objectifs
3. Lorsqu'il y a deux cibles = 2 objectifs.
4. Lorsqu'il y a énumération de domaines, on code un seul objectif «Général» s'il s'agit d'une figure de style visant à exprimer la globalité.

B) **Critères de codage**

Col. 1 à 4   Numéro de l'objectif
Chaque objectif se voit attribuer une fiche dont le numéro apparaît ici. Sur la fiche l'énoncé de l'objectif est reproduit et est notée la référence au corpus.

Col. 5 à 8   Date
Deux derniers numéraires de l'année suivis de janvier = 01 à décembre = 12 (non déterminé = 99)

Col. 9 à 12   Lieu
Lieu où a été prononcé le discours. Le Québec est le 4101
Quant aux autres pays, se référer à la liste des cibles.

Col. 13   Ministères impliqués: ministère mentionné explicitement dans l'objectif ou, si non spécifié, celui dont le locuteur est le titulaire.
1   Ministère des Affaires intergouvernementales
2   Ministère des Relations internationales
3   Ministère des Affaires internationales
4   Autre ministère
5   Ne s'applique pas (par ex. le P.-M.)

Col. 14   Statut du décideur

1 Premier ministre

2 Ministre

3 Ministre d'État ou délégué

Col. 15 à 16 Domaine de l'objectif

01 Politique-diplomatique

02 Institutionnel-organisationnel (incluant le droit international et sa réglementation, ainsi que les organisations internationales et tous les objectifs d'institutionnalisation des rapports bilatéraux ou multilatéraux)

03 Culture-communications

04 Économie-commerce (incluant commerce, finance, transport, technologie industrielle et tourisme)

05 Éducation-science

06 Immigration (incluant les immigrants investisseurs)

07 Écologie-environnement (incluant urbanisme et aménagement du territoire

08 Aide au développement et aide humanitaire

09 Affaires sociales-travail

10 Mobilité des personnes (les objectifs concernant le travail des Québécois à l'étranger entrent dans cette catégorie et non dans 09)

11 Général[1] (ne concerne pas un domaine spécifique)

Col. 17 à 18 Nature de l'objectif

01 Renforcer ou établir des liens politiques ou diplomatiques.

02 Participer au développement du droit international et à sa réglementation.

03 Participer aux activités des organisations et associations internationales ou en favoriser le développement.

04 Promouvoir la paix.

05 Promouvoir les droits et libertés.

06 Améliorer la qualité de l'environnement.

07 Améliorer la qualité de vie ou favoriser le développement des services sociaux.

08 Améliorer les conditions de travail.
09 Favoriser la connaissance du Québec à l'étranger — connaissance mutuelle.
10 Favoriser les échanges culturels.
11 Favoriser le développement du français et les échanges dans le domaine linguistique.
12 Favoriser les échanges et la coopération scientifiques.
13 Favoriser les échanges et la coopération en éducation.
14 Favoriser l'immigration.
15 Favoriser la mobilité des Québécois à l'étranger et vice-versa.
16 Apporter une aide aux PVD.
17 Contribuer à la réduction des écarts de développement.
18 Favoriser les transferts technologiques.
19 Favoriser le commerce extérieur du Québec.
20 Favoriser les investissements étrangers au Québec.
21 Favoriser les investissements québécois à l'étranger.
22 Favoriser la libre circulation des biens et des services (libre-échangisme).
23 Protéger le marché québécois (protectionnisme).
24 Accroître le tourisme.
25 Participer au développement international du transport et des communications.
99 Créer, établir, maintenir, resserrer des liens, relations, échanges (nature d'un objectif classé «général» aux col. 15-16).

Col. 19 à 22 Cibles: un code de 4 chiffres est attibué à chacune des cibles géographiques et ou institutionnelles

Col. 23 Premier contexte: le plus important pour le locuteur
Dans quel contexte l'objectif est-il énoncé? Cette catégorisation peut faire appel au non-dit et est nécessairement plus subjective que les autres.

1 Statut: contexte d'affirmation de compé-
                        tences juridico-politiques internes
                        ou externes

2 Nécessité: contexte de modifications de l'en-
                        vironnement sur lequel l'État qué-
                        bécois peut exercer un contrôle
                        direct ou indirect en tant qu'État
                        fédéré (interne — Canada/Qué-
                        bec).

3 Adaptation: contexte de modifications de l'en-
                        vironnement sur lequel l'État qué-
                        bécois ne peut exercer un tel con-
                        trôle (externe — Canada/Qué-
                        bec).

4 Aucun contexte

5 Pas de deuxième contexte

Col. 24   Deuxième contexte: second contexte le plus im-
                                portant

Col. 25   Attitude: l'objectif implique-t-il un engagement,
            un retrait ou une continuité par rapport
            au comportement actuel du Québec?

1 engagement
2 reconduction
3 désengagement

ex.: «Nous privilégierons dorénavant...» = engage-
      ment
      «Nous désirons accroître...» = engagement
      «Nous ne reconduirons pas...» ou
      «Nous réduirons notre présence...» = désen-
      gagement
      «Comme par le passé, nous poursuivons nos
      efforts pour...» ou «Nous désirons mainte-
      nir...» = reconduction.

Col. 26   Type:
1 discours hors chambre
2 propos en chambre

---

1. La nature d'un objectif «général» doit obligatoirement correspondre au code 25
    dans les col. 17 et 18.

Annexe 2

Sources utilisées pour la compilation des dépenses des représentations du Québec à l'étranger

Années budgétaires	Document	Date	Localisation
1959-1960 à 1964-1965	*Comptes publics du gouvernement du Québec (1959-64)*		
1965-1966 à 1968-1969	1[1]. *Comptes publics du gouvernement du Québec (1965-68)* 2. MAI, *Maisons du Québec à l'étranger, évolution des dépenses de 65-66 à 72-73,* document interne.	s.d.	ANQ[2], Boîte 7D18-1403B
1969-1970 à 1970-1971	MAI, *Maisons du Québec à l'étranger, évolution des dépenses de 65-66 à 72-73,* document interne.	s.d.	ANQ, Boîte 7D18-1403B
1971-1972	1. MAI, *Maisons du Québec à l'étranger, évolution des dépenses de 65-66 à 72-73,* document interne. 2. Shiro, NODA, *Les relations internationales du Québec de 1970 à 1981: comparaison des gouvernements Bourassa et Lévesque,* thèse de doctorat non publiée, Université de Montréal.	s.d. oct. 1988	ANQ, Boîte 7D18-1403B
1972-1973	1. MAI, *Maisons du Québec à l'étranger, évolution des dépenses de 65-66 à 72-73,* document interne. 2. Shiro, NODA, *Les relations internationales du Québec de 1970 à 1981: Comparaison des gouvernements Bourassa et Lévesque,* thèse de doctorat non publiée, Université de Montréal. 3. MAI, *Budget 73-74,* document interne. 4. MAI, document interne sans titre.	s.d. oct. 1988	ANQ, Boîte 7D18-1403B Centre dépôt doc. semi-actifs, boîte 15138 Centre dépôt doc. semi-actifs, boîte 15217

---

1. L'ordre de présentation des sources indique un ordre de priorité.
2. Archives nationales du Québec.

1973-1974 à 1975-1976	Shiro, NODA, *Les relations internationales du Québec de 1970 à 1981: Comparaison des gouvernements Bourassa et Lévesque*, thèse de doctorat non publiée, Université de Montréal.	oct. 1988	
1976-1977	MAI, *Répartition des dépenses totales entre Québec et les délégations 1976-77. Défenses des crédits 1977-78*, document interne.	s.d.	Centre dépôt doc. semi-actifs, boîte 34206
1979-1980	MAI, *Bilan comparatif des dépenses 1979-1983*, document interne.	s.d.	MAI, Direction des ressources financières
1980-1981	1. MAI, *Bilan comparatif des dépenses 1979-1983*, document interne.	s.d. s.d.	MAI, Direction des ressources financières
	2. MAI, *Bilan comparatif des dépenses 1980-1984*, document interne.		MAI, Direction des ressources financières
1981-1982 à 1984-1985	MAI, *Bilan comparatif des dépenses 1980-1984*, document interne.	s.d.	MAI, Direction des ressources financières
1985-1986 à 1988-1989	MAI, *Dépenses des représentations à l'étranger 1985-86*, document interne.	s.d.	MAI, Direction des ressources financières

Annexe 3

Sources utilisées pour la compilation de l'effectif des représentations du Québec à l'étranger

Années budgétaires	Document	Date	Localisation
1959-1960 à 1960-1961	*Comptes publics du gouvernement du Québec,* (1959-60).	31-03-60	
1961-1962	1[1]. *Comptes publics du gouvernement du Québec,* (1961). 2. MIC, *Correspondance de délégation,* document interne.	12-01-62	ANQ, boîte 7D18-3401B, chemise «*transmission par chèque traitement Paris*»
1962-1963	1. *Comptes publics du gouvernement du Québec,* (1962). 2. MIC, *Délégation générale du Québec - Londres. Prévisions budgétaires 1963-1964,* document interne. 3. MIC, *Ministère Industrie et Commerce, prévisions budgétaires pour l'année fiscale 1962-1963,* document interne.	27-03-63 02-03-62	ANQ, boîte 7D18-3603B ANQ, boîte E0042/121
1963-1964	1. *Comptes publics du gouvernement du Québec* (1963). 2. MIC, *Ministère Industrie et Commerce, prévisions budgétaires pour l'année fiscale 1962-1963,* document interne. 3. MIC, *Délégation générale du Québec - Londres. Prévisions budgétaires 1963-1964,* document interne. 4. MIC, document interne.	02-03-62 27-03-63 10-06-63	ANQ, boîte E0042/121 ANQ, boîte 7D18-3603B ANQ, boîte 7D18-3102B, chemise New York
1964-1965	MAI, *Personnel (effectif) Affaires fédérales-provinciales - Affaires intergouvernementales,* document interne.	s.d.	ANQ, boîte 7D18-1404B

1. L'ordre de présentation des sources indique un ordre de priorité.
* Les sources accompagnées d'un astérisque permettent une ventilation selon le domaine.

1965-1966	1. MAI, *Sommaire des effectifs*, document interne.	02-05-66	ANQ, boîte E011-T0011
	2. *MAI, *Ministère de l'Industrie et du Commerce, délégations à l'étranger, personnel,* document interne.	s.d.	ANQ, boîte 7D18-1501B
1966-1967	MAI, *Personnel (effectif) Affaires fédérales-provinciales - Affaires intergouvernementales,* document interne.	s.d.	ANQ, boîte 7D18-1404B
1967-1968	1. MAI, *Affaires fédérales-provinciales, Affaires intergouvernementales,* document interne.	s.d.	ANQ, boîte 7D18-1504B
	2. *MAI, *Affaires intergouvernementales, Direction des délégations à l'étranger,* document interne.	s.d.	ANQ, boîte 7D18-1404B, chemise *Budget 1968-69 étude délégations à l'étranger*
1968-1969 à 1969-1970	MAI, *Relevé des effectifs 69-70,* document interne.	s.d.	ANQ, boîte 7D18-1504B, chemise *Budget 1970-1971. Effectifs taux moyen d'appointement*
1970-1971	MAI, *Budget 1974-75,* document interne.	s.d.	Centre dépôt doc. semi-actifs, boîte 15138
1971-1972	1. MAI, *Budget 1974-75,* document interne.	s.d.	Centre dépôt doc. semi-actifs, boîte 15138
	2. *MAI, *Annexe A de la défense de crédits,* document interne.	s.d.	ANQ, boîte 7D18-1403B
1972-1973	1. MAI, *Budget 1974-75,* document interne.	s.d.	Centre dépôt doc. semi-actifs, boîte 15138
	2. *MAI, *Ministère des Affaires intergouvernementales, Budget 1973-74,* document interne.	17-04-73	ANQ, boîte 7D18-1403B
1973-1974	1. *MAI, *Ministère des Affaires intergouvernementales, Budget 1974-75,* document interne.	01-05-74	Centre dépôt doc. semi-actifs, boîte 24392
	2. MAI, *Ministère des Affaires intergouvernementales, défense des crédits 74-75,* document interne.	30-05-74	ANQ, boîte 7D18-1403B

1974-1975	MAI, *Administration du personnel*, document interne.	01-04-75	Centre dépôt doc. semi-actifs, boîte 12560
1975-1976	1. *MAI, *Liste des effectifs*, document interne.	31-03-76	Centre dépôt doc. semi-actifs, boîte 1409, chemise *Budget 76-77*
	2. *MAI, *Liste des conseillers à l'étranger dont le traitement est versé par d'autres ministères*, document interne.	31-03-76	Centre dépôt doc. semi-actifs, boîte 1409, chemise *Budget 76-77*
1976-1977	1. MAI, *Liste des effectifs*, document interne.	31-03-77	Centre dépôt doc. semi-actifs, boîte 88736
	2. *MAI, *Salaires et allocations des fonctionnaires en poste à l'étranger*, document interne.	12-05-77	Centre dépôt doc. semi-actifs, boîte 88736
1977-1978	MAI, *Liste des effectifs*, document interne.	31-03-78	Centre dépôt doc. semi-actifs, boîte 88736
1978-1979	*MAI, *Liste des effectifs*, document interne.	31-03-79	Centre dépôt doc. semi-actifs, boîte 88736
1979-1980	*MAI, *Liste des effectifs*, document interne.	s.d.	Centre dépôt doc. semi-actifs, boîte 88736
1980-1981	*MAI, *Liste des effectifs*, document interne.	01-04-81	Centre dépôt doc. semi-actifs, boîte 96284
1981-1982	*MAI, *Liste des effectifs*, document interne.	01-04-82	Centre dépôt doc. semi-actifs, boîte 96284
1982-1983	*MAI, *Liste des effectifs*, document interne.	01-04-83	Centre dépôt doc. semi-actifs, boîte 223-157
1983-1984 à 1988-1989	*MAI, *Liste des effectifs*, document interne.	s.d.	MAI, Direction des ressources humaines

Annexe 4

Classement des postes, titres, fonctions selon le domaine d'activité pour la répartition de l'effectif professionnel à l'étranger

ADMINISTRATION

1. Agent de gestion du personnel
2. Tout poste qui a rapport avec l'administration
3. Lorsqu'on indique «ADMINISTRATEUR» sans autre remarque
4. Administrateur «conseiller»
5. Adjoint aux cadres supérieurs — «conseiller»
6. Analyste des procédures administratives

AGRICULTURE

1. Conseiller, ministère de l'Agriculture, des Pêcheries et de l'Alimentation
2. Attaché agro-alimentaire

COOPÉRATION

1. Conseiller en coopération
2. Attaché en coopération
3. Responsable de la coopération
4. Coordinateur, coopération

CULTURE/COMMUNICATION

1. Conseiller culturel
2. Conseiller, Office de la langue française

DIRECTION

1. Délégué général
2. Délégué
3. Chef de cabinet du délégué
4. Conseiller du délégué

ÉCONOMIQUE

1. Conseiller économique
2. Attaché commercial
3. Chef de mission, ministère du Commerce extérieur
4. Démarcheur commercial
5. Conseiller en technologie
6. Directeur de bureau, ministère du Commerce extérieur et du Développement technologique
7. Directeur, Centre québécois de coopération industrielle

1. Dans le cas des Bureaux, les directeurs sont classés par leur domaine de fonction (économie, immigration).

8. Analyste en technologie du Centre de recherche industrielle de Québec
9. Coopération scientifique et technique

ÉDUCATION

1. Spécialiste en sciences de l'éducation
2. Attaché en éducation
3. Secrétaire général du Centre de coopération interuniversitaire franco-québécoise

IMMIGRATION

1. Conseiller en immigration
2. Directeur, ministère des Communautés culturelles et de l'Immigration
3. Responsable, Bureau d'immigration
4. Directeur, Bureau d'immigration
5. Agent d'immigration

INFORMATION

1. Agent d'information
2. Relation avec la Presse
3. Documentation, bibliothèque
4. Relations publiques
5. Directeur des communications
6. «Québec 1534»

POLITIQUE

1. Responsable, Affaires publiques
2. Attaché aux Affaires publiques
3. Conseiller, Affaires européennes
4. Conseiller, Affaires politiques
5. Conseiller, Affaires nationales
6. Conseiller, Affaires francophones et multilatérales

TOURISME

1. Attaché touristique
2. Conseiller en tourisme

AUTRES[2]

1. Quand aucun domaine n'est indiqué
2. Analyste
3. Agent de recherche et planification
4. Sergent de police
5. Conseiller polyvalent

---

2. On ne tient pas compte de l'effectif affecté à l'Agence de coopération culturelle et technique et à la Chambre de commerce française du Canada.

Annexe 5
Analyse de la gestuelle extérieure
Manuel de codage simplifié

A) Identification de l'acte

1 - L'acte retenu répond à la question: «Qui fait quoi, quand et avec qui?»

2 - Sujet: le gouvernement, l'État québécois, leurs représentants et mandataires. S'il y a X nombre de «responsables» impliqués dans l'acte, il y a X nombre d'actes. Par exemple: 2 ministres partent en mission = 2 «visites»

3 - Nature de l'action: acte de politique étrangère

4 - Cible étrangère:
   1. La cible de l'acte (et non son lieu) doit être extérieure au territoire canadien ou être une organisation internationale
   2. 2 cibles = 2 actes

5 - N'est pas codé comme un acte de politique étrangère:
   1. Un acte de portée interne sans conséquence ou implication externe
   2. Un acte de nature imprécise ou ambiguë
   3. Un acte déjà codé
   4. Une prise de position, l'annonce d'une action sans indication d'une action concrète

B) Critères de codage

Col. 1 à 4 — Numéro de l'acte
Chaque acte se voit attribuer une fiche dont le numéro apparaît ici. Sur la fiche on décrit le plus précisément possible l'acte et la source

Col. 5 à 8 — Date: c'est-à-dire, l'année et le mois
— Deux derniers numéraires de l'année et du mois, de janvier = 01 à décembre = 12 (non déterminé = 99), indiquent la date à laquelle l'acte est accompli ou débute. Ex.: |0112|
— Si le début de l'acte est antérieur à la période couverte = |0000|

Col. 9 à 12 — L'année
En règle générale, l'année de la date est répétée. S'il s'agit d'une année budgétaire, les deux derniers

numéraires de chaque année sont inscrits l'un après l'autre

Col. 13 à 16   Expiration de l'acte

Si, par exemple, dans le cas des ententes, le moment de l'expiration est inconnu mais qu'il y a eu expiration, le code |0000| est inscrit

Faute de précision, on indique simplement la période à l'intérieur de laquelle l'acte a eu lieu selon la période couverte par la source, est simplement indiquée.

Col. 17   Niveau de responsabilité

1   Premier ministre

2   Ministre

3   Ministre d'État ou délégué

4   Sous-ministre

5   Directeur

6   Autre: préciser (par exemple: Commissaire, député, adjoint parlementaire, fonctionnaires, etc.)

7   Ne s'applique pas (le gouvernement, l'État[1])

8   Ne sait pas

Col. 18   Type d'interlocuteur

Le type d'interlocuteur retenu est toujours le plus élevé dans la hiérarchie politique

1   État souverain

2   État non souverain

3   Organisation internationale

4   Non gouvernemental

5   Ne sait pas

6   Rencontres multilatérales d'États souverains

7   Rencontres multilatérales d'États non souverains

Col. 19 et 20   Domaine de l'action

01   Politique — diplomatique — général

Ce domaine est utilisé principalement dans le cas des actes qui impliquent un grand nombre de domaines dont aucun n'a priorité

---

1. Le niveau «7» désigne l'État quand le gouvernement du Québec établit des relations formelles. Dans le cas d'une entente, par exemple entre le gouvernement du Québec et un autre gouvernement, le code 7 est utilisé ici et le signataire n'est pas retenu. S'il s'agit de la signature d'un procès-verbal d'une rencontre cependant, le niveau de responsabilité correspondra à celui du signataire.

02 Institutionnel — organisationnel
Inclut le droit international et sa règlementation ainsi que les organisations internationales — ministère de l'Intérieur — réforme parlementaire. Couvre tout ce qui concerne les institutions québécoises ou étrangères; la coopération technique en coordination et planification, création de commissions mixtes, prêt de fonctionnaires québécois, création d'un centre de promotion.

03 Culture — communication — langue
Inclut la télévision, jumelage de musées, jumelage de programmes de télévision et de câblodistribution, conservatoire de musique, art dramatique, jumelage de cinémathèques, etc.

04 Économie — commerce — finance
Inclut technologie industrielle, tourisme, transport, agriculture-alimentation, location d'avion-citerne CL 215, inspection des chaudières et appareils sous pression, transfert de technologie, TGV, énergie, coopératives financières, le transport par camion (immatriculation).

N.B. Pour les ententes en matière d'immatriculation automobile, on code le domaine |04| et non |10|; et en matière de ponts et réparations, on code |04| et non |09|.

05 Éducation — science — sports — jeunesse
Inclut droits de scolarité, bourses de scolarité, assistance technique dans le domaine éducatif, technologie science, permis d'enseignement, stages, revues de recherche (revues scientifiques).

06 Immigration
Inclut les immigrants investisseurs.

07 Écologie — environnement

08 Aide au développement et humanitaire
L'aide doit être directe, unilatérale et doit parvenir sous forme d'argent.

09 Affaires sociales — travail — santé — justice
Inclut la coopération en matière de spécialisation médicale, l'adoption internationale, la santé, les

ordonnances alimentaires, l'aide judiciaire. Pour les ententes en matière de droits des femmes on code aussi |09|.

10 Mobilité des Québécois à l'étranger (les objectifs concernant le travail des Québécois à l'étranger entrent dans cette catégorie et non dans |09|).

Inclut 1) les ententes sur les permis de conduire et sur les infractions aux règles de la circulation routière (par exemple avec l'État de New York); 2) la protection sociale des étudiants et des participants à la coopération; 3) la double imposition, les évasions fiscales et la sécurité sociale.

11 Aménagement du territoire — urbanisme
Inclut terres et forêts, urbanisme, travaux publics, affaires municipales, jumelage des parcs et rivières.

99 Absence d'un second domaine

Col. 21 et 22   Second domaine de l'action
Si cela s'avère nécessaire, un deuxième domaine d'action est ajouté après le premier. Les deux domaines doivent être inscrits dans l'ordre hiérarchique de priorité. Lorsqu'il n'y a pas de second domaine, l'espace est laissé libre ou codé |99|.

Col. 23   Nature de l'action
1 Établissement de relations formelles *i.e.* établissement d'une délégation
2 Accueil d'une représentation de type consulaire
3 Accueil de dignitaires étrangers
4 Visites
5 Organisations internationales (participation statutaire)
6 Entente

Col. 24 à 27   Cibles[2]

2.   Une banque parallèle de données dite «Banque — États-Unis» pour la différencier d'avec la Banque générale a été créée dans le but de permettre la compilation complète de toutes les visites effectuées dans chacun des États américains, même celles réalisées lors de tournées ministérielles en évitant un déséquilibre irréaliste en faveur des États-Unis au sein de la banque générale.
Ex.: Une visite Vermont, Maine, New York.
— dans la banque générale sera traitée sur une seule fiche, code = |4200|
— dans la banque États-Unis sera traitée sur 3 fiches, codes = fiche 1) |4245| , fiche 2) |4223|, fiche 3) |4235|.

Bibliographie

ASSEMBLÉE NATIONALE, *Journal des Débats*, 30ᵉ législature, 3ᵉ session, 27 mai 1975.

BEAUDOIN, Louise, «Origines et développement du rôle international du gouvernement du Québec», dans Paul PAINCHAUD, dir., *Le Canada et le Québec sur la scène internationale*, Québec/Montréal, Centre québécois de relations internationales/Presses de l'Université du Québec, 1977, pp. 441-470.

BERGERON, Gérard, dir., *L'État du Québec en devenir*, Montréal, Boréal Express, 1980, 409 p.

BERGERON, Marcel, *Évaluation du réseau de représentation du Québec à l'étranger. Rapport synthèse présenté au ministre des Affaires internationales par monsieur Marcel Bergeron*, Gouvernement du Québec, Ministère des Affaires internationales, 1988.

CARTIER Georges et Lucie ROUILLARD, *Les relations culturelles internationales du Québec*, Québec, CEPAQ/ENAP, 1984.

DINSMORE, John, «Les échanges internationaux du Québec», *Études internationales*, vol. XII, nº 1, mars 1976, pp. 110-115.

DONNEUR, André, «Les relations franco-canadiennes: des péripéties à la substance», dans *La politique étrangère de la France*, Québec, CQRI, collection CHOIX, nº 16, 1984.

DUCHACEK, Ivo, LATOUCHE, Daniel et STEVENSON, Garth, dir., *Perforated Sovereignties and International Relations: Trans-sovereign Contacts of Subnational Governments*, New York, Greenwood Press, 1988.

ENCHIN, Harvey, «Quebec-France relationship takes on more commercial tone», *The Globe and Mail*, 27 avril 1987.

GAGNÉ, Jean et Michel LECLERC, «La coopération scientifique internationale du Québec», *Nouvelles de la Science et de la technologie*, vol. 9, nº 2, 1991, pp. 134-135.

GALARNEAU, Hélène, «Chroniques des relations extérieures du Canada et du Québec», *Études internationales*, vol. XVII, n° 2, juin 1986.

GÉRIN-LAJOIE, Paul, *Allocution du ministre de l'Éducation, M. Paul Gérin-Lajoie, aux membres du corps consulaire de Montréal*, Montréal, 2 avril 1965.

GOUVERNEMENT DU QUÉBEC, *Le Québec dans le monde, le défi de l'interdépendance, énoncé de politique de relations internationales*, Québec, Ministère des Relations internationales, 1985, 101 p.

GOUVERNEMENT DU QUÉBEC, *Évolution du commerce international du Québec, 1968-1982*, Bureau de la statistique du Québec, 1983, 356 p.

GOUVERNEMENT DU QUÉBEC, *Commerce international du Québec*, publication annuelle du Bureau de la statistique du Québec, Les Publications du Québec, 1980 à 1988.

GROS D'AILLON, P., *Daniel Johnson. L'égalité avant l'indépendance*, Montréal, Stanké, 1979.

GROSSER, Alfred, *Affaires extérieures: la politique de la France, 1944-1989*, Paris, Flammarion, 1989.

HAMELIN, Jean, «Québec et le monde extérieur: 1867-1967», *Annuaire du Québec 1968*, pp. 2-36.

HERVOUET, Gérard et GARLARNEAU, Hélène, dirs, *Présence internationale du Québec, chronique des années 1978-1983*, Québec, CQRI, 1984, 368 p.

JACKSON, Robert M., *Quasi-States: Sovereignty, International Relations and the Third World*, Cambridge, Cambridge University Press, 1990.

LESAGE, J., *Discours devant la Chambre de commerce des jeunes du District de Montréal*, Montréal, 12 mars 1966.

LESCOP, R., «Daniel Johnson et les relations internationales du Québec», dans R. COMEAU, M. LÉVESQUE et Y. BÉLANGER, dirs, *Daniel Johnson. Rêve d'égalité et projet d'indépendance*, Sillery, Presses de l'Université du Québec, 1991, pp. 253-261.

MALONE, C., *La politique québécoise en matière de relations internationales: changements et continuités (1960-1972)*. Ottawa, Université d'Ottawa, thèse de maîtrise (science politique) non publiée, 1973.

MATHIEU, G., *Les relations franco-québécoises de 1976 à 1985*, Ottawa, Université d'Ottawa, thèse de maîtrise (science politique) non publiée, 1991.

Ministère de l'industrie, du Commerce et de la Technologie, *Rapport annuel 1989-1990*, Québec, Gouvernement du Québec, 1990.

Ministère des Affaires internationales, «Programme apex. Demandes acceptées par volet et les budgets engagés selon les directions géographiques», document interne, mai, 1989-1990 et 1990-1991.

Morin, Claude, *L'Art de l'impossible: la diplomatie québécoise depuis 1960*, Montréal, Boréal Express, 1987, 472 p.

Morin, Claude, «La politique extérieure du Québec», *Études internationales*, vol. ix, juin 1978, pp. 281-289.

Morin, Claude, *Le pouvoir québécois de négociation*, Québec, Boréal Express, 1972.

Morin, Claude, *Mes premiers ministres*, Montréal, Boréal, 1991.

Morissette, Brigitte, «25 ans de relations franco-québécoises: est-ce enfin l'heureux mariage à trois?», *La Presse*, 10 janvier 1987, p. 8.

Ndiaye, Patrice, *Le Québec et l'Europe des régions*, Québec, cqri, Les Cahiers du cqri, n° 3, 1993, 77 p.

Noda, Shiro, *Les relations internationales du Québec de 1970 à 1980: Comparaison des gouvernements Bourassa et Lévesque*, thèse de doctorat non publiée, Université de Montréal, Département d'histoire, 1988, 605 p.

Painchaud, Paul, *46 articles sur les relations internationales du Québec, publiés dans Le Devoir entre le 9 janvier 1984 et le 17 juin 1985*, document interne du ministère des Relations internationales.

Painchaud, Paul, *Le Canada et le Québec sur la scène internationale*, Québec/Montréal, cqri/puq, 1977.

Patry, A., *Le Québec dans le monde*, Montréal, Leméac, 1980.

Québec, *Le virage technologique. Programme d'action économique 1982-1986*, Québec, Direction générale des publications gouvernementales, 1982.

Québec, Ministère des Affaires intergouvernementales, *Rapport annuel 1978-1979*, Québec, Éditeur officiel du Québec, 1980.

Québec, Ministère des Affaires intergouvernementales, *Recueil des ententes internationales du Québec, 1984-1989*, Québec, Les publications du Québec, 1990.

Québec, Ministère des Communautés culturelles et de l'Immigration, *Au Québec pour bâtir ensemble. Énoncé de politique en matière d'immigration et d'intégration*, Québec, 1990.

Québec, ministère des Communautés culturelles et de l'Immigration, *Rapport annuel 1988-1989*, Québec, 1990.

Québec, Ministère des Relations internationales, *Recueil des ententes internationales du Québec*, Québec, Ministère des Communications, 1984.

Québec, Ministère des Relations internationales, *Le Québec dans le monde ou le défi de l'interdépendance. Énoncé de politique de relations internationales*, Québec, Gouvernement du Québec, 1985.

Roquet, C., «Importance des relations internationales du Québec», dans *Le Canada dans le monde*, Québec, cqri, collection choix, n° 14, 1982, pp. 67-74.

Schroeder-Gudehus, Brigitte, «Sciences, Technology and Foreign Policy» dans Ina Spiegel-Rösing et Derek de Solla Price, dirs, *Science, Technology and Society. A Cross-Disciplinary Perspective*, Londres, Sage, 1977.

Société générale des industries culturelles (1989 et 1990), *Rapport d'activités 1988-1989*, et *Rapport d'activités 1989-1990*.

Tétrault, André, *Le ministère des Affaires intergouvernementales: sa création, sa structure et son fonctionnement*, Dissertation, mai, Université d'Ottawa, 1972.

Tacel, Max, *La France et le monde au xxième siècle*, Paris, Masson, 1989.

Thomson, Dale C., *Jean Lesage and the Quiet Revolution*, Toronto, Macmillan of Canada, (1984).

Thomson, Dale C., *De Gaulle et le Québec*, Québec, Édition du Trécarré, 1990.

Thomson, Dale C., «Les relations internationales de Daniel Johnson», dans R. Comeau, M. Lévesque et Y. Bélanger, dirs, *Daniel Johnson. Rêve d'égalité et projet d'indépendance*, Sillery, Presses de l'Université du Québec, 1991, pp. 263-277.

Vaugeois, Denis, «La coopération du Québec avec l'extérieur», dans *Études internationales*, vol. v, n° 2, mars 1974, pp. 376-387.

Index

Table des matières

COMPOSÉ EN BERKELEY CORPS 11
SELON UNE MAQUETTE RÉALISÉE PAR PIERRE LHOTELIN
CET OUVRAGE A ÉTÉ ACHEVÉ D'IMPRIMER EN AOÛT 1993
SUR LES PRESSES DES ATELIERS GRAPHIQUES MARC VEILLEUX,
À CAP-SAINT-IGNACE, QUÉBEC
POUR LE COMPTE
DES ÉDITIONS DU SEPTENTRION